KB196492

한예종에 가고 싶어졌습니다

한예종 연극원
학생들이 말하는
리얼 학교 이야기

한예종에 가고 싶어졌습니다

김솔 외
한국예술종합학교 재학 · 졸업생
10인 지음

메가스터디BOOKS

도전 앞에 선 후배들이 끝까지 예술을 즐기기를 바라며

여러분은 예술이 무엇이라고 생각하시나요?

한예종 입시를 준비하면서 막막한 마음이 들었던 그때의 기억이 새록새록 떠오릅니다. 입시생 시절 저는, 한예종이라는 학교에 대한 궁금증이 넘쳤지만, 정확한 정보를 얻기는 어려웠습니다. 이 책을 펼치는 여러분들도 입시생 시절의 저처럼 한예종에 대한 궁금증이 많을 것으로 생각합니다. 여러분의 궁금증을 해결할 수 있도록 한예종 연극원 내 5개 학과에 대한 다양한 이야기를 담았습니다.

연극과 음악, 미술, 무용 등 예술의 세계는 즐거움과 도전으로 가득한 여행입니다. 물론 그 여행에는 어려움도 있습니다. 이 책에는 한예종 선배들이 겪었던 어려움과 성장의 순간이 고스란히 담겨 있습니다. 청소년기의 고민들을 비롯해 입시를 준비하는 과정에서 겪은 어려움, 한예종에서의 다채로운 경험까지 솔직하게 풀어냈습니다.

이 책은 제 개인적인 경험과 더불어 현재 한예종에서 꿈을 키우고 있는 다양한 학우들의 이야기를 품고 있습니다. 단순한 정보 전달에 그치지 않고, 생동감 있고 현장감 넘치는 경험을 전달하고자 스물한 명의 학우들과 인터뷰를 진행하였고, 그들의 경험과 고민을 듣고 글로 풀어내는 과정을 거쳤습니다. 더불어 열 명의 학우분들은 직접 본인의 이야기를 자유롭게 풀어내주셨습니다. 이를 통해 각자가 펼치는 독특한 예술의 여정, 학문적인 성장, 그리고 학교생활에서의 다양한 경험들을 엿볼 수 있기를 바랍니다.

책을 통해 모든 궁금증을 완벽히 해소할 수는 없겠지만, 한예종 입시를 준비하는 여러분에게 조금이나마 도움이 되길 바랍니다.

마지막으로 흔쾌히 자신의 이야기를 나눠준 학우분들과 출판사 관계자분들, 여러 크고 작은 과정에 참여해 주신 모든 분들에게 깊은 감사의 인사를 전합니다.

대표 저자 김솔

추천사

아직도 기억이 생생하다. 임용된 지 얼마 안 된 어느 날, 연기과에서 예술경영학으로 전과하겠다는 학생을 면접하게 되었다. 실기과 학생이 우리 전공을 잘 해낼 수 있을지 면접관 선생님들과 이야기했고, 어쩌면 능력보다는 의지를 면접하는 자리였다. 그랬던 그 학생이 지금 너무도 행복하게 전공 수업의 '도장깨기'를 해내고 거기에 더해 본인이 가진 다양한 능력을 연결해가며 성장하고 있다. 미래를 고민하는 학생들에게 전공을 소개하는 입문서를 쓰면서 말이다.

이 책은 학생의 눈높이에서 예술을 공부하는 것이 무엇인가를 자신과 친구들의 경험을 토대로 생생하게 설명한다. 예술이라는 학문의 전모를 보여줄 수는 없고 또한 한국예술종합학교라는 개별적인 경우만을 소개하는 한계가 있기는 하지만, 독자로 하여금 학교의 구석구석을 누비고 다니며 전공을 간접적으로 체험하게 해준다는 점에서 흥미진진함을 더한다.

한국 대중 예술의 세계적인 인기 이면에서, 모든 종류의 다양한 예술들이 지속 가능해지기 위해 열정을 쏟고 있는, 미래의 동료인 학생들에게 이 기회를 빌어 감사와 격려를 전한다.

한국예술종합학교 연극원 예술경영전공 주임교수 홍기원

쉽게 읽히고, 유익하다.

한예종에 다니며 실제로 경험하고, 스스로 고민했던 지점이

책 속에 녹아있다. 입시생들에게는 분명히 도움이 될 책이자, 예술가로서

어떻게 나아가야 하는지에 대해 전공자들의 생각을 엿볼 수 있는

좋은 책이다. 학교 동료이자 이 책의 대표 저자인 김솔이 한예종에 대한 책을

작성해 주어서 기쁘다. 좋은 마음으로 응원한다.

배우 아누팜

직접 고민하고 겪어야 알 수 있는 입시와 한예종의 많은 것들을

친절하게 녹여냈다. 전공에 대해 다양한 시각으로 바라볼 수 있게 도와주고

앞으로의 우선순위 결정에 도움을 줄 수 있는 책이다.

저자와 같은 선배를 만나서 이야기해 보고 싶었다면

이 책을 추천한다.

배우 추영우

CONTENTS

한예종 석관동 캠퍼스 지도

무대제작실습장

학생회관

연희실습장

본관지역
(학교본부·연극원·영상원)

학교본부

예술정보관

정문(본관지역)

천장관

예술극장

창조관

연극원 · 영상원

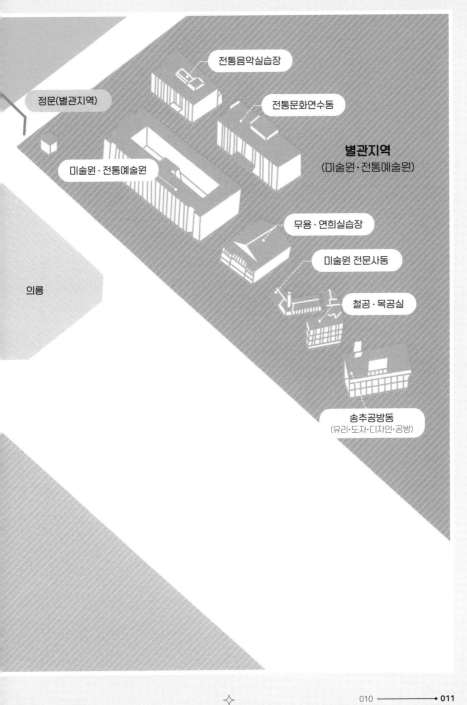

정문(별관지역)

전통음악실습장

전통문화연수동

별관지역
(미술원·전통예술원)

미술원 · 전통예술원

무용 · 연희실습장

미술원 전문사동

철공 · 목공실

의릉

송추공방동
(유리·도자·디자인·공방)

극작과 |||||||||||||||||||||||||||||||||||||||||||||||||||||||||||||||||||||||||||||||||||||||||||||||||||||||||||||||||||||

한예종 연극원 극작과는 2가지 전공으로 나뉜다. 희곡을 주로 배우는 '극작전공'과 소설 및 시가 기반이 되는 '서사창작전공'이다.

사실 시와 희곡은 그 뿌리가 같다고 할 수 있는데, 아리스토텔레스의《시학》에서 그 근거를 찾을 수 있다. 그래서 극작전공으로 입학하더라도 1학년 때는 서사창작전공 수업으로 개설된 '글쓰기' 과목을 듣는다. 서사창작전공도 마찬가지로 연극원 타과 학생들과 함께 '연극하기'라는 수업을 들을 수 있다. 이 때문에 극작전공 학생 중에는 서사창작전공을 부전공으로 택하는 경우가 종종 있다.

두 전공 모두 자신만의 시선으로 세상을 바라보고, 독창적인 이야기와 세계를 만든다는 점에서는 매우 유사하다. 그러나 발화 방식에 차이가 있다. 익히 알고 있듯 대부분의 소설과 시는 활자로 존재한다. 작가는 쓰고 독자는 읽는다. 언어적 제약이 있는 경우를 제외하고는 텍스트가 있다면 언제 어디서든 읽을 수 있다. 그러나 희곡은 다르다. 희곡의 목적은 텍스트를 남기기 위함이 아니다. 희곡은 공연되기 위해 존재한다. 이것이 희곡과 소설, 극작전공과 서사창작전공의 가장 큰 차이일 것이다. 활자로 존재하던 세상이 무대 위에서 구현되고, 공연이 끝난 뒤에는 사라져버리는 순간. 그 순간성에 매료된 이들이 연극, 뮤지컬 작가가 된다. 이 경우 프리랜서나 극단에 속해 활동한다. 물론 드라마나 영화 등 매체에서도 일할 수 있다. 희곡 특성상 대사가 주를 이루다 보니 여타 장르보다는 각본 쪽에 익숙하기 때문이다. 그러나 극작전공 커리큘럼상 드라마와 영화 대본 작성법은 배울 수 없기 때문에 부전공을 통해 타 전공 강의를 듣거나 개인적으로 교육원 강의를 수강해야 한다.

무대미술과

무대미술과는 공간의 시각적인 부분을 창의적으로 구현해 내는 과이다. 무대미술이라는 이름을 가지고 있지만, 공연 예술뿐만 아니라 영상 매체, 전시장 등 다른 분야에서도 특정 공간을 디자인하는 작업을 한다. 때문에 그림 실력보다는 작품 해석 능력과 창의적인 디자인 능력, 더불어 제작 실력까지 종합적으로 갖추고 있어야 한다.

입학하면 가장 먼저 공연을 이해하는 법을 배운다. 하나의 공연이 만들어지는 과정, 공연의 역사, 희곡을 읽는 연습 등 인문학적 수업과 더불어 조형, 제작 기술, 컴퓨터 수업 등과 같이 전문 과정의 기본이 되는 수업들로 전공 지식의 뼈대를 만든다. 2학년은 공간을 이루는 전반적인 요소들을 직접 경험하고 시각화하는 법을 배우는데, 이 과정을 통해 세부 전공을 선택하기 전에 자신의 적성을 찾을 수 있다. 3, 4학년이 되면 무대, 조명, 의상, 프로덕션 등 4가지로 세분화된 전공 심화 수업을 받을 수 있고 다른 과와 협업하여 하나의 공연을 직접 상연하면서 실질적인 무대 경험을 쌓을 수 있다. 최종적으로 졸업 전시를 통해 전시 주제에 맞게 작품을 만들어 전시하고, 그동안 만든 작업물을 포트폴리오로 정리하여 본인의 작품 스타일을 외부 사람들에게 소개한다.

공간을 다룬다는 것은 굉장히 넓은 의미를 포함하고 있다. 때문에 공연 예술과 관련된 무대 디자이너, 조명 디자이너, 의상 디자이너, 소품 디자이너뿐만 아니라 미술 감독, 인테리어 디자이너, 전시 디자이너, 그래픽 디자이너 등 시각적인 것을 다루는 직업이라면 무엇이든 될 수 있다. 이처럼 진로 선택의 폭이 넓은 것은 물론이고 분야별로도 세분화되어 있어 진로에 대한 확장 가능성도 높다.

연극학과 – 연극학전공

연극학은 연극과 공연 예술의 가치를 분석하고 연구 및 실천하는 학문이다.

이를 위해 1, 2학년 과정에서는 신화, 역사, 사회 과학, 문학 등 여러 예술 분야의 전반적인 지식을 배우며, 희곡과 공연에 대한 분석과 비평을 위한 글쓰기 워크숍 수업도 진행한다. 이후 3, 4학년 과정에서는 발제, 원서 강독, 소논문 작성 등 다양한 방법을 통해 희곡과 공연에 대해 세밀히 배운다. 또 드라마터지 과목을 통해 실습 과정을 거친다. 마지막으로 전 과정을 정리하는 학술 논문을 제출하게 되는데, 해당 논문은 마지막 학기에 최종 심사를 받는다.

위와 같은 과정을 거친 뒤 비평가, 이론가, 드라마터그 등으로 활동할 수 있으며, 예술사 과정 이후 전문사 과정을 거쳐 연극 비평, 드라마터지, 연극학의 세부 전공을 선택할 수도 있다.

예술의 지속은 창작뿐만 아니라 끝없는 이론적 탐구, 발전을 위한 끝없는 노력 등으로 이루어진다. 한예종에서는 이런 부분을 채워가도록 커리큘럼이 마련되어 있다. 특히 연극학은 예술과 인문학적 소양을 기르는 데에서 더 나아가 연극에 대한 심도 있는 이해와 분석을 할 수 있게 해준다.

한예종 연극원 연극학과는 '연극학전공'과 '예술경영전공'으로 나뉜다. 예술경영전공은 관객에 공감하고 예술가와 공생하며 예술 시장을 창조하는 예술 경영인을 육성한다. 예술경영전공은 연극원과 무용원에 모두 개설되어 있는데, 몇 가지 수업 외에는 동일한 커리큘럼으로 운영되기 때문에 연극원과 무용원 학생들이 함께 학교생활을 한다.

예술경영전공 수업은 기초적인 이론 수업부터 실무적인 능력을 키울 수 있는 실습 수업까지 다양하게 구성되어 있는데, 1학년 때는 '예술경영 입문', '공연 기획과 제작' 등의 기초 수업들이 전공 필수로 진행된다. 이를 통해 학생들은 예술경영의 의미와 공연 제작에 필요한 과정 및 절차, 기획자로서 갖춰야 할 역량에 대해 배운다. 2학년부터는 '경영학'을 중심으로 다양한 전공 선택 수업을 들을 수 있으며, '마케팅 이론', '문화 경제학', '재무와 회계' 등 경영 관련 수업을 들을 기회가 제공된다. 이러한 경영 관련 수업들은 부전공을 신청하는 학생들에게도 인기가 높다. 더불어 학내 공연에 '기획'으로 참여하는 '공연 실습'을 통해 예산 관리, 홍보, 정산 과정 등 공연 예술에서의 기획 역할을 실습한다. 3, 4학년이 되면 '현장 실습'을 통해 학교 밖에서 실무 경험을 쌓고, 실습 보고서(논문)를 작성하는 것으로 학교생활을 마무리한다.

이처럼 예술경영 전공은 이론적 수업뿐 아니라 실습을 통해 다양한 경험을 제공하여, 학생들이 폭넓게 학습할 수 있도록 만들어 준다. 학생들은 현장감 넘치는 학습 환경에서 예술경영의 다면적인 측면을 이해하고, 직접 공연 기획과 실행 과정에 참여하면서 예술 세계의 다양한 요소를 직접 경험한다. 이러한 실무적 경험은 학생들이 예술계에서 필요한 실질적인 역량을 갖추는 데 크게 기여한다. 또한 학교 밖에서의 현장 실습을 통해 학생들은 실제 예술계의 업무 환경과 동향을 직접 경험할 수 있으며, 이를 통해 현장에 필요한 인재로 성장한다.

한예종 연극원 연기과의 교육 과정은 학생들이 배우로서의 전문성과 깊이를 함양할 수 있도록 체계적으로 구성되어 있다. 이 4년간의 훈련은 학생들이 상상력과 창조력이 풍부한, 독창적인 연기 세계를 지닌 배우로 성장하는 것을 목표로 한다. 매 학기 진행되는 '연기 실습' 수업은 전공 필수 과목으로, 1부터 6까지 순차적으로 이수해야만 졸업이 가능하다는 점에서 그 중요성을 짐작할 수 있다.

1학년 과정에 해당하는 '연기 실습 1, 2'에서는 무대 위에서 자신을 바탕으로 한 인물과의 만남을 경험한다. 이 외에도 1학년 때 받는 다양한 수업을 통해 학생들은 자기 자신을 탐구하며 다양한 인물을 연기하기 위한 기초적인 훈련을 거친다. 2학년 과정에 해당하는 '연기 실습 3, 4'에서는 학생들이 다양한 캐릭터를 탐구하고 도전적인 역할을 맡으며 연기의 깊이를 넓힌다. 이후 3, 4학년 과정에서 진행되는 '연기 실습 5, 6'에서는 '스타일 연기'에 집중한다. 셰익스피어의 희비극을 포함한 다양한 고전 작품과 사극을 통해, 학생들은 특색 있는 시대와 캐릭터들을 경험하며 연기 스펙트럼을 넓힌다.

'연기 실습'이 핵심 수업이긴 하지만, '호흡과 발성', '즉흥 연기', '움직임' 등의 전공 필수 수업을 통해 몸과 마음을 깨우고 다양한 표현 방식을 연습한다. '한국의 소리', '메이크업', '카메라 연기', '뮤지컬 댄스' 등의 선택 수업도 있어 학생 각자가 관심 있는 분야를 더 깊이 공부할 수도 있다. 또한 영화과와의 협업을 통해 학내에서 다양한 장르의 연기를 실습할 수 있다. 더불어 학내 공연에 참여해 배운 내용을 실제로 적용하고 배우로서 관객들과 소통하는 경험도 얻을 수 있다.

1, 2학년은 자기 탐구를 바탕으로 연기의 기초를 다지며, 3, 4학년 과정에서는 창작과 협력을 배우며 더 깊이 있는 연기를 경험한다. 학생들은 연기의 다양한 측면을 탐구함으로써 자신만의 독특한 예술적 정체성을 발견하고, 연극과 영화, 뮤지컬, 방송 등 다양한 분야에서 요구되는 연기 기술을 습득하며, 산업 내에서 다양한 역할을 수행할 수 있는 유연성을 갖춘다.

연극 연출은 희곡이 무대에 올라가는 모든 과정에 참여한다. 이를 위해서는 텍스트를 정확히 해석하고 통합, 조정하는 능력이 필요하다. 따라서 1학년과 2학년 때는 이론 수업을 위주로 기초를 다진다. '연극사', '희곡 분석', '명작 읽기', '글쓰기', '연출 입문'과 같은 전공 필수 수업과 '신화의 이해', '문학의 이해', '미학과 가치론', '예술적 글쓰기', '한국 근현대사' 등의 교양 수업이 개설되어 있다.

2학년과 3학년 때는 텍스트를 무대화하는 과정을 학습하는 실기 수업이 진행된다. 연극이 무대에 올라가기까지의 과정은 크게 배우와의 만남과 스태프와의 만남으로 나뉜다. 배우들과는 연습을 통해 동선을 만들고 장면을 구성한다. '연출과 연기' 수업을 통해서 직접 연기를 해보며 배우의 입장에서 배우와 소통하는 방법을 학습한다. '연출 실습' 수업에서는 직접 텍스트를 쓰거나 선정하고, 배우들과 만나 연습하며 짧은 연극을 만들어 발표한다.

연출은 스태프와 잘 소통하는 법도 배워야 한다. 극작가와 협업할 때에는 텍스트를 정확히 해석하고 있는지 서로 의견을 나누고 어떻게 무대화할지 고민해야 한다. '창작 콜라보레이션' 수업에서는 연출 1명, 극작과 학생 1명이 조를 이루어, 짧은 연극을 만들어 발표한다. 또한 '빛과 색', '빛과 색 2'를 통해 직접 무대와 조명을 구성해 보며 디자이너와 소통하는 방법을 배운다. 마지막으로 '디자인 콜라보레이션'을 통해 디자이너와 팀을 이루어 짧은 연극을 만들어 발표한다. 이처럼 다양한 사람들과 함께 20분 내외의 짧은 연극을 만들어 발표하면서 연출가에 있어서 가장 중요한 협업과 소통의 능력을 키운다.

4학년이 되면 실전이다. 1학기와 2학기에 걸쳐 '스튜디오 1'과 '스튜디오 2', 즉 2번의 정식 공연을 올리게 된다. 직전 학기에 '스튜디오 준비'를 통해 공연을 미리 구상하고, 매칭된 전담 교수에게 연출 제안서를 제출한다. 교수의 허가를 받은 공연만이 다음 학기에 '스튜디오 1, 2'를 통해 상연될 수 있다. 이 모든 과정을 거쳐 상연을 하는 것이 졸업 요건이자, 전문 연출가가 되는 첫걸음이라 할 수 있다.

SCENE
01

한예종 연극원 합격, 그 뒤의 숨은 이야기

입시,
나와의 싸움을
견디는   일

김솔

연극원 연기과 19학번,
연극원 연극학과
예술경영전공(전과)

 @loveusolmuch

성우를 꿈꾸다 연기를 만나다

언제인지 기억조차 나지 않을 정도로 정말 어린 시절부터 '디즈니' 애니메이션을 사랑했다. 단순히 보는 것을 넘어서, 나는 애니메이션의 캐릭터들을 모방하며 놀곤 했다. 그들의 목소리와 제스처를 따라 하는 것은 나에게 큰 기쁨이자 즐거운 놀이였다. 이런 애니메이션에 대한 열정은 시간이 지나도 계속됐고, 중학교 1학년이 되자 '성우'라는 직업에 흥미를 느끼기 시작했다. 그러나 당시, 주변에 위치한 대부분의 성우 학원들이 공채 시험 준비에 집중된 커리큘럼을 가지고 있어, 중학생인 나에게는 적합하지 않았다.

그러다 중학교 1학년 여름방학 때, 부모님께서 한 연기 학원에서 진행하는 무료 체험 이벤트에 참여해 보라고 권해주셨다. '성우'라는 직업도 목소리로 '연기'를 하는 직업이기 때문에 연기를 배우는 것도 나에게 큰 도움이 될 것이라 생각하신 모양이었다. 그렇게 연기를 배우기 시작했다. 원래는 '성우'가 되고자 하는 꿈 때문에 시작했지만, 점차 연기 자체에 흥미를 느끼기 시작했다. 이후 나를 지도해 주셨던 선생님께서 진지하게 연기를 더 공부해 보는 것이 어떻겠냐고 제안해 주셨다. 조금 더 배워보고 싶다는 생각에 무료 체험이 끝나고 난 뒤에도 정규 수업에 등록했다. 중학생인 내가 갈 수 있는 반은 '예고 입시반'이었다. 처음에는 예술고등학교에 갈 생각이 전혀 없었지만, 이후 연기를 지속적으로 배우다 보니 자연스럽게 관심이 생겼다. 그리고 지금까지 해왔던 일의 결과를 얻고 싶다는 생각이 들어 예고 입시에 도전했고, 결과적으로 예술고등학교에 합격했다.

입시 준비, 나와의 싸움 _____

　　대학 입시는 고등학교 3학년이 된 후 본격적으로 시작했다. 내가 다녔던 예술고등학교는 2학년에서 3학년으로 넘어가는 시기에 정기공연을 열고, 이 공연이 끝나면 곧바로 입시 준비에 돌입한다. 나는 학교에서만 입시 준비를 했고, 별도의 사교육은 받지 않았다. 학교에서 제공하는 연기와 특기에 관한 개인 레슨도 주당 1번씩만 진행했다. 나는 레슨 시간이 많다고 해서 반드시 실력이 향상되는 것은 아니라고 생각한다. 사람마다 다르겠지만, 나의 경우 피드백 받은 내용에 대해 스스로 이해하고 흡수하는 시간이 필요했다. 이전에 받았던 코멘트를 다시 듣고 싶지 않았기 때문에, 한 번 받은 피드백을 꼭 다음 수업 시간 전까지 흡수하겠다는 마음가짐으로 연습에 임했다.

　　3년이라는 시간 동안 내가 다녔던 고등학교에는 기숙사가 있었다. 고등학교 3학년 때는 이동하는 시간조차 아까워 부모님께 기숙사에 들어가겠다고 말씀드렸다. 기숙사의 경우 안전상의 문제로 통금시간이 있다. 11시면 기숙사 출입문이 닫히기 때문에 원칙적으로는 11시 이후에 외출 및 출입이 불가하다. 하지만 당시 기숙사를 담당해 주시던 사감 선생님께 사정을 말하고 매일 외출 일지를 작성한 후 새벽 2시까지 학교에서 연습을 했다. 불이 다 꺼진 캄캄한 학교 복도에서 핸드폰 플래시를 켜놓고 연습했던 기억이 아직도 선명하다. 새벽 2시까지 연습하고 기숙사에 들어오면 바로 잠에 들었고, 다음날 아침 6시에 기상해 등교 준비를 했다. 기숙사의 아침 알람은 7시에 울렸지만, 아침 운동을 위해 6시에 일찍 일어났다. 일찍 등교 준비를 마치고, 다른 학생들이 아직 잠들어 있는 동안 조용히 기숙사를 나와 하루를 시작했다. 남들보다 늦게 자고 일찍 일어나는 것이 나의 루틴이었다.

　　나는 연기 연습을 할 때 꼭 연습일지를 적었다. 연습일지를 작성할 때는 일기처럼 적어서는 안 된다. 단순히 일기처럼 감정을 기록하는 것이 아니라, 연습을 분석하고 발전 방향을 모색하며, 향후 연습 계획을 세우는 데 중점을 두어야 한다. 나는 보통 하루 동안의 연습을 돌아보며, 잘한 점과 부족한 점을 구분해 기록했다. 잘 된 부분은 '왜' 잘 되었는지, 잘되지 않은 부분은 '무엇이' 문제였는지 분석했다. 그중에서도 가장 중요하게 생각했던 것은 실패의 '원인'을 분석하는 부분이었다. 나는 실패의 이유를 깊이 있게 분석하는 것이 중요하다고 믿었다. '왜' 실패했는지, '왜' 잘 되지 않았는지 분석해야만 문제를 고칠 수 있기 때문이다. 그렇게 매일을 보내다 보니 같은 실수를 반복하는 일이 줄었고, 가지고 있던 단점이나 문제점들을 빠르게 극복할 수 있었다.

'왜' 실패했는지, '왜' 잘 되지 않았는지
분석해야만 문제를 고칠 수 있다.

필자의 유튜브 채널 <햇솔>에서 소개하는 '연습일지 쓰는 법'

당일 제시 대사 잘하는 비법 ─────────────

　　내가 한예종 입시를 치른 해에는 1차 시험 과목 중 '당일 제시 대사'라는 과목이 있었다. 나는 자유연기(독백연기)의 경우 모든 입시생이 충분한 연습을 해서 완성시켜 오기 때문에 당일 제시 대사를 잘하는 것이 더 중요하다고 생각했다. 그래서 한예종 홈페이지에 들어가서 공식적으로 제공하는 모든 기출문제를 인쇄해 스프링 제본을 했다. 두꺼운 스프링 제본으로 3권 정도가 나왔는데, 매일 수학 문제를 푼다는 생각으로 하루에 적어도 5개씩은 당일 제시 대사를 연습했다.

　　대사를 연습할 때에는 명확하게 분석하기 위해 노력했다. 우선 대사에 나와 있는 정보들을 바탕으로 '나'의 정체성, 상대방이 누구인지, 현재 상황과 목적 등을 가능한 한 빠르고 명확하게 설정하는 연습을 진행했다. 더불어 움직임과 제스처 활용에 대해서도 고민했다. 대사 속 공간은 어디인지, 실내인지 야외인지, 야외라면 날씨는 어떤지, 낮인지 밤인지, 조용한 공간인지 시끌벅적한 공간인지 등, '공간'을 정확히 설정하고 그 공간 속에서 할 수 있는 '비즈니스(행동)'를 찾으려 노력했다.

　　또 당일 제시 대사의 경우 제한된 시간이 있기 때문에 꼭 타이머를 켜두고 연습했는데, 실전에서 긴장할 경우 시간이 지체될 수 있기 때문에 주어지는 시간보다 단축시켜 연습했다. 학교에서 주어지는 연습 시간이 15분이라면 10분 안에 준비를 마칠 수 있도록 연습했다. 처음에는 당일 제시 대사가 막연하고 어렵게 느껴졌지만, 반복적인 연습과 다양한 기출문제 연습을 통해 어떠한 대사가 나와도 나만의 방식으로 풀어갈 수 있겠다는 확신이 생겼던 것 같다.

중요한 건 꺾여도 그냥 하는 마음

입시를 준비하면서 가장 힘들었던 부분은 불합격이라는 결과를 마주하고도 앞으로 나아가야 한다는 점이었다. 한예종에 최종 합격이 되기 전까지 여러 학교에서 연속으로 불합격 통보를 받으며 자신감이 계속 떨어졌다. 지금 돌이켜보면 웃기지만, 당시에는 대학에 갈 수 없을지도 모른다는 생각에 마치 세상이 무너지는 것 같았다. 입시를 열심히 준비했던 만큼 불합격 통보를 받을 때의 허탈한 마음은 배로 커졌다. 하지만 입시 후반부에 가서는 '불합격'이라는 결과에 익숙해졌는지 큰 타격이 없었던 것 같다. 오히려 마음을 내려놓고 '재수가 별거겠어?'라고 생각하며 봤던 한예종 2차 시험에서 좋은 성적을 거두어 최종 합격을 할 수 있었다. 이를 통해 마음의 여유를 갖는 것이 얼마나 중요한 일인지 다시 한번 생각해 보게 되었다.

앞서 얘기했던 것처럼, 불합격을 받더라도 흔들리지 않아야 한다. 입시는 내가 생각한 대로 흘러가지 않는다. 그렇기에 꺾이더라도 그냥 하는 마음이 중요하다고 느꼈다. 그리고 지나간 시험을 복기하며 후회하지 않는

게 좋다. 지나간 시험에 대해 내가 할 수 있는 일은 없다. 그저 지금 하고 있는 것들에 집중해야 한다.

▼ SUN (16)	▼ MON (17)	▼ TUE (18)
● 유튜브 업로드 (21:30)	● 오전까지 자료조사 보내드리기	● 영상언어의 이해 중간고사
☑ 파일 아이콘 넣기	● 리플렛 명단 마감	☑ 리플렛 명단 취합 마감 + 그래픽 디자이너님께 전달
☑ 인아웃트로 제작	☑ 회사) 자료 서치해서 모아두었던 것 파일로 정리해서 넘겨드리기	☑ 예매 안내 카드뉴스 업로드
☑ 후반작업 (노래 및 추가 부분 삽입)	☑ 4/27 목 휴가 말씀드리기	☑ Almost there 녹음
☑ 아웃트로 음악!!	☑ 휴가 결재 올리기	☑ 예매 사이트 만들기
☑ 글씨 하이라이트!	☑ 초대권 이벤트 카드뉴스 제작	☑ 영상언어의 이해 중간고사 보기
☑ 인트로 꾸미기	☑ 작품소개 카드뉴스 업로드 18:00	☑ 초대권 이벤트 스토리 업로드
☑ 제목, 설명, 타임라인 작성	☑ 초대권 이벤트 업로드 (부착 후)	
☑ 썸네일 제작		
☑ 업로드 (21:30)		
☑ 회사) 부탁하신 자료 서치		

필자가 할 일을 정리하는 방법

현재에 집중하기 위해서는 매일 해야 할 일을 적어보는 연습을 하는 것도 도움이 된다. 머릿속에 해야 할 일들을 담아두는 것과 그것들을 명확하게 적어 한눈에 파악할 수 있게 하는 것은 큰 차이가 있다. 하루 동안 해야 할 일들을 목록으로 만들고, 그 일들을 해결하는 데만 집중하는 것이 좋다.

그렇다고 해서 부정적이고 우울한 감정을 무시하라는 이야기는 아니다. 올라오는 감정들을 무턱대고 무시하는 것은 좋지 않다. 나의 감정을 명확하게 인식하고 마주하는 연습도 필요하다. 감정을 직면해야만 그것을 온전히 떠나보내고 현재에 집중할 수 있기 때문이다. 그러기 위해서 어떤 상황이 마음에 걸리는지, 왜 그것이 나를 후회하게 만드는지 구체적으로 적어보는 연습을 하면 도움이 된다.

나의 경우, 내일의 나에게 편지를 쓰며 감정을 털어놓는 연습을 했다. 오늘 있었던 일, 연습을 할 때 생각대로 되지 않아 속상했던 일, 시험을 보고 왔던 일 등등 내가 경험하며 느끼고 생각했던 것들을 내일의 나에게 털어놓았다. 더불어 내가 잘하고 있는 점과 칭찬받은 부분들도 세세하게 적으며 내일의 나를 응원했다. 나의 상황과 감정을 타인이 아닌 나에게 털어놓다 보니 꾸밈없이 진솔한 이야기를 꺼낼 수 있었다. 신기하게도 편지를 쓰다 보면 하루 종일 신경 썼던 부분이 별거 아니었다는 생각이 들기도 하고, 내가 잘 나아가고 있다는 생각이 들기도 한다. 이렇게 하루를 정리하고, 내일의 나를 응원해 주는 과정을 통해 묵혀두었던 감정을 해소하고 새로운 힘을 얻을 수 있었다.

건강한 마음가짐은 입시를 헤쳐나가기 위해 꼭 필요한 요소다. 꼭 이 방법이 아니더라도 본인의 감정을 마주하고, 심리 상태를 건강하게 만들수 있는 일을 찾았으면 좋겠다. 자신의 내면을 다독이며 무사히 입시를 마치길 바란다.

02

입시,
'나'를 발견하는
시간

interview

박주희

연극원 연기과 23학번

 @judithpark__

초등학교 6학년 때, 〈해를 품은 달〉이라는 작품으로 뮤지컬을 처음 접했다. 그날 이후 나는 뮤지컬에 완전히 매료되었다. 특히 음악, 연기, 무용, 미술 등 다양한 예술이 어우러진 뮤지컬의 종합 예술적 특성에 매력을 느꼈다. 나는 내가 느낀 뮤지컬의 감동을 다른 사람들도 느꼈으면 좋겠다고 생각했다. 이렇게 가슴 뛰는 예술을 나 혼자서만 알고 싶지 않았다. 그리고 그 매개체가 나였으면 좋겠다고 생각했다. 그렇게 나는 뮤지컬 배우를 꿈꾸기 시작했다.

예술 학교에 진학해야만 뮤지컬 배우가 될 수 있는 것은 아니라고 생각했던 나는 일반 대학을 선택했다. 일반 대학에 진학한 후에도 뮤지컬에 대한 꿈을 놓지 않고 노래 연습에 집중했다. 뮤지컬에서 '노래'가 가장 중요하다고 생각했기 때문이었다. 하지만 계속해서 노래를 연습하다 보니 점차 '연기'에 대한 갈증이 커졌다. 뮤지컬은 단순히 음을 맞춰 노래를 부르는 데 그치는 것이 아니라 이야기와 정서를 전달해야 하므로 연기 실력이 필요하다. 나는 어떻게 하면 연기 실력을 기를 수 있을지 고민했지만, 혼자서 해결할 수 있는 부분에는 한계가 있었다. 체계적으로 연기를 배울 수 있는 환경이 필요했고, 그렇게 연극영화과에 도전했다.

독학으로 입시에 뛰어들다

일반적으로 연극영화과를 지망하는 학생들은 입시 전문 학원에 다니지만, 나는 학원에 다니지 못했다. 대학교 졸업을 준비하고 있던 시기와 연극영화과 입시 시기가 맞물려 입시 학원의 스케줄을 소화해 낼 물리적인 시간이 부족했기 때문이다. 대신 통학하는 지하철 안에서, 그리고 1~2시간씩 비는 공강 시간을 활용해 홀로 연습했다.

일반 대학 진학 이후 노래는 꾸준히 배웠지만, 연기는 따로 배운 적이 없다 보니 내가 혼자 연습하고 준비하는 것들이 올바른 방향성을 지니고 있는지 의문이 들었다. 열심히 연습은 했지만 작품 속 배역을 잘 분석하고 표현한 것인지, 캐릭터가 잘 드러나는 지 등을 체크해 줄 수 있는 선생님이 계시지 않아 불안하기도 했다. 모든 것을 스스로 결정해야 했고, 그 과정 속에서 혼란스러움을 많이 느꼈다. 물론 학원에 다닌다고 해서 정답이 바로 보이는 것은 아니다. 하지만 때로는 이정표로 삼을 수 있는 무언가가 있었으면 하는 마음도 들었다. 그래도 주어진 상황 안에서 최선을 다해야 했기에 나름대로 여러 방식으로 배움을 얻으려 했다. 도서관에서 스타니슬랍스키✛의 연기 이론서를 찾아 읽기도 하고, 현역 배우들의 영상을 보며 표정, 말투, 호흡 하나하나를 관찰해보기도 했다. 그리고 무엇보다 최대한 객관적으로 나를 바라

✛ 콘스탄틴 세르게예비치 스타니슬랍스키(Константи́н Серге́евич Станисла́вский, 1863년~1938년) : 러시아 모스크바 예술극장을 창립한 연출가이자 배우로 안톤 체호프의 작품을 연출했으며 사실 연기의 원조로 유명하다.

보려고 노력했다. 그러기 위해서는 나 스스로가 배우인 동시에 관객이 되어야만 했다. 연습을 하는 모든 과정을 영상으로 촬영하고, 다시 돌려 보면서 최대한 객관적인 시선으로 피드백해 보는 과정을 반복하였다.

입시에서 가장 중요한 것

다양한 것들을 시도하고 도전해 보면서, 내가 가장 잘할 수 있고 매력적으로 보일 수 있는 역할을 찾아내는 것은 입시를 성공으로 이끄는 가장 중요한 전략이라고 생각한다. 그러려면 우선 '나'라는 사람에 대해 자세히 파악해야 한다. 내가 어떤 역할을 연기할 때 가장 매력적으로 보이는지, 나의 목소리 톤이 어떤 노래와 잘 어울리는지, 나의 본래 성격이어떤 배역과 닮았는지, 어떤 독백이 나의 장점을 많이 녹여낼 수 있는지 등등. 결국 연극영화과 입시는 타인 앞에서 나를 가장 매력적으로 표현하는 일이라고 생각한다. 앞서 말했지만, 이를 위해서는 자신의 모습을 영상으로 기록해 관찰하는 과정이 필요하다. 화면 속의 내 모습을 여러 번 보다 보면 포착되는 것들이 있다. 나의 이미지, 장점, 단점 등 적나라하게 보이는 것들을 자세히 적어보자. 그리고 타인의 의견을 들어보기를 추천한다. 결국 배우에게는 관객의 시선이 가장 중요하므로 타인이 주는 의견들 중 공통점을 파악하고, 자신을 최대한 객관화해서 바라보는 연습을 해보기를 바란다.

한예종 입시를 치르기 위해 준비해야 할 것

2023학년도 입학시험 1차에서는 수험생이 자유롭게 준비한 1개의 독백 연기를 시연하고, 특기(노래 또는 움직임)를 시연한다. 연기와 특기가 모두 끝나면 바로 교수님들과의 면접이 진행된다. 이렇게 본 실기 시험 점수를 70%, 고교 내신 성적을 30% 반영하여 1차 합격자를 선발한다.

이후 1차 시험에 합격한 사람에 한해 2차 원서 접수를 진행한다. 이때 수험생들은 원서 접수 페이지에 제시되어 있는 형식에 맞춰 자기소개서를 작성해 제출해야 한다.

2차 시험은 1차와는 다르게 실기 100%로 진행되며 1차 시험에 비해 더 많은 것이 요구된다. 매년 시험 방식이 달라질 수 있으니 학교 홈페이지에 게시된 모집 요강을 꼼꼼히 확인하는 것이 좋다.

2차 시험에서는 '제시된 독백 연기'를 시연해야 하는데, 말 그대로 시험 당일 학교에서 제시해 주는 1분 정도의 대사를 연습한 후 바로 연기하는 과목이다. 연습 시간은 20~30분 정도 주어진다. 시험 과목에는 '제시된 독백 연기' 외에도 시험장에서 제시하는 주제나 상황을 즉흥적으로 표현하는 '즉흥 표현', 미리 공지되어 있는 지정 희곡 중에서 1가지를 선택해 발표하는 '준비한 독백 연기'가 있다. 또 2차에서도 1차 시험과 마찬가지로 특기와 질의응답까지 진행된다. 이렇게 매년 치열한 경쟁을 뚫고 37명의 학생이 한예종 연기과에 입학한다.

연극영화과 시험 과목 중 '특기'는 연기가 아닌 다른 것을 제한된 시간 안에 보여주어야 하는 시험이다. '움직임'과 '노래' 중 원하는 항목을 선택하면 된다. 보통 '움직임'은 무용이나 아크로바틱을, '노래'는 뮤지컬 노래를 하는 것이 일반적이다. 나는 뮤지컬 특기라 노래만 준비하면 되었지만, 혹시나 질의응답 때 무용을 시킬 수도 있을 것 같아 유튜브에서 영상을 보면서 20~30초짜리 무용을 만들어 연습했다.

뮤지컬 특기를 선택하는 대부분의 학생은 목 관리에 어려움을 겪는다. 평소 연습 때 목을 무리해서 많이 사용하다 보니 시험 날 목 상태가 나빠 100% 실력을 발휘하기 어려운 경우가 생긴다. 그러니 따뜻한 물이나 목에 좋은 차 마시기, 프로폴리스 섭취 등 자신에게 맞는 방법으로 목을 보호하며 입시를 완주해야 한다. 목 관리를 못해서 준비한 것을 제대로 보여줄 수 없는 아쉬운 상황이 생기기 않도록 하자. 특히 스트레스를 풀기 위해 야식이나 자극적인 음식을 먹거나, 노래방에 가서 목을 혹사시키는 일은 하지 말자!

면접에 관하여

면접은 단기간에 따로 준비하려고 하기보다는 평소 자신에 대해 생각하고 글로 정리해 보는 습관을 갖는 것이 도움이 된다고 생각한다. 교수님들이 나에게 어떤 질문을 하실지 입시장에 들어가 직접 시험을 보기 전까지는 그 누구도 알 수 없다. 그렇기에 내가 준비하고 있는 작품과 나 자신에 대해서 평소에 다양한 질문을 던지고 답을 생각해 보는 것이 중요하다. 예를 들어 내가 에너지를 어떻게, 어느 방향으로 발산하는 스타일인지, 어떤 작품의 어떤 캐릭터에 몰입해 봤는지, 자신에 대해 어떤 고민을 하고 있는지 등등 평소에 다양한 생각을 정리해 보는 것이 질의응답을 대비할 수 있는 가장 좋은 방법이 아닐까 싶다. 실제로 나도 면접 때, 만들어 낸 답변이 아닌 평소 나의 생각을 진솔하게 풀어내려고 했다. 그 덕분에 면접관들에게 진실되게 보였을 거라고 생각한다.

1차 시험을 볼 때, 질의응답 첫 질문이 "왜 연기가 하고 싶어요?"라는 질문이었다. 그전에 부른 노래가 뮤지컬 〈박열〉의 '나를 지킨다는 것'이었다. 이미 노래를 부를 때부터 나에 대한 성찰이 가득한 상태였기 때문에 왜 연기를 하고 싶냐는 질문을 받자마자 눈물이 났다. 스스로도 당황했지만 다행히 교수님께서 괜찮다며 달래주셨던 기억이 있다. 떨어질 수도 있겠다고 생각했는데, 마음을 추스른 후 "숨을 쉬는 것만이 삶이 아니듯, 저는 노래하고 연기할 때 살아있다는 느낌이 들었습니다. 살고 싶어서 연기가 하고 싶습니다."라는 다소 오글거리는 답을 했다. 감정에 심취한 모습이 다행히 마이너스로 작용하지 않았는지 1차 시험을 통과했다.

입시에 필요한 마음가짐

　　입시를 준비할 때 가장 필요한 것은 '비교하지 않는 마음'이라고 생각한다. 남들과 나를 비교하기 시작하면 한도 끝도 없다. 비교하면 할수록 나의 장점보다는 단점이 더 크게 보이게 된다. 입시는 결국 나와의 싸움이라서 남과 비교하면서 자존감을 깎아내릴 필요가 없다. 누군가가 잘한다고 주눅 들기보다는 내가 잘하는 것을 극대화해야 한다. 그러면 합격할 수 있다. 남과 비교하지 말고 어제의 나와 오늘의 나를 비교하면서 매일 조금씩 더 나아지도록 노력하기를 바란다. 거듭 강조하지만, 나의 색깔과 매력을 파악하는 것이 가장 중요하다.

　　더불어 입시가 끝이라고 생각하지 않았으면 좋겠다. 무언가 내 인생의 전부라고 생각하면 오히려 너무 간절해서 들뜨고, 잡생각이 많아진다. 인생의 최종 목표가 대학 입학은 아니지 않는가. 물론 온전히 즐기기 힘들겠지만, 입시라는 과정 자체를 앞으로 배우로서 살아가기 위해 나의 실력을 높일 수 있는 계기이자 과정이라고 생각했으면 좋겠다. 입시에 성공한다고 해도 바로 '배우'가 되는 것이 아니니까. 그렇게 생각하면 '입시'는 배우가 되는 과정 속에서 만나는 가장 작은 난관일 수도 있다.

그리고 대학을 가기 위해 열심히 한다는 생각보다 내 배우 인생의 첫 페이지를 연다는 생각으로 하루하루를 보람차게 사는 것이 중요한 것 같다. 시험일을 기준으로 디데이를 세는 학생들이 많을 것이다. 하지만 그렇게 지내면 하루하루가 깎여나가는 느낌이 들 것이다. 대신, '나 자신의 성장'이 매일의 기준이 되었으면 좋겠다. 하루의 끝에 내가 그날 무엇을 배웠고 얼마나 발전했는지, 그 하루를 통해 내가 얼마나 채워졌는지 돌아보기 바란다. 그렇게 '무엇을 배운 날', '얼마큼 성장한 날' 등으로 남은 날들에 이름을 붙이며 지내면 좋겠다.

하루하루가 깎이는 마음으로 입시 준비를 하기보다는 꿈을 위해 오늘을 채운다고 생각하면 얻을 수 있는 것들이 많아질 것이다.

최대한 객관적으로
자신을 바라보자.
그러기 위해서는 스스로가
배우인 동시에 관객이
되어야만 한다.

03

연기에는
정답이
없으니까

interview

이상엽

연극원 연기과 21학번

나는 중학교 때 연극 동아리에서 활동하면서 연극에 관심을 갖게 되었다. 3학년 때 본격적으로 연기를 공부해 보고 싶다는 생각이 들어 예술고등학교 진학을 준비했다. 처음 연기를 접하는 데다 혼자 입시를 준비하려니 엄두가 나지 않아 서울에 있는 연기 학원에 등록했다. 다니던 학교가 서울에서 먼 곳에 있어, 일주일에 1번, 총 7번 수업을 받았다.

지금은 입시 규정이 달라졌을 수도 있지만, 당시에는 1군데밖에 지원할 수 없다는 규정이 있었다. 그래서 진학을 원했던 학교의 입시 요강에 맞춰 기본적인 발음, 발성, 화술 훈련을 진행하며 간단한 독백과 특기를 준비했고, 다행히 합격해 예술고등학교에 진학했다.

대입을 준비할 때는 따로 학원을 다니지 않고 학교에서 입시 준비를 할 수 있었다. 본격적으로 입시 준비를 시작한 고등학교 3학년 때, 내 기본기가 부족하다고 느꼈다. 스스로 문제점을 파악한 후, 몇 달 동안은 발성과 발음 등 기초적인 훈련에 집중하는 시간을 가졌다.

자연스러운 연기를 위해 '말하듯이' 연기하라는 말이 있다. 말하듯이 자연스럽게 연기를 하는 것은 배우가 되려는 사람들이라면 누구나 추구하고 원하는 방향일 것이다. 하지만 이를 위해 웅얼웅얼 거리거나 소리를 제대로 내뱉지 않는 것은 정말 좋지 않은 습관이다. 물론 때로는 그런 모습이 자연스러운 연기로 보일 수도 있겠지만, 연습까지 그렇게 해서는 안 된다.

특히나 입시를 준비하고 있다면 더더욱 좋지 않다.

'자연스럽게 말하기'는 불필요한 힘이 들어가 있지 않은 편안한 상태에서, 발음과 발성, 화술이 정확하게 잡혀 있는 상태로 연기할 때 성립한다고 생각한다. 그래야 대사가 의미하는 바가 정확하게 전달된다. 그래서 나는 입시를 준비하면서도 무언가를 보여주고 뽐내는 데 치중하지 않고 기본기를 키우는 것에 더 집중했다.

마침내 원서 접수

한예종을 포함해 총 7개 학교에 원서를 넣었다. 한예종은 전문 대학이기에 수시 전형을 치르던 6개 학교에 포함되지 않았고 가장 시험이 빠른 학교이기도 해서 나중에 있을 시험들을 대비하고 연습해 본다는 마인드로 지원했다. 개인적으로 가고 싶었던 학교가 3곳 있었지만, 학교를 골라서 갈 만큼 실력과 조건은 갖추지 못했다고 생각해 어느 학교라도 갈 수 있으면 좋겠다는 마음으로 준비했다. 원하는 학교 리스트에는 한예종도 있었는데, 수업 커리큘럼이 잘 잡혀 있고, 특히 다른 분야의 예술 전공생들과 협업하고 교류할 수 있는 환경이 잘 조성되어 있다고 들어서 끌렸다.

지원했던 7개 학교 중 3군데에서 1차 합격을 했고, 그중 한예종만 최종으로 합격했다. 한창 코로나가 유행하던 때라, 한예종의 1차 실기시험을 비대면 영상 촬영으로 대체해야 했는데, 앞서 말했던 것처럼 기초적인 화술 훈련에 집중하고 있었기 때문에 연기력보다는 발음, 발성 그리고 서 있는 자세 등 정말 배우로서 갖춰야 하는 기본적인 틀을 만드는 것을 목표로 시험에 임했다. 수험생으로서 탄탄한 베이스를 갖추고 있다는 것을 보여주는 것이 가장 중요한 부분이라고 생각했다.

기초 훈련을 통해 화술 등 기본적인 부분을 채운 후에 다양한 스펙트럼의 연기에 도전했다. 학교별로 좋아하는 스타일을 조사하고 코미디부터 정극, 고전부터 현대 작품까지 다양한 연기를 해보려 노력했다. 특히 한예종의 경우는 학생다운 학생, 학구열이 높고 배움을 잘 수용할 수 있을 것 같은 학생을 좋아한다는 이야기가 있어서, 어떠한 색을 묻히려 한다거나 과하게 힘을 주지 않고 차분하게 나다운 모습으로 임했다. 하지만 정말 이것 때문에 합격을 했는지는 알 수 없다. 정답은 없으니까.

연기 전공 입시에는 변수가 정말 많다. 또 학교마다 조금씩 기준과 취향이 다르기 때문에 성적만으로 이곳은 합격이다라는 장담을 할 수 없다. 그렇기에 합격 여부가 예상과 달라도 흔들리지 않고 끝까지 잘 준비하는 것이 중요한 것 같다.

한예종 입시는 1차, 2차로 진행된다. 나는 코로나 때문에 비대면으로 시험을 봤는데, 원래 1차는 대면 시험으로, 자유 독백과 특기를 보는 것으로 알고 있다. 해마다 조금씩 다른데, 즉흥 연기나 문장 읽기를 시키는 경우도 있었다고 한다. 그 이후에 2차 시험에서 워크숍, 글쓰기 시험을 보고 그것을 바탕으로 교수님들과 면접을 보는 형식으로 진행된다고 들었다. 마지막 2차 면접에서는 지정된 희곡에 나오는 독백과 특기, 질의응답 등이 포함된다. 하지만 해마다 구체적인 내용들은 계속해서 변하고 있고, 나도 코로나라는 변수로 1차 시험이 대면이 아닌 영상으로 대체되는 경험을 했다. 또 2차에서는 워크숍과 글쓰기 시험 대신, 문장 바로 읽기와 같은 다른 시험으로 대체가 되었다.

사람마다 강점과 약점이 다르다. 즉흥에 강한 사람이 있는가 하면 계획한 것을 잘 해낼 때 훨씬 빛나는 사람이 있다. 특기 역시 마찬가지이다. 그렇기에 자신이 지원하는 학교의 전형을 잘 확인하고, 자신이 가진 장단점에 맞춰 잘 대비해야 한다.

　　대면으로 보는 시험은 잘하든 못하든 한 번으로 끝인데, 영상을 제출하는 경우에는 내가 찍은 영상을 계속 돌려보고 확인할 수 있기 때문에 절대 한 번에 완성시킬 수 없다. 마음에 들게 나왔다고 생각한 영상도 다음 날 다시 보면 마음에 들지 않는 경우가 많기 때문에 마감 기한까지 새로 찍게 된다.

　　물론 그렇게 해서 더 나은 결과물을 얻을 수도 있지만, 오히려 사소한 것 하나하나에 신경 쓰게 되면서 왜곡된 시선으로 결과를 망칠 수도 있다. 또 영상을 다시 찍는 것에 치우쳐 다른 시험 준비를 소홀히 하게 되고, 스트레스도 많이 받게 된다. 차라리 그 시간에 다른 연습을 하는 것이 더 의미 있을 지도 모른다. 그러니 몇 번 시도하여 만족스러운 결과가 나오면 멈추기를 바란다. 내 눈에는 안 좋은 것만 보이지만, 남들이 보기에는 그렇지 않은 경우도 많기 때문이다. 내가 보는 나의 모습에 집착하다 보면 오히려 연기에 집중할 수 없게 되는 것 같다. 완벽한 영상을 만들어 제출하는 것이 목표가 아니니, 조금 더 마음을 편하게 먹는 것이 중요하다.

　　그리고 영상 제출로 시험을 대체하는 경우, 매체 연기처럼 해야 한다고 생각할 수도 있다. 물론 영상 매체를 주로 다루는 학과의 경우 매체 연기를 선호할 수 있다. 하지만 보편적인 연극 영화과의 경우 영상 제출로 대체되는 시험일지라도 대면으로 입시를 보는 것과 동일하게 생각하면 좋을 것 같다. 내가 입시장에 들어가 대면으로 시험을 보는 것을 영상으로 찍어서 낸다는 생각으로 임하면 충분할 것이다.

여러 가지 어려움 앞에서

'연기'는 문제를 풀어 정답을 맞히는 일반 입시 공부와는 다르게 정해진 답이 없다. 심사 위원들의 기준도 취향도 다 다르다. 매우 추상적이고 주관적인 분야이기 때문에 나도 입시를 준비하는 동안 불안을 많이 느꼈다. 이러한 불안감을 조금이라도 잠재우기 위해 나는 정시 준비를 함께 진행했다. 어떻게 될지 모르는 막연한 미래에 모든 것을 쏟아붓기보다 마음을 조금 더 편안하게 먹고 정시 준비를 병행한 것이 멘탈을 관리하는 데 도움이 되었다고 생각한다.

또 입시 중 힘들었던 것은 '다이어트'다. 앞에서 말했듯, 비대면으로 영상 촬영 시험을 치러야 해서 다이어트를 시작했다. 슬프게도 영상을 찍으면 실제로 보이는 것보다 훨씬 부해 보이기 때문이다. 나뿐만 아니라 혹독한 다이어트로 인해 신체 리듬이 망가지고 건강이 나빠진 친구들도 많았다. 좋은 결과를 위해 다이어트를 하는 것은 좋지만, 건강이 악화되지 않게 조심했으면 좋겠다.

나는 고등학교 1학년 때 무대 작업을 하며 허리 디스크까지 생겨서 더 힘들었다. 열심히 해야 된다는 생각 때문에 고통을 참아가며 수업과 연습에 임했는데, 입시가 다 끝나고 나니 아픔을 견뎠던 행동들이 건강을 망치는 지름길이었다는 생각이 든다. 물론 아픈 것도 참아가며 열심히 했던 시기가 있었기 때문에 성공적으로 입시를 마무리할 수 있었지만, 한번 망가진 건강은 되찾기 어렵기 때문에 몸을 조금 더 아끼고 달래가며 입시에 임하면 좋겠다. 다치거나 몸에 이상이 생기면 미루지 말고 바로 병원에 가는 것을 추천한다. 입시는 다시 볼 수 있지만 건강은 되돌리기 힘들다는 것을 잊지 말자!

더불어 입시를 준비하면서 계속 같은 연기를 반복하다 보면 어느 순간 기계적으로 연기하고 있는 것 같은 생각이 들 때가 있다. 나 역시 연기가 기계적으로 변해갔고, 거기에서 벗어나는 과정이 참 힘들었다. 즉흥적인 시험이 아닌 이상 짜임새 있게 독백을 준비해 미리 연습해야 하는데, 그 속에서 매번 생동감 있는 액션을 끌어내는 것이 어려웠다. 사실 이 부분은 입시 때만이 아니라 연기를 하는 내내 겪는 어려움인 것 같다. 정해진 틀 안에서 자유롭게 능동적으로 움직여야 한다는 것이 여전히 어렵지만, 또 그런 부분이 연기의 매력이 아닐까 싶다. 단번에 기계적인 연기에서 벗어날 수는 없겠지만, 너무 괴로워하지 말고 연기의 매력을 느끼면서 연습해 나가길 바란다.

입시생이 갖추어야 할 마인드

입시를 준비하는 수험생에게 필요한 마음은 '일희일비하지 않는 마음'이라고 생각한다. 수시가 진행되면서 결과를 맞이해야 하는 순간이 생긴다. 합격을 했다고 해서 안주하지 않고, 불합격을 해도 무너지지 않아야 한다. 특히 1차 시험에 합격했을 때 주의해야 한다. 최종 합격의 문턱을 넘은 것은 아니기 때문에 다음 시험을 위해서라도 현재 해야 하는 것들에 집중하며 끝까지 나아가야 한다. 해야 할 일을 묵묵히 하는 것이 흔들리지 않는 방법인 것 같다.

또 주변에 함께 입시를 준비하는 친구들의 합격과 불합격에도 신경 쓰지 말아야 한다. 누가 붙고 누가 떨어지더라도 그냥 그렇구나 하고 넘겨버려야 한다. 하나하나에 이유를 찾기 시작하고 궁금해하다 보면 자연스럽게 집중이 흐려진다. 끝까지 나의 것에 집중하자!

입시를 치르면서 개인적으로 가장 아쉬웠던 점이 있다. 바로 '깡'이 부족했다는 것이다. 내가 주어진 일에 집중하는 성실한 타입의 학생이어서 그런지 다른 친구들에 비해 과감함이나 대범함이 부족했다. 꾸준히, 성실히 준비한 것도 좋았지만, 한편으로는 입시 초반에 조금 더 다양한 시도를 해봤으면 어땠을까 하는 생각이 들 때가 있다. 틀릴까 봐 걱정돼서 이것저것 시도해 보지 않고 안전한 선택만 한 게 아쉽다. 혹시 나와 비슷한 성향의 학생이 있다면, 못해서 혼나는 걸 두려워하지 말고 다양한 시도를 하면서 자신의 새로운 모습을 발견해 보았으면 좋겠다.

그리고 입시에서는 본인의 매력을 잘 아는 것이 무엇보다 중요하니 누군가를 따라하려고 애쓰지 않았으면 좋겠다. 오히려 꾸미지 않고 솔직한 모습일 때 더 아름답고 매력적으로 보이는 경우가 훨씬 많다고 생각한다. 연기도 그렇지만 외모 또한 마찬가지다. 나의 경우에도 세련된 분위기를 뽐내는 잘생긴 입시생들과는 다른 타입이라 조금 걱정되기도 했지만, 컨트리하고 정감 가는 모습이 나의 매력이라고 생각해서 입시장에서도 그런 모습을 보여주려고 했다. 각 잡히고 세련된 느낌을 주기 위해 애쓰지 않았고, 내가 가진 본연의 모습으로 편안하게 시험에 임했던 것이 합격할 수 있었던 이유라고 생각한다. 입시를 준비하는 동안 본인의 장점과 매력을 발견하고 발전시키면 좋겠다.

04

예술과 행정 그 사이에서

interview

김수진

연극원 연극학과
예술경영전공 21학번

@sujinkxm

어떤 예술을 선택할까?

　　나는 어릴 때부터 다양한 예술을 접하며 자랐다. 유아기에는 발레를 배웠고, 초등학교에 들어가면서부터는 피아노, 바이올린, 단소 등 다양한 악기와 그림도 배웠다. 중학생 때는 영상과 사진 쪽에도 관심을 갖기 시작했다. 그것이 불씨가 되어 영상 전공으로 예술고등학교에 진학할까 고민하기도 했다. 하지만 관심사가 또 변할 수도 있겠다는 생각에 예술고등학교 진학이 아닌 인문계 고등학교 진학을 선택했다. 그동안 다양한 예술을 경험했던 터라 예술을 전공으로 삼고 싶은 마음이 자연스레 커졌다. 하지만 어떤 예술을 선택해야 할지가 고민이었다. 무용도 해봤고 악기도 해봤고 미술도 해봤지만, 그동안 경험하며 느낀 점은 내가 예술을 좋아하지만 실기에는 큰 관심이 없다는 것이었다. 이때부터 실기가 아니더라도 예술을 할 수 있는 분야에 대해 검색해 보기 시작했다. 그러다 '예술경영'이라는 분야를 처음으로 알게 되었다.

합격을 위한 준비

　　고등학교 1학년 말, 예술경영을 전공으로 삼아야겠다고 생각한 뒤부터 관련된 경험으로 생활 기록부를 채우려고 노력했다. 전혀 상관없어 보이는 국어 과목의 수행 평가에서도 문학 작품을 가지고 OSMU✚를 하는 기획안을 발표하고, 일본어 과목의 수행 평가에서는 일본의 뮤지컬 문화에 대한 조사를 하는 등 스스로 '예술 경영'과 연관 지을 수 있는 활동을 했다.

사실 한예종은 생활 기록부를 점수에 반영하지 않기 때문에 생활 기록부 관리가 입시에 직접적인 도움이 되지는 않는다. 하지만 어차피 겪어야 하는 학교생활 내에서 나의 관심 분야에 관련된 지식을 습득하고 직접 기획하고 발표해 본 경험은 나에게 큰 도움이 되었다고 생각한다.

학교생활 외 개인적으로는 〈더뮤지컬〉,《트렌드 코리아》등 예술계의 동향을 파악할 수 있는 매거진이나 책도 읽었고, 다양한 매체에 실린 칼럼과 기사들을 찾아보며 예술 시장에 대한 공부도 했다. 고등학교 3학년부터는 본격적으로 '예술 경영 입시 학원'에서 입시를 준비했고, 한예종 홈페이지에 게재된 기출문제를 바탕으로 글 쓰는 훈련도 많이 했다. 또 한예종 시험의 경우 '언어 능력 평가'라는 시험을 봐야 했기 때문에 (2021학년도 입학시험 기준) 국어, 영어 등 어학에 관련된 공부 또한 철저하게 진행했다. 면접 준비를 할 때는 방에 교수님 사진을 붙여두고 눈을 마주치며 연습했다. 이렇게 연습한 것이 실전에서 많은 도움이 되었던 것 같다. 또 질문에 대답하는 나의 모습을 영상으로 찍어, 스스로 피드백해 보기도 했다.

✚ one source multi-use: 하나의 자원이나 소재로 다양한 장르에 사용하는 것

한예종 예술경영전공 입학시험은 1차와 2차로 진행된다. 1차 때는 언어 능력 평가와 학교 내신 성적이 반영된다. 내가 시험을 보았을 때는 입시 요강이 바뀌면서 기존에 있었던 영어 시험이 없어져 국어 시험만 보았다. 지금은 논술 시험을 본다고 알고 있다. 자세한 내용은 홈페이지에 올라와 있는 기출문제를 보면 도움이 될 것이다. 내신은 생활 기록부를 종합적으로 보는 것이 아닌 정말 '성적'만 본다.

1차 시험에 합격하면 2차 시험을 보게 된다. 2차 시험에서는 자기소개서와 글쓰기 시험 그리고 면접이 진행된다. 자기소개서에는 지원 동기, 본인이 예술경영에 적합하다고 생각하는 이유와 장점 3가지 이상, 극복하고 싶은 단점 1가지 이상, 그리고 살아오면서 겪었던 힘든 일과 극복 방법에 관해 3,000자 이내로 기술해야 한다. 1차 합격자 발표 다음날까지 2차 접수 및 자기소개서 제출을 바로 진행해야 해서 촉박하다고 느껴졌다.

2차 때는 시험장서 3시간가량 글쓰기를 진행한다. 글쓰기 문항은 5가지 정도로 구성되어 있고, 이는 매년 조금씩 변동되는 것 같다. 한국어로 구성된 지문도 있고 영어로만 구성된 지문도 있기 때문에 1차에서 영어 시험이 없어졌다고 해도 2차 시험을 위해 영어 공부를 해야 한다. 글쓰기 시험이 끝나고 나면 면접을 진행한다. 면접 때는 내가 제출한 글쓰기 답안을 바탕으로 질문을 받았고, 추가적으로 '나'라는 사람에 대한 질문도 받았다.

범위가 없다는 막막함

　　고등학생이었던 나에게 '예술경영'이라는 학문은 굉장히 생소해서 어떻게 공부를 시작하면 좋을지 몰라 힘들었다. 개인적인 생소함을 떠나 예술경영 자체가 규정하기 어려운 학문이기 때문에 입시생 때는 더 막막함을 느낄 수밖에 없었던 것 같다. 또 사회와 문화 예술에 대해 관심을 두고 있지 않으면 풀기 힘든 문제가 나오기 때문에 평소에도 트렌드를 민감하게 살피고 흐름을 파악해야 했다.

　　그렇다고 트렌드만 알아서는 곤란하다. 예술에 대한 전반적인 지식도 갖추고 있어야 하는데, 심지어 한 분야에 국한되어서는 안 된다. 미술, 음악, 무용, 공연, 매체 등 다양한 예술 분야에 대한 전반적인 지식을 가지고 있어야 한다. 그런데 '예술'이라는 것이 장르도 다양하고 범위도 굉장히 넓기 때문에 어느 정도 알아야 할지, 어떻게 공부해야 할지 막막함을 많이 느꼈다. 결론적으로 '예술경영'이라는 분야는 1가지만 알아서는 안 된다는 것이다. 지속적으로 다양한 예술 분야에 관심을 가지면서 포괄적으로 많은 지식을 쌓는 것이 필요하다.

내 경우에는 예술경영 웹진 등 트렌드를 반영하고 있는 책, 칼럼과 매거진, 기사들을 많이 찾아보고 스크랩하는 것이 도움이 되었다. 관련 도서나 기사와 칼럼을 읽으면 링크와 함께 3줄 정도로 요약하고 나만의 인사이트를 적어서 정리했다. 그리고 그 파일을 수시로 훑어보았다. 이러한 트렌드를 분석할 때는 최근 3개년 정도는 함께 보아야 흐름을 파악할 수 있다고 생각한다.

또 본인이 입학하면 어떤 것을 중점적으로 다루고 싶은지, 졸업 후 사회에 나가 어떠한 일을 하고 싶은지도 생각해 두는 편이 좋다. 나의 경우 입학 전에는 뮤지컬 마케터가 되고 싶다는 목표가 있었는데, 지금은 연극 기획자로 활동하고 있다. 물론 학교에서 다양한 경험을 하며 꿈이 바뀔 수도 있지만, 입시를 준비할 때는 내가 무엇을 하겠다는 목표를 가져야 면접과 작문 시험에서 명확하게 답을 할 수 있다.

입학 후 예술경영 학생들이 교내 공연에서 맡게 되는 포지션은 '기획'이다. 기획이라는 포지션은 소통할 일이 굉장히 많기 때문에 커뮤니케이션 능력을 향상시키기 위한 노력이 필요하다. 소통에서 가장 중요한 것은 상대의 말을 경청하는 것이다. 또 자신의 말을 전달할 때 상대의 입장을 충분히 고려한 후 완곡한 언어로 전달하는 것이 좋다. 공연이 아니더라도 수업에서 기획안을 발표하거나 프로젝트를 소개하는 등 사람들 앞에서 나의 의견과 아이디어를 정확하게 전달해야 하는 상황이 많으니 미리 커뮤니케이션 능력 향상을 위해 노력하면 도움이 될 것이다.

예술을 좋아하는 마음으로

다양한 분야에서 실력 있는 친구들과 함께 생각을 나누고 소통할 수 있다는 점이 한예종의 큰 장점이다. 나는 2학년 때부터 공연팀에 들어가 연출과, 무대미술과, 연극학과 등 다양한 과 친구들과 친분을 쌓았다. 자연스럽게 공연을 도와주며 무대 제작도 해보고 조연출, 무대 조감독, 그래픽 디자이너로 공연에 참여하는 등 기획 분야 외에도 연극 프로덕션의 각 역할을 직접 체험해 볼 수 있었다. 이런 경험을 통해 자연스럽게 모든 파트 작업을 존중하는 태도를 배웠고 더불어 커뮤니케이션 능력도 키울 수 있었다.

한예종 내에서 예술경영이라는 전공은 가장 실용적인 것들을 많이 배운다. 행정과 경영, 재무와 기획 등의 수업이 예술경영 커리큘럼에 포함되어 있어 실무 능력을 키울 수 있다. 하지만 예술과 직접적인 관련이 없어 보이는 수업이 많기도 하고, 학교 특성상 여러 영역이 연계되어 있기 때문에 예술을 사랑하는 마음이 없다면 입학 후 학교생활에 어려움을 느낄 수 있다. 따라서 당연한 이야기지만 예술경영을 공부하고 싶다면 예술을 좋아하는 마음이 우선되어야 한다.

또한 예술은 자기 자신으로부터 출발해 밖으로 표현되는 분야이기 때문에 자신에 대해 깊이 생각해 보는 시간을 먼저 갖기를 바란다. 나는 내가 무엇을 좋아하고 싫어하는지, 그 이유는 무엇인지 등을 끊임없이 스스로에게 질문했다. 나의 취향에 대해서 생각할 때도 내가 자라온 배경과 경험을 연결시켜 생각해 보았다. 이처럼 자신을 객관적으로 보려고 시도하고 노력한다면 무엇을 하든 나다운 예술을 하며 살 수 있을 것이다.

예술경영? 연출?

처음에 연출과 예술경영을 두고 고민을 많이 했다. 사회에 무언가 전하고 싶은 메시지가 있고, 그런 이야기들을 연극이나 뮤지컬 등 '공연'으로 풀어나가고 싶은 사람이라면 '연출과'를 선택하는 것이 좋을 것 같고, 예술가들을 지원하거나 공연 자체의 마케팅과 홍보, 행정 및 예산집행 등 실무적인 일에 관심을 두고 있다면 '예술경영'을 선택하는 것이 좋을 것 같다. 연출이 작품 자체에 조금 더 맞닿아 있다면, 예술경영은 그 작품을 관객과 만나게 하는 일과 맞닿아 있다. 그래서 특히 본인을 창작자라고 생각하는 사람에게는 예술경영이라는 전공이 맞지 않을 수도 있다. 예술경영은 예술과 행정의 경계에 있으므로 창작에 뜻이 있다면 큰 괴리감을 느낄 수 있다. 그러니 자신의 성향을 미리 잘 파악하여 지원하도록 하자.

05

정말
한예종에
가고 싶니?

이진

연극원 극작과 21학번

맥락 없는 생활 기록부?

나는 어렸을 적부터 좋아하는 과목만 열심히 하는 경향이 있었다. 그렇다고 싫어하는 과목을 완전히 놓을 수는 없으니 고등학교에 올라와서도 2~3등급을 유지하려고 노력했다. 공부 외에도 봉사부, 방송부, 취미부 등 여러 동아리에 가입해 부원, 부장으로 활동하며 다양한 경험을 쌓았다. 타 전공을 준비했더라면 딱히 남는 게 없었을 것이다. 하고 싶고, 관심 있는 것만 했기에 동아리 활동은 즐겁기만 한, 생활 기록부에만 남는 맥락 없는 추억이 되었을 것이 분명하다. 그러나 이 기록은 극작과 지망생으로서는 오히려 자기소개서를 쓰거나 면접을 볼 때 꼭 필요한 요소로 작용했다. 좋아하고, 관심 있는 걸 꾸준히 해왔다는 건, 그 자체로 충분한 맥락이 되니까. 나라는 사람이 이곳에 오기까지의 과정을 드러내기에 좋은 자료가 될 수 있다.

만약 지금 생활 기록부의 맥락이 없어 고민 중이라면 너무 신경 쓰지 말고 그 속에서 '나'를 발견해 서사를 만들어 보는 걸 추천한다. 파편처럼 흩어진 과거의 나를 모아 현재의 나로 연결시키는 일이 입시생으로서 끼울 1번째 단추가 아닐까.

제가 '전산 오류 전형'이라고요?

한예종에는 타 학교에는 없는 유일무이한 전형이 하나 있다. 바로 '전산 오류 전형'이다. 이 전형으로 합격한 사람들은 컴퓨터 화면 속 빨간 글씨로 쓰인 '합격'이라는 글자를 의심하고, 이후 모르는 번호로 전화가 올 때마다 입학과에서 걸려온 전화가 아닐까 의심한다. 고민 끝에 전화를 받으면 무척 깐깐한 목소리의 상대가 '이번 합격 통지는 전산상의 오류로 인한 것이었으며, 당신은 불합격임을 알려드립니다.' 하고 말할까 봐 두려워한다.

나도 그랬다. 무려 등록금을 내기 전까지 이 증상에 시달렸다. 합격 통지를 번복할 한예종과 어떻게 싸워야 할지 고민했다. 지금에서야 재밌는 추억이지만, 당시는 꽤 진지하게 걱정을 했던 것이다. 웃을 사람도 있겠지만, 나로서는 합당한 의심이었다. 4개월, 내가 입시를 준비한 기간은 단 4개월이었기 때문이다. 하지만 다행히 나는 현역 장학생으로 한예종 극작과에 입학했다.

예술은 너무 낭만적이잖아요

입시 준비 전까지 나는 단 한 번도 내가 작가가 될 거라 생각해본 적이 없다. '내가 감히? 작가를? 무슨 수로?' 학년이 올라가도 나는 이 질문에 답을 할 수 없었다. 그런 상태로 고3이 된 나는 뭐든 선택해야 했다. 대학을 갈 건지 말 건지, 간다면 어떤 대학에, 무슨 과를 선택할지 등을 말이다.

당시 나는 성적과 생활 기록부에 맞춰 지원할 수 있는 곳을 추렸고, 필요한 서류와 자기소개서만 준비하면 되었다. 써지지도 않는 자기소개서를 붙들고 대학이 정해준 질문에 답하려고 고민하던 중에 깨달았다. '나는 이 과에 가고 싶지 않구나.' 이 전공을 선택해서 행복할 자신이 내게는 없었다. 고3에게 행복은 사치스럽고 낭만적인 감정이지만, 낭만은 예술가의 기본 자세가 아닌가. 현실에 매이지 않고 이상적으로 세상을 바라보는 일. 어린 시절의 나는 이 낭만이 내가 예술을 할 수 없는 이유라고 생각했다. 하지만 고3의 나는 예술에 도전해 보기로 마음을 먹었다.

그러면 예술은 무엇이지? 지금은 쉬이 정의 내릴 수 없으나 어린 나는 꽤나 명쾌히 답했다. 예술은 끔찍이 낭만적이라고. 영재가 천재가 되고, 노력형 범재는 안타까워지는 분야이자, 옳고 그름이 모호하고, 기준이 불확실한 영역, 미래가 보장되지 않는 길이다.

그런데도 예술을? 어떻게? 어쩌면 나는 '내가 어떻게 작가가 될 수 있는가.'보다 '작가가 되어서 어떻게 살 수 있을까.'를 고민한 것 같다. 불확실한 낭만을 쫓기에는 내 수준을 너무 잘 알고 있었기 때문이다. 교내 백일장을 나가도 대상보다는 우수상이나 장려상에 그치는 딱 그 정도의 재능. 그래도 나는 낭만적인 선택을 했다. 정말 딱 올해만 죽기 직전까지 해보고, 안 되면 깔끔하게 계획했던 전공으로 대학 가기로. 그 계획의 반쯤은 고3의 미친 발악이자 인생을 건 도박이었다.

　　나는 베팅했고, 과정은 험난했다.

내가 할 수 있는 것과 해야만 하는 것

　　수시 지원이 코앞으로 닥친 8월, 글로 대학을 가보겠다 결심한 나는 부랴부랴 과외와 학원을 알아봤다. 처음에는 극작과 보다는 서사창작과✚에 관심이 있었기에 한예종 졸업생, 재학생의 블로그나 '김과외' 플랫폼에서 커리큘럼을 알아보고 선생님과 상담하며 과외와 학원 중 어떤 수업이 나에게 잘 맞을지 고민했다. 그러던 중 마음이 가는 학원을 찾았고, 원장님께 상담을 요청했다. 원장님은 이 분야에 자부심이 강한 분이었다. 짧은 상담 시간이었지만 합격 글과 불합격 글을 비교해가며 '입시글'이 무엇인지 감을 잡을 수 있게 해주셨다. 그리고 그날 나는 개인 과외가 아닌 학원을 선택했다. 개인의 성향에 따라 선택은 달라지겠지만, 나에게는 합격 사례와 그 자료들, 경쟁자이기도 한 다른 학생들의 글을 수업 시간마다 함께 읽을 수 있다는 점이 큰 장점으로 작용했다. 물론 학원은 1명의 선생님이 다수의 학생을 지도하는 방식이다 보니 개인 과외와는 다르게 피드백 시간이 정해져 있고, 1명을 위해 시간을 조정하거나 보강할 수 없다는 단점이 있다. 하지만

✚ 보통 타 대학에서는 문예창작과라 하지만 한예종에서는 서사창작과라 칭한다.

그 단점은 수업 외 시간을 이용하면 되니 선생님을 귀찮게 할 각오와 의지를 가진 학생에게는 큰 문제가 되지 않는다.

학원은 크게 3가지 글을 쓰게 했다. 과제와 초고, 퇴고다. 과제는 집에서 써오는 글로, 정해진 시제나 소재로 쓰는 글이다. 두 번째는 초고다. 초고는 학원 수업 시간 내에 쓰는 글이다. 과제와 초고는 학원에서 피드백을 받는다. 그리고 피드백 받은 글들을 고쳐 오는 게 퇴고다. 이게 반복되면 어떤 날은 1~2개의 새로운 글을 쓰고 돌아와 3~4개 글을 퇴고해야 될 때도 있다. 그런 날은 뇌가 멈추는 기분이 들기도 한다. 막막하다는 표현이 온몸으로 이해되는 순간이었다.

그렇게 쓴 이야기를 학원생들 앞에서 평가받으면 정말 부끄럽다. 알몸으로 서 있는 기분이라 어딘가로 숨어버리고 싶었다. 생애 처음 써본 기승전결을 가진 이야기는, 아니 가졌다고 생각한 이야기는 사실 아무것도 아니었다. 그냥 난잡하게 풀어놓은 글, 감정만 나열되어 있는 글이었다. 욕망 없는 인물이 질질 끌려다니는 이야기를 쓰며 처음치고는 잘 쓴 거라 생각했던 스스로가 부끄러웠다.

그래서 열심히 초고를 쓰고, 다시 퇴고했다. 피드백을 받으면 고집부리기보다 받아들이는 습관을 들였고, 필사할 책을 추천받아 낯선 문체와 표현 방식에 익숙해지려 했다. 글의 언어는 일상적인 언어와는 결이 다르기에 글 속의 규칙을 이해하는 과정이 선행되어야 한다. 이야기는 기승전결을 가

파편처럼 흩어진 과거의 나를 모아
현재의 나로 연결시키는 일이
입시생으로서 끼울 첫 번째 단추가 아닐까.

지며, 인물들은 욕망을 가지고 선택한다. 선택은 곧 행동이며, 그 행동은 이야기가 나아갈 방향을 만든다. 왜 이 인물이 주인공인지, 주인공은 왜 이런 것을 욕망하는지 혹은 하지 않는지를 생각하다 보면 초고를 쓸 아이디어가 떠오르기도 하고, 막혔던 글을 다시 풀어나갈 수 있게 되었다.

글을 잘 쓰려면?

반드시 많이 읽고, 많이 써야만 합격할 수 있냐 묻는다면 나는 모른다고 답할 수밖에 없다. 다만 많이 읽고, 많이 쓴 사람이 효율적으로 글을 쓸 수 있는 것 같다. 이 글을 읽고 있다면 아마 청소년일 텐데, 청소년이 경험할 수 있는 상황은 한정적이다. 물론 경험이 많다고 전부 좋은 글을 쓰는 것은 아니지만, 보편적으로 경험의 총량이 적으면 글에서 나오는 이야기 또한 적어질 수밖에 없다 그래서 많이 읽는 것이 필요하다. 꼭 글이 아니더라도 영화나 드라마, 연극을 통해서 세상에는 다양한 욕망과 사건이 있다는 것을 간접적으로 경험할 수 있다. 개인적으로 다큐멘터리를 추천하는 편인데, 한 인물의 생애를 따라가면서 그 인물의 직업이나 환경, 가까운 지인과 사회 간의 갈등을 보면서 다른 사람의 세계를 감각하는 과정이 필요하다. 이와 같은 간접적 체험을 통해 내 글에서 무엇이 과한지 알고, 어느 지점에서 설득력이 부족한지, 어떤 부분이 특별한지 자연스레 깨닫게 된다. 입시글에서 새로운 인물을 만들 때도 유용할 것이다.

또 새로운 시제를 보면 1번째, 2번째, 3번째 생각까지는 버리고 4번째 떠오른 아이디어를 선택해야 한다. 꼭 4번째 아이디어를 쓰라는 게 아니라, 모두가 선택할 만한 내용으로는 쓰지 않는 게 좋다는 뜻이다. 그 1가지를 더 생각해내는 게 입시를 늦게 시작한 내가 할 수 있는 중요한 노력이었다. 또한 이것은 실제로 똑같은 주제로 제출된 글 사이에서 내 글을 돋보이게 하는 시작이기도 하다. 그리고 더 나은 묘사를 위해 장면 하나를 떠올리더라도 다른 관점에서, 다른 모양으로 바라보아야 한다. 대충 보지 말고 최대한 구체적으로 봐야 한다. 해체 시키고, 조각내어 오감으로 느껴야 한다. 내가 감각한 세상이 글 속에 있게끔. 현실과는 다른, 이상적이고 어쩌면 이상한 세상. 그럼에도 우리가 매료된 그 세계 말이다.

끝까지 해보는 것

수시로는 문예창작과를 지원했다. 전부 상향이었다. 성에 차지 않는 대학에는 지원서를 넣지도 않았다. 무슨 자신감이었는지 나는 내가 가고 싶은 대학에만 지원해서 실기를 보고 왔다. 그리고 전부 낙방이었다. 지금 생각하면 다 떨어지고 난 뒤의 간절함이 한예종 합격에 도움을 준 것 같지만, 당시에는 글이고 뭐고 전부 포기하고 싶었다. 이제와 생각해보면 한예종에 합격할 수 있던 건 수시에 떨어져 낙담은 했을지언정 포기는 하지 않았기에 가능했던 일 같다. 당시 시험을 포기한 친구에게서 연락이 왔는데, 재수를 준비하고 있다고 했다. 나도 마지막 불합격 통지를 받은 이후로 날마다 재수 생각을 했다. 자연스러웠다. 한예종은 무슨. 상식적으로 수시에 다 떨어졌는데 어떻게 한예종에 붙겠냐는 의구심이 가득했다.

수시에 붙은 아이들은 학원에 나오지 않았고, 정시를 포기한 아이들도 마찬가지였다. 나는 그 빈자리를 보며 수업을 들었다. 하지만 집중이 전혀 되지 않았고, 글도 더 이상 써지지 않았다. 다 놔버릴까 하다가 그냥 책을 읽었다. 노래를 듣고, 다큐멘터리를 봤다. 글이 안 써지니 내가 할 수 있는 게 없었다. 그래도 포기하고 싶지는 않아서 내가 할 수 있는 걸 했다. 끝까지 해보기로 했다. 혹시 지금 불합격 통지를 받아서, 어차피 해도 안 될 것 같아서 포기하고 싶어진다면 이 글을 떠올렸으면 좋겠다.

어떤 글을 쓰고 싶은가

학원은 합격 글과 불합격 글을 분석해 입시글에서 쓰면 안 되는 소재를 알려주었다. 갑작스러운 사고로 부모님이 죽는다거나 난데없이 집에 불이 나서 길거리에 나앉게 된다거나 후천적 장애를 갖게 된 사람이나 마냥 불행한 사람, 무욕자 등이 그 예였다. 정말 이런 소재를 사용할까 싶을 수도 있지만, 놀랍게도 많은 입시생이 이런 소재로 글을 쓴다. 늘 그렇듯 예시로 든 소재로 글을 쓴다고 해서 무조건 떨어진다고는 말할 수 없다. 다만 그 소재만 피해도 합격 가능성이 높아지기 때문에 학원에서는 지양할 몇몇 소재를 정해주는 것이다.

나도 배운대로 최대한 그런 소재를 피해 글을 썼다. 그런데 내가 글을 써 가면 선생님은 '그래서 하고 싶은 말이 뭐냐'고 물었다. 무엇을 쓰고 싶냐는 물음에 나는 답하지 못했다. 다시 한 번 글을 읽어도 답할 수 없었다. 그래서 스스로 되물었다. 내가 쓰고 싶은 게 무엇인지. 나는 합격 글에서 많이 찾아볼 수 없던 인물을 주인공으로 세우고 싶었고, 죽음을 준비하는 노인을 주인공으로 글을 썼다. 선생님은 노인이 주인공으로 등장하는 합격 글은 별로 없다고 했지만, 나는 너무 쓰고 싶었다. 죽음이 코앞이지만 고집스럽게 스스로의 죽음을 준비하는 한 인간이 보고 싶었다. 그리고 주인공을 염장이✛로 설정했다. 당시 코로나19가 심했을 때라 염도 하지 못한 채로 시신을 매장한다는 기사를 읽은 적이 있었다. 그게 갑자기 생각났다. 나는 장례 지도사에 관한 다큐멘터리를 보고, 책을 읽었다. 기사와 인터뷰를 찾아 읽고 또 읽었다. 장례 지도사가 쓰는 전문 용어와 시설, 염습✚✚ 과정을 상세히 알아봤다. 그리고 글을 쓰기 시작했다.

✛ 시체를 염습하는 일을 직업으로 가진 사람.
✚✚ 시신을 닦고, 수의를 입히는 일.

"잘 썼다."

원장님의 첫 칭찬이었다. 그리고 그 노인은 한예종 합격 작품의 주인공이 되었다.

전문가라고 하더라도 그가 알려주는 길이 정답이 아닐 수 있다. 내 고집이 필요한 순간은 반드시 존재한다. 입시에는 100% 장담할 수 있는 게 없다는 점을 절대 잊어서는 안 된다. 피드백을 수용하는 유연한 태도를 가져야 하지만 동시에 거침없이 도전하는 자세 또한 갖추어야 한다. 한예종 극작 입시에서는 입시생이 자신의 이야기를 하는지, 하고자 하는 이야기가 있는지를 보는 것 같다. 그것의 기준이 글과 면접인 것이다. 아름다운 단어의 나열보다는 내가 어떤 이야기를 하고 싶고, 할 수 있는 사람인지를 들여다보는 게 1차적인 과제이다. 전에 말했듯 글은 결국 내가 감각한 세계이므로.

창피한 일이지만 나는 면접 때 울었다. 그래도 붙었다. 내가 글을 잘 써서라기보다는 내가 어떤 사람인지를 면접관에게 다 보여줬기 때문인 듯하다. 이 글을 쓴 이유, 관심사, 동시대인으로 내가 감각하는 것, 앞으로 쓰고 싶은 글 등등. 나를 전부 보여줬기에 면접장을 나서면서도 후회는 없었다. 글이 막힐 때는 '나'를 먼저 관찰해 보기를 권한다. 아주 세심하고 면밀하게. 끈질기고, 치열하게.

　　허탈한 말이지만 입시는 1000% 운이다. 물론 노력하지 않으면 운도 통하지 않는다. 그러니 만약 올해 입시에 떨어지더라도 후회하지 않을 만큼 노력하길 바란다. 나이는 전혀 상관이 없다. 한예종의 가장 큰 장점은 나이대가 정말 다양하다는 것이다. 누군가 나이가 많다고 중얼대는 순간, 따가운 시선이 느껴질지도 모른다. 부디 먼 훗날이라도 극작가로서, 동료로서 함께할 수 있길 바란다.

더 나은 묘사를 위해
장면 하나를 떠올리더라도
다른 관점에서,
다른 모양으로
바라보아야 한다.

06

커다란 벽을
밀고 나가는
힘

이서영

연극원 연출과 22학번

 @lokorvlo

문예창작과에 재학 중이던 스물한 살. 나는 연극을 하고 싶다는 마음 하나로 무작정 휴학을 했다. 그때는 이미 여름 방학이 시작될 무렵이었고 같은 해 입시까지는 반년도 채 남지 않은 시기였다. 한예종 연출과에 입학하겠다는 포부 하나로 입시를 다시 하겠다고 마음먹었으나, 막상 뭐부터 해야 할지 막막했다.

한예종 연극원 연출과 입시를 위해서는 준비해야 할 것들이 많았다. 논술, 스토리텔링 글쓰기, 지정희곡 분석하기, 자기소개서 작성과 면접 준비까지. 게다가 3,000자 분량의 스토리텔링은 이전에는 한 번도 읽거나 써 본 적 없는 유형의 글이었다. 인터넷에 검색해 보아도 한예종 연출과 입시에 대한 정보나 자료를 찾기가 쉽지 않았고, 주변인들에게서 찾기는 더더욱 어려웠다. 그래서 나는 무작정 연출과 입시를 봐준다는 학원들을 찾아갔다. 나를 입시라는 여정의 마지막 코스까지 완주시켜줄 가이드를 찾기 위해서였다. 신사역 인근의 학원 2곳에서 상담을 받았고, 그중에서 함께 수업을 듣는 수강생이 많은 곳을 선택했다. 과외가 아닌 학원을 선택한 것도 같은 이유에서였다. 혼자서 준비하기보다는 입시를 함께할 선의의 경쟁자이자 동료들이 필요하다고 생각했기 때문이다.

학원은 매주 1회 수업으로, 내가 풀어온 문제와 글에 대한 피드백을 받는 식으로 이루어졌다. 숙제를 내주고 검사를 하기 때문에 꾸준히 글을 쓸 수 있었다. 입시에 필요한 자료들을 찾는 시간을 절약하고 피로를 줄일 수 있었으며, 혼자서는 찾을 수 없었던 합격생들의 글을 읽어보거나 이야기를 듣는 것도 많은 도움이 되었다. 하지만 학원의 역할은 딱 여기까지다. 학원이나 과외의 도움을 받는 것이 가능한 상황이라면 추천하는 편이지만, 학원이나 과외가 모두에게 정답은 아니라고 말하고 싶다. 학원은 나를 바꿔주는 곳은 아니었다. 글에 대해 피드백을 받을 수 있을 뿐, 결국 글을 쓰고 고치는 것은 오로지 나의 몫이었다. 그렇게 나는 2021년 7월에 입시 준비를 시작해 11월까지 1가지 목표를 향해 온전히 달렸다.

논술, 어떻게 준비해야 할까?

가장 먼저 치르는 1차 시험에서는 '언어 능력 평가', 즉 논술 점수 80%와 고교 내신 20%를 합산하여 평균적으로 최종 정원의 4배수 내외를 선발한다. 나는 1차 시험을 대비하며 논술 문제를 처음 풀어봤는데, 어느 정도 답과 구성이 정해져 있는 글쓰기라는 생각에 오히려 갈피를 잡지 못했던 것 같다. 그럴 때는 일단 무작정 쓰기 시작해야 한다. 문제에서 요구하는 바를 중심으로 시간이나 분량의 제한 없이 무작정 써 내려갔다. 다 쓰고 나면 곧바로 문제의 해설과 예시 답안들을 찾아보았다. 내가 쓴 답안과 정답이 어떻게 다른지 스스로 비교하고 정답이 갖추고 있는 구성을 파악하고자 했다.

답안에 대한 감이 잡혔다면 다시 해설과 예시 답안을 덮어두고, 기억나는 대로 정답의 구성을 따라가며 나의 답안을 수정했다. 이 과정을 반복하다 보니 논술 문제에 대한 두려움과 부담감을 덜 수 있었다.

2021년은 1차 시험이 오지선다 형식의 언어 평가에서 논술 문제로 바뀐 첫해였으므로 한예종에서 공식적으로 발표한 문제는 '샘플 문제' 하나뿐이었다. 따라서 일반 인문 대학교들의 기출 문제 중 윤리, 예술, 철학 중심의 문제들을 풀며 연습하는 수밖에 없었다. 반복 연습을 통해 답안을 쓰는 것에 익숙해지고 나서는 시간에 맞추어 손으로 쓰며 문제를 풀어보는 연습을 했다. 노트북 타이핑이 아니라 펜으로 원고지에 글을 쓰는 것은 예상보다 더 많은 시간이 걸리기 때문에 꼭 연습이 필요하다. 깔끔한 답안지를 작성하기 위해 답안의 개요를 더 꼼꼼하게 짜야 했고, 짧은 시간 안에 답안을 완성하기 위해서는 시간을 쪼개서 사용해야 했다. 3시간 동안 총 2문제를 풀어야 하므로, 결과적으로 논술은 시간 싸움이라고 할 수 있다.

시간을 잘 사용하기 위해서는 나만의 루틴을 만드는 것이 중요하다. 반복해서 문제를 풀다 보면 자신만의 루틴을 찾을 수 있을 것이다. 나의 경우 90분 동안 1문제를 풀어야 한다고 했을 때, 20분간 문제를 분석하고 10분간 답안의 개요를 짰다. 다음 30분간 답안을 작성했으며 남은 20분 동안 부족한 부분을 수정하였으며 10분 정도는 예비로 빼두었다. 이처럼 정확하게 지키지는 못하더라도 시간을 분배하는 루틴이 생기면, 당황하지 않고 자신의 페이스에 따라 문제를 풀 수 있고 시험장에서 시간이 부족해 당황하는 실수를 줄일 수 있을 것이다.

　　1차 시험 장소는 연극원이 아닌 전통원으로 배정을 받았다. 신이문역과 돌곶이역 모두 전통원과는 거리가 멀기 때문에 초행길이라면 일찍 나서는 것을 권장한다. 나는 30분가량 여유를 두고 도착하여 시험장에 적응할 시간을 가졌다. 화장실을 미리 다녀오고 주변을 간단하게 산책하며 긴장을 풀었다. 시험에는 큰 변수 없는 문제가 나와서 평소 루틴에 따라 3시간을 꽉 채워서 안정적으로 풀었다.

　　처음에 논술은 나에게 가장 막막한 시험이었다. 하지만 꾸준하게 반복 연습을 한다면 단기간에도 실력을 향상할 수 있는 시험이라고 생각한다. 그러니 두려워 말고 하루라도 바르게 문제를 풀어보고, 꾸준히 연습해 보기를 바란다.

　　이렇게 1차 시험이 끝나면 결과 발표까지 약 10일의 시간이 주어진다. 시험이 하나 끝났다는 생각에 안일해지기 쉬우므로 이 시기를 주의해야 한다. 이때는 자기소개서를 작성해야 한다. 자기소개서는 1차 합격자들에 한해 제출하는데, 발표 시각으로부터 딱 하루의 시간이 주어지기 때문에 미리 작성해놔야 한다. 하지만 당장 1차 시험에 붙을지 떨어질지도 모르는 심란한 상황에서 자기소개서를 쓰려니 잘 써지지 않았다. 시간이 없어 억지로 쓰면서도 만약 불합격하면 이게 다 무슨 소용인가 싶어 손에 잡히지 않았던 것 같다. 그래서 내가 추천하는 방법은 여유가 있을 때 틈틈이 완성해

나가는 것이다.

한예종 연출과의 자기소개서는 3,000자 분량의 자유 형식이다. 자유 형식의 자기소개서는 아마 모두가 처음 써보기 때문에 어렵게 느껴질지도 모른다. 연출과 입시에서의 자기소개서는 배점이 없다. 즉, 면접을 보기 전 나에 대한 정보를 전달할 수 있는 짧은 글의 역할만 하는 것이다. 나는 면접 관이 나에게 물어봤으면 하는 것, 면접관에게 보이고 싶은 나의 모습들을 위주로 에피소드를 정리했다. '인생에서 가장 혼란스러웠던 시기와 극복 과 정은?', '연극을 처음 접하게 된 순간은?', '연극 연출을 하고 싶은 이유는?' 과 같이 나의 이야기들을 꺼낼 수 있는 질문들을 정리하고 채워나갔다. 그 렇게 모아진 에피소드를 마치 여러 가지 천 조각을 이어 조각보를 만들 듯 이 엮어서 하나의 자기소개서로 완성했다.

메인 시험, 스토리텔링

1차 시험 통과 후 24시간 안에 자기소개서를 제출했다면 한예종 연출 과 입시의 메인이라고 볼 수 있는 스토리텔링이 기다리고 있다. 나에게는 스토리텔링이 예상외의 복병이었다. 사실 나는 문예창작과 입시에 성공했 던 경험이 있고, 소설을 읽고 쓰는 연습을 꾸준히 해왔기에 스토리텔링 시 험은 큰 무리 없이 준비할 수 있겠다는 생각을 가지고 있었다. 하지만 스토리텔링은 문예창작 수업에서 배웠던 소설이나 콩트와는 전혀 다른 유형의 글쓰기였다. 짧은 분량 안에 어느 정도 크기의 이야기를 담을 수 있을지, 어떤 톤의 문장을 가져가야 할지에 대한 이해가 없으니 글을 쓰기가 어려웠던 것 같다. 그래서 나는 나에게 익숙한 소설이라는 장르의 글을 스토리텔링으로 바꾸어 써보는 연습을 했다. 발상과 이야기 전개가 뚜렷한 단편 소설을 골라 3,000자 분량의 스토리텔링으로 재구성해보는 식이었다. 그 시기에 나는 이유리 작가의 《브로콜리 펀치》라는 단편 소설집을 아주 흥미롭게 읽었는데, 그중에서도 표제작인 〈브로콜리 펀치〉나 작가의 등단작인 〈빨간 열매〉 등을 스토리텔링으로 바꾸어보았다. 이미 있는 이야기를 객관적으로 분석하고 재구성하면서 스토리텔링적 글쓰기가 무엇인지 스스로 터득할 수 있는 과정이었다.

또 짧은 분량의 글이므로, 명확한 장면 중심으로 전개하려고 했다. 이야기 속에서 어떤 정보들을 전달할 때 구구절절 설명이 길어지는 것 같을 때는 '이 이야기를 무성 영화로 찍게 되면 카메라로 어떤 순간들을 포착할까?' 스스로 질문을 던져보았다. 그러다 보면 인물의 행동이 잘 드러나는 선명한 장면들을 구성할 수 있었다. 또한 소설에서는 문장력과 내면 묘사에 힘을 썼다면, 스토리텔링에서는 간결하고 정확한 문장들을 주로 사용하려고 노력했다. '이야기'가 중심이 되는 글이므로, 유려한 문장과 묘사에 집중하면 이야기를 펼쳐나갈 공간이 부족해지기 때문이다. 간단히 말해서 사족을 줄이고 명확한 장면을 통해 이야기를 전개해야 한다는 것이다.

어떤 이야기를 써야 할지 막막하다면 이미 있는 이야기를 살펴보는 것도 방법이다. 현실 사회에서 일어나는 이야기나 책과 영화 속 이야기들 말이다. 기사를 스크랩하고 꾸준히 책을 읽는 것이 좋겠지만 꾸준함을 유지하기 힘들다. 그래서 나는 일상 속에서 습관적으로 할 수 있는 것을 찾아보았다. 대중교통을 이용할 때나 매일 밤 자기 전, 유튜브를 통해 영화나 드라마를 소개하는 콘텐츠들을 보았다. 기승전결 위주로 짧게 정리되어 있기에 긴 시간을 투자하지 않고도 다양한 스토리와 아이디어를 접할 수 있다. 또한 국내 방송사의 시사·다큐 채널을 구독하고 짧은 영상들을 찾아보며, 최근 대두된 사회적인 이슈들을 살피기도 했다. 이렇게 접한 이야기들은 자연스럽게 나의 발상에 녹아들어 이야기를 만드는 원천이 된다. 냉장고에 재료가 꽉 차 있을수록 더욱 다양하고 맛있는 요리를 할 수 있는 것처럼, 글감을 많이 확보해 두는 것이 좋다.

스토리텔링 시험 당일

스토리텔링 시험은 연극원에서 진행되었다. 대략 20명씩 2개의 강의실로 나누어져 있었던 걸로 기억한다. 당시에는 코로나로 인해 물 이외에는 음식물을 먹는 것이 불가능했으므로 아침을 먹고 갔다. 한예종 연출과의 스토리텔링 시험은 7시간으로, 다른 학교의 글쓰기 시험보다 3~4배 긴 시간이 주어진다. 긴 시간을 주는 만큼 더 완성도 있는 글을 써내야 한다. 따라서 한예종 스토리텔링 시험을 치르기 위해서는 잘 고쳐 쓸 줄 알아야 한다.

　　문제의 대부분은 이미 써 놓은 글을 끼워 맞추기 어려운 방식으로 나온다. 구체적인 상황이 주어져 있거나 조건이 제시되기 때문이다. 하지만 막상 시험장에서는 이전에 완성해 둔 글을 활용해서 쓰고 싶은 유혹을 떨쳐내기 쉽지 않았다. 이미 수차례 고쳐 써보았던 글은 완성도가 보장되어 있다는 생각 때문이었다. 시간 안에 새로운 이야기를 만들고 고쳐 쓰는 것이 마치 도박 같아서 무섭기도 했다.

　　하지만 앞서 말했듯 7시간이라는 시간은 짧지 않다. 마음을 다잡고 차분하게 문제부터 살피기로 했다. '방문자'에 대한 3페이지 가량 되는 지문을 포함하여 '방문자가 떠나는 이야기'와 '방문자가 머무르는 이야기'를 각각 1,500자 내외로 작성하는 문제였다. 문제만 2시간을 들여다본 것 같다. 우선 방문자에 대한 상징이 중요한 것 같았다. 2가지 상황을 모두 작성하라고 했으므로 떠나거나 머무르는 결말이 가져다주는 의미도 필요해 보였다. 또한 2가지 답안을 써야 하는 만큼 각각 다른 매력을 보여주고자 했다. 1번째 글을 1인칭으로, 2번째 글은 3인칭으로 쓰는 등의 변주를 활용했다. 문제에서 요구하는 바를 파악하고 그에 맞는 이야기들을 떠올리니 쓰고 싶은 이야기들이 추려졌다. 여기까지 3시간이 더 걸렸다. 벌써 5시간을 사용했고 남은 시간은 2시간이었다. 문제를 오랫동안 들여다보고 신중하게 발상한 만큼 확신을 가지고 쓸 수 있었지만 2시간 동안 2개의 이야기를 만들기에는 턱없이 부족했다. 시간 조절에 실패한 것이다. 휘몰아치듯 답안을 작성하고 나니 곧바로 시험이 종료되었다. 급하게 쓴 만큼 아쉬움이 많이 남았다. 하지만 문장의 유려함과 구성적인 완성도보다 중요한 것은 '어떤 이야기를 하느냐'라고 생각했기에 후회하지는 않았다. 시험이 끝나면 머릿속에서 잊어버리기 전에 답안을 복기해두길 바란다. 스토리텔링 답안을 바탕으로 면접을 준비해야 하기 때문이다.

스토리텔링 시험까지 치르면 마지막 관문인 면접만 남는다. 주어진 일주일 동안 면접을 준비하면서 스토리텔링에 대한 아쉬움에 포기하고 싶어지는 순간들이 있었다. 하지만 면접의 성적 반영 비율이 50%나 되는 만큼, 면접은 스토리텔링 점수를 뒤엎을 수 있는 큰 전환점이 될 수도 있다고 생각하며 마음을 다잡았다.

면접, 보여주고 싶은 나와 진짜 나를 잘 엮을 것

면접은 크게 스토리텔링 답안, 자기소개서, 지정 희곡에 대한 질문들로 이루어진다. 내가 면접관이라면 나의 스토리텔링 글과 자기소개서를 읽으며 어떤 점을 궁금해할지 떠올려 보며, 면접 예상 질문지를 만들고 대답을 채워나갔다. 답변을 미리 써두고 외운다는 목적보다는 어떤 질문을 받아도 당황하지 않고 대답할 수 있도록 이야기와 맥락을 만들어 보는 데 초점을 두었다.

　　실제 구술 연습은 주변 인물에게 도움을 받았다. 일상 속에서 대화하듯 질문과 답변을 주고받기 위해 친한 친구들에게 도움을 요청했다. 미리 정리한 예상 질문지를 건네주고, 나의 답변에서 나온 키워드 중에 꼬리 질문을 계속 이어나가는 방식으로 연습했다. 편한 친구들인 만큼 내가 답변하기 어려워할 것 같은 짓궂은 질문을 하기도 했다. 당황스러운 질문을 받았을 때 대처하는 연습을 반복하다 보니, 면접장에서도 예상치 못한 어려운 질문에 유연하게 대답할 수 있었던 것 같다. 그 밖에도 '취미가 뭔가요?' 같은 정말 단순하지만 예상치 못했던 질문들이 나오기도 한다. 이런 질문에는 솔직하고 꾸밈없이 대답하면 된다. 면접관에게 보여주고 싶은 나와 진짜 나를 잘 엮어야 한다. 글을 통해 보이는 사람과 면접장에 있는 사람이 동일 인물로 보이는 게 중요하다고 생각한다. 같은 맥락에서 자기소개서를 진솔하게 쓰는 것이 면접에서도 좋은 결과를 가져다 줄 것이다.

나를 잘 알아야 끝까지 갈 수 있다

　　학원은 입시라는 여정을 완주할 수 있도록 안내해 주고 조언해 주는 가이드일 뿐, 그 길을 걸어가는 건 오로지 수험생 개인의 몫이다. 글을 쓰고 면접장에 들어가는 것은 결국 나 자신이라는 것을 잊지 말고 자신에게 맞는 방법을 스스로 찾아야 한다.

　나는 언제나 글을 다시 고쳐 쓰는 것을 가장 힘들어했다. 내 글을 다시 들여다보는 것이 부끄럽기도 했고 이미 최선을 다한 글을 더 좋게 고치는 것이 고통스럽기도 했다. 당시 내게 시를 가르쳐 주시던 선생님께서 이런 말씀을 하셨다. 글을 쓰는 것은 기나긴 길의 끝에 있는 커다란 벽까지 도착하는 것과 같으며, 글을 고치는 것은 그 커다랗고 두꺼운 벽을 온몸으로 밀고 나가는 것과 같다고. 그만큼 큰 힘이 필요한 거라고. 그때 그 말이 아직까지도 머릿속에 인상 깊게 남아 있다. 연출과 입시의 모든 시험은 글쓰기를 기반으로 한다. 논술과 스토리텔링은 물론이고, 자기소개서와 면접을 준비하는 것 역시 나에 대한 한 편의 글을 완성하는 작업과도 같다. 나는 연출과 입시도 마찬가지라고 생각한다. 더 이상 밀리지 않을 것 같은, 막다른 길 같은 견고한 벽을 있는 힘껏 밀며 전진하는 것이다.

　시험을 준비하면서 깨달은 사실은 내가 나를 잘 모르고 있다는 것이었다. 연극원 연출과는 소수의 인원만 뽑기 때문에 각자가 가진 개성이 뚜렷한 것 같다. 나를 개성 있고 매력 있는 인물로 보이게 하려면 내가 나를 잘 알아야 한다. 입시를 하는 틈틈이 자신에게 질문을 던지고 스스로 답변하며 객관적으로 자신을 돌아보자. 이 과정은 자기소개서를 쓰고 면접을 준비할 때도 많은 도움이 될 것이다.

　돌이켜보니 입시를 준비하는 동안 나는 한 단계 성장했다. 커다란 벽을 밀고 나간 것이다. 지금은 힘들겠지만, 입시를 준비하는 여러분도 나중에 돌아보면 모든 여정이 결코 헛된 시간이 아니었음을 알게 될 것이다. 꿈에 대한 간절함을 가진, 빛나는 여러분에게 노력한 만큼의 성장이 있기를, 그리고 원하는 결과가 반드시 찾아오기를 간절히 바란다.

면접의 성적 반영 비율이
50%나 되는 만큼,
면접은 스토리텔링 점수를
뒤엎을 수 있는 큰 전환점이
될 수도 있다.

07

이야기를
시각화하는
짜릿함

interview

김채리
연극원 무대미술과 23학번
 @coflc0

영화를 보며 갖게 된 새로운 시각과 전공

나는 예술중학교와 예술고등학교에서 조소를 전공했다. 초등학교 때 다니던 미술학원 친구들이 5학년 겨울 방학이 되자 1, 2명씩 예중 입시를 시작하기에 덩달아 예중 입시를 시작했다. 학원에 실력이 좋은 친구들이 많아, 따라잡으려고 이 악물고 열심히 실기 연습을 했던 것이 기억난다. 예중에 입학해서는 나보다 잘하는 친구들이 훨씬 많아 충격받기도 하고 슬퍼하기도 했다. 그래도 매 학기 미전(미술 전시회)을 준비하는 것도 재미있었고, 미술 분야 중에서 목조(木彫)를 경험하며 조소 전공에 흥미를 갖고 수업에 임했다.

그러다 고등학교 2학년 여름부터 영화를 많이 보기 시작하였고, 영화 미술과 공간 미술에 관심을 가지게 되었다. 특히 나는 왕가위, 박찬욱, 미셸 공드리, 데이비드 린치 등 시각적인 효과가 화면을 장악하도록 만드는 감독들을 좋아했다. 현실에서 쉽게 보기 힘든, 영화라 허용 가능한 시각적인 변화들이 특히 좋았다. 이후에는 영화와 더불어 연극에도 관심을 가지게 되었는데, 20살 여름에 〈살아있는 자를 수선하기〉라는 1인극 형식의 연극을 봤다. 사고를 당해 뇌사 상태에 빠진 주인공의 내면과 주인공의 외부에서 벌어지는 일이 동시에 보이는 방식이었고, 장기 기증이라는 소재를 다루고 있었다. 극의 말미에 주인공의 심장을 표현해야 하는 장면이 있는데, 그 심장을 아주 얇고 강한 광량의 조명 하나로만 보여준 것이 무척 인상 깊었다. 인물이 들고 있는 것이 마치 빛나는 심장처럼 보이도록, 해당 시퀀스✚ 내내 조명이 배우의 손을 직접 따라가며 맞추었다. 작은 소품으로 심장을 1차원적으로 드러내기보다 조명 장치를 이용해 추상적이지만 시각적 충격을 줄 수 있는 방식을 택한 연출이 좋았다. 미술 분야 중에서도 입체물을 중점으로 다루는 조소를 계속 전공한 만큼, 영화와 연극을 볼 때에도 자연스럽게 공간의 시각적인 구조와 구성에 더 집중을 했던 것 같다.

본격적인 준비

예중, 예고를 거치며 고등학교 3학년 현역 입시생 시절에는 조소과를 준비했지만 실패했다. 사실 내가 공간 미술에 더 많은 관심을 갖게 되면서 기존에 하고 있던 조소에 큰 흥미를 느끼지 못했다는 점이 실패의 가장 큰 이유가 아닐까 싶다. 이야기 내의 공간을 다루는 방법을 배우고 싶어 무대 미술과로 목표를 재설정하고 2번째 입시를 시작했다. 가능한 최고라 불리는 학교에 진학해서 질 좋은 교육 그리고 현장과의 긴밀한 연결을 누리고 싶은 욕심이 생겼고, 한예종 무대미술과 혹은 멀티미디어영상과가 아니면 가지 않겠다고 결심했다. 이후 자연스럽게 한예종을 1순위에 두고 미술 실기 학원을 알아보기 시작했다. 친구 중에 한예종 무대미술과를 현역으로 합

✚ sequence: 영화에서 하나의 이야기가 시작되고 끝나는 독립적인 구성단위. 극의 장소, 행동, 시간의 연속성을 가진 몇 개의 장면이 모여 이루어진다.

격했던 친구가 있었는데, 그 친구에게 학원 정보를 물어본 것이 나에게는 큰 도움이 되었다. 실기 학원을 다니다 보면 중간에 학원을 옮기는 친구들이 종종 있다. 나의 경우, 중간에 학원을 옮기지는 않았고 한 곳에서 입시가 끝날 때까지 다녔다. 또한 이미 입시에서 한 번 실패를 맛보았기 때문에 실기 학원과 재수 학원을 동시에 다니며 공부도 놓치지 않으려 애썼다. 불합격에 대한 대비도 함께 한 것이었다.

다행히 미술을 전공한 기간이 길었기 때문에 학원에서 함께 준비를 했던 다른 현역 친구들에 비해 재료 사용을 조금 더 수월하게 할 수 있었다. 그 덕분에 공부 쪽에도 시간을 적절히 쏟을 수 있었다. 물론 시험이 얼마 남지 않았을 때는 실기에 더 집중했다. 무대미술과 입학시험은 9월 말부터 시작되기 때문에 7, 8월에는 조금 더 실기에 비중을 두고 하루에 8시간 정도는 실기에 매진했다. 시험을 볼 때 화판에 도화지를 붙여놓고 그림을 그리게 되는데, 화판 위쪽에 시계를 꽂아두고 시간 분배를 하는 연습을 했다. 매번 시험 주제가 동일하게 주어지지 않기 때문에 칼같이 시간을 나눠 연습하는 것은 불가능하다. 그래서 굵직한 규칙을 정해두고 그 안에서 유동적으로 시간을 분배하려고 노력했다. 첫 스케치(밑그림)로 전체적인 윤곽을 잡는 것을 20분 내에 마무리하고, 시험 종료 30분 전에는 모든 부분이 적어도 한 번씩은 묘사가 되어있도록 나만의 목표를 설정했다. 시험의 시작과 종료에 대한 굵직한 규칙만 정해둔 뒤 나머지 시간에는 주제에 맞게 명암과 묘사 등 디테일을 잡는 데 힘썼다.

종합 예술인이 되기 위한 첫 관문, 무대미술과 입시

한예종 무대미술과 입학시험은 크게 1, 2차 시험으로 나누어진다. 1차에서는 소묘 시험을 보는데, 주어진 3시간 동안 학생 본인의 얼굴이나 손 등 신체를 이용한 그림을 오직 '연필'만을 사용하여 표현해야 하는 시험이다. 2023년 입시에서는 귤, 거울, 비닐 랩 등을 나눠주며 '귤을 들고 있는 손'을 그리는 것이 문제였다. 단순히 귤을 들고 있는 손을 그리는 것이 아닌, 어떻게 귤을 들고 있을지도 구성해야 하는 시험인 셈이다. 이를 통해 학생의 창의력 및 관찰력과 묘사력, 그리고 연필이라는 1가지 재료로 어떻게 다채롭게 표현하는지 확인한다.

2차 시험에서는 '채색화' 시험을 치른다. 4시간 동안 주어진 문제를 보고 그림을 그려내는 시험이다. 2023년 입시에서는 '기상 이변으로 인해 서울 도심이 물에 잠기게 되었다. 이러한 위급 상황에 로봇으로 구성된 팀이 파견되는 상황'이라는 스토리가 담긴 문제가 출제되었다. 2차 시험을 통해서는 주어진 스토리 내에서 본인이 설정한 소주제에 부합하는 표현력과 공간 구성력 등을 보는 것이라는 생각이 들었다. 나는 로봇 하나하나에 캐릭터를 부여하는 식으로 나만의 스토리를 만들었다. 시험 문제 자체가 구체적으로 제시되기 때문에 수험생의 독창성이 더 많이 요구되는 시험이라고 할 수 있다. 주어진 스토리를 그려내기보다는, 주어진 스토리 내에서 독창성 있게 나만의 주제로 재구성하는 능력, 동시에 문제의 조건과 너무 동떨어지지 않게 풀어내는 능력이 필요하다는 생각이 들었다. 더불어 내가 설정한 의도에 맞게 색을 사용해야 하고, 구도도 그에 맞게 설정해야 한다는 점에서 무대미술과에 적합한 시험이라는 생각이 들었다.

부지런히 움직여야 하는 손

　　그림을 그리기 전 아이디어를 생각해 내고, 구도를 짜고, 스케치로 옮길 때까지는 다른 생각을 할 틈이 없다. 지금 내가 하고 있는 작업, 그림 그 자체에 집중하게 된다. 주어진 문제를 내가 의도에 맞게 풀어가고 있는지에 모든 신경을 다 쏟게 되기 때문이다.

　　하지만 그림을 그리는 동안에는 한 번도 딴생각하지 않고 집중하는 것은 정말 힘든 일이다. 나 또한 그렇다. 아침에 들었던 노래가 갑자기 머릿속에 맴돌기도 하고, 어깨나 손목이 뻐근한 것 같다는 생각도 한다. 하지만 머릿속에 다른 생각이 들어와도 손은 바쁘게 움직인다. 그래서인지 스케치 이후 톤이나 색감을 표현하기 시작할 때부터는 뇌가 손을 이끄는 것이 아니라 손이 모든 걸 컨트롤하는 느낌이 든다. 따라서 다른 생각이 들지 않도록 집중하는 것도 중요하지만, 다른 생각이 들어오더라도 손이 쉬지 않고 그림을 완성할 수 있을 만큼 연습이 되어야 한다.

중요한 건 나를 믿는 마음

　　입시를 준비하면서 타인과 나의 능력을 비교하는 습관이 생겨서 정말 힘들었다. 특히 재수를 하는 입장이니, 현역으로 입학한 친구들과 나를 비교면서 힘들어했던 기억이 있다. 그리고 모든 입시생이 그렇겠지만, 입시 후반부에 특히 불안이 커졌다. 결과가 나오기 전까지 아무도 알 수 없기 때문이다. 실기 연습이나 공부를 할 때는 오히려 매일 해야 할 것이 명확히 있기 때문에 힘들다는 생각이 들 틈조차 없지만, 시험을 치른 후의 무료한 시간을 견뎌내는 것이 힘들었다.

　　진부한 얘기일 수도 있지만 수험생에게 필요한 것은 '자신을 믿는 마음'이라고 생각한다. 내가 지금 하고 있는 모든 것을 믿어주는 힘이 정말 필요하다. 불안감을 줄이고 내가 하고 있는 것들이 옳다고 믿어야 끝까지 완주할 수 있다. 실제로 나는 불안감을 줄이기 위해 좋아하는 것들에 많이 기대었다. 좋아하는 친구, 좋아하는 커피, 좋아하는 당근 케이크, 좋아하는 책, 좋아하는 영화, 좋아하는 산책 루트 등등. 물론 평소에도 좋아하는 것을 찾고 즐기려는 편이지만, 당시에는 재수가 주는 자존감 하락이 만만치 않았기에 더욱 좋아하는 것들에 파묻혀 살고자 했던 것 같다. 실기 연습을 하거나 공부를 하는 시간 외에는 무조건 좋은 기분으로 있고 싶었다. 더불어 좋아하는 것을 한 날에는 기록도 남겼다. 일기장을 2개 썼는데, 하나에는 온갖 부정적이고 불안한 말들을 적었고, 나머지 하나에는 긍정적이고 좋은 말들만 적었다. 글로라도 기분을 분리한 게 은근히 도움이 되었다고 생각한다. 안 좋은 감정들을 분리수거해서 버린 느낌이랄까.

또 나에 대해 깊이 있게 생각해 보는 시간도 꼭 필요하다. 자신이 어떤 사람인지 정의 내리지는 못하더라도, 현재의 생각과 가치관을 솔직하게 꺼내놓을 수 있고 표현할 수 있는 자질을 갖춘 사람들이 합격할 수 있는 것 같다. 본인만의 무기가 있으면 당연히 좋겠지만, 당장 내가 어떤 부분에서 강점인지 모르더라도 계속해서 그걸 탐구하고 찾으려고 하는 사람들이 결국 합격할 수 있는 사람이지 않을까 싶다.

미술 입시는 어떤 과를 선택하든 그림을 그리게 된다. 하지만 내가 단순히 그림을 그릴 수 있다고 해서 미술과 관련된 모든 학과에 지원하기 충분한 능력을 가졌다는 생각을 하는 것은 위험하다. 기본적으로 모든 미술 입시의 베이스가 그림이긴 하지만, 과마다 추구하는 특성과 성향이 확실히 다르다. 그렇기에 그저 그림을 그릴 수 있는 것만으로는 입시에 성공하기 어렵다. 결국에는 내가 선택한 그 학과를 얼마나 가고 싶은지, 왜 가고 싶은지 등을 생각해서 자신만의 답을 가져야 한다.

멋진 공간을 사랑한다면

　　무대미술과는 보통 한 학번에 17~19명 정도다. 졸업 후에 무대미술과 관련된 직업을 갖는 사람은 생각보다 적다고 한다. 공연 무대뿐만 아니라 영화 미술을 담당하는 사람들, 무대 의상 디자인을 하거나 나아가 옷 브랜드를 만드는 사람들, 조명 디자인이나 건축 쪽으로 확장하는 사람들 등 정말 다양하다. 그리고 무대미술과에서 자세히 배우는 것은 아니지만, 무대와 관련된 영상과 음향 작업을 하는 사람들도 있다. 무대미술과 학생들은 공간이 관객에게 선사할 수 있는 것들에 대한 고민을 주로 한다. 때문에 관객들의 다양한 감각을 일깨울 수 있는 여러 직종에 흥미를 가지게 되는 것 같다.

　　그러니 '무대미술'을 생각할 때, 이름 때문에 연극이나 뮤지컬 등 '공연 예술에 한정된 미술'만 생각하고 거리감을 둘 필요는 없다. 공간적인 것들을 디자인하고 구성해 내는 것에 관심이 있고, 이야기를 시각적인 것으로 치환하는 것에 관심이 있다면 무대미술과에서 공부해 보는 것을 추천한다.

다른 생각이 들지 않도록
집중하는 것도 중요하지만
다른 생각이 들어오더라도
손이 쉬지 않고
그림을 완성할 수 있을 만큼
연습이 되어야 한다.

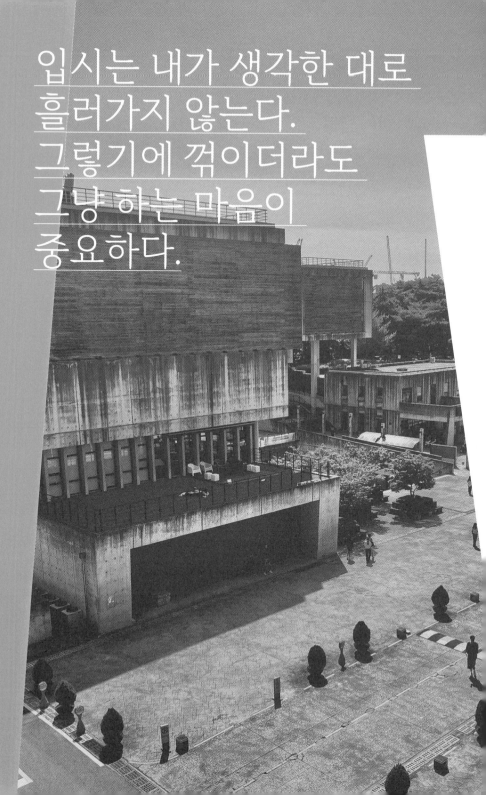

입시는 내가 생각한 대로
흘러가지 않는다.
그렇기에 꺾이더라도
그냥 하는 마음이
중요하다.

한예종인에게 물었다!

Q. 입시 연기 학원을 다니는 게 좋을까요? 어떤 도움이 될까요?

연기, 연기과에 대해 아예 정보가 없는 친구들은 연기 학원에 다니는게 좋다고 생각해요. 학원의 가장 큰 장점은 정보력입니다. 각 대학별 선호 이미지, 연기 스타일, 분위기 등을 배울 수 있고, 합격생이 많은 곳일수록 데이터베이스가 풍부하기 때문에 본인에게 맞는 독백을 찾아서 연구할 수 있습니다.

무엇보다 좋은 연기 선생님을 만나는 게 가장 중요합니다. 다만 그만큼 시간을 많이 쏟아야 해요. 발품도 많이 팔아보고, 상담도 여러 곳에서 받아보면서 기계적으로 연기를 가르치는 학원이 아닌, 하나의 배우를 양성하는 공간을 찾아야 합니다.

》 **연극원 연기과 20학번 우다현**

비율로만 봐도 입시 학원 출신이 열에 아홉일 정도로 많은 편입니다. 사람마다 다르겠지만 저는 필요하다고 생각합니다. 물론 기초 훈련(호흡, 발성 등)에 관한 책이나 영상이 많습니다. 하지만 독학으로 깊고 정확하게 알기는 어렵고, '내가 맞게 하고 있는지' 아는 것이 어렵습니다. 올바른 방법과 길을 잡아주는 선생님이 필요합니다.

학원의 장점은 '혼자 하는 게 아니라는 것'입니다. 저는 함께 배우는 친구들을 보며 좋은 자극을 얻었습니다. 작품에 대한 이야기를 하기도 하고, 서로 연기를 보여주고 그에 대한 코멘트를 나누기도 하며 도움을 받은 순간도 많았습니다. 힘든 순간에는 하나의 꿈을 향해 달려나가는 친구들과 나를 응원해주시는 선생님의 도움을 받아 이겨내기도 했습니다.

또한 매일매일 연습실을 쓸 수 있다는 큰 장점도 있습니다. 학원에 다니지 않았다면 학교의 남는 교실이나 공간을 사용하거나, 시간당 돈을 받고 빌려주는 연습실을 사용했을 텐데 이 경우들은 제약이 많습니다. 전자는 연습에 오로지 집중할 수 있는 환경이 되기 어렵고 후자는 '정해진 시간'이 있기에 자유롭지 못하고, 긴 시간을 빌리자니 경제적으로 부담이 될 수 있고요. 그러나 학원은 연습실이 있으니 시간이 날 때 연습실을 사용할 수 있어 만족도가 높았습니다.

》 **연극원 연기과 20학번 민하늘**

SCENE
02

한예종
연극원에
와보니

01

색다른
　　경험으로
가득한 학교

interview

우다현

연극원 연기과 20학번

　　나는 인문대학교를 다니다가 자퇴를 하고 한예종 연극원 연기과에 입학했다. 이전 대학교와는 사뭇 다른 분위기에 입학 후 굉장히 놀랐다. 나에게 한예종은 굉장히 자유롭고 예술적인 학교로 느껴졌다. 우선 가장 놀랐던 점은 '호칭'이다. 이전 대학교를 다니면서는 한 번도 교수님을 '선생님'이라고 불러본 적이 없었다. 하지만 한예종에서는 선생님이라는 호칭이 오히려 더 많이 사용된다. 선생님들과 함께 식사를 하고, 디저트 타임도 갖는다. 인문대학교에선 느낄 수 없었던 자유롭고 편안한 분위기가 참 좋았다.

　　수업 또한 굉장히 차이가 많다. 일반 대학교는 교수님께서 준비해 주신 PPT 자료를 보며 수업을 듣는 방식이 일반적이다. 그에 비해 한예종은 실기 수업 위주로 이루어져 있다. 교양 수업 때에도 질문하고 토론하는 자유로운 분위기가 형성되어 있다.

　　또 동기들과의 끈끈함도 한예종의 빼놓을 수 없는 매력이다. 연기과의 경우 한 학번당 37명 정도의 인원으로 구성되어 있는데, 1학년 때는 2개의 반으로 분반되어 모든 전공 수업을 함께 듣는다. 대학생임에도 불구하고 연기과 1학년은 반마다 정해진 시간표를 따른다. 이 때문에 마치 중고등학교 시절로 돌아간 것 같은 느낌을 받았다. 또 동기들 모두가 다른 색깔을 지니고 있어 함께 있으면 마치 오색 빛깔의 팔레트 같다는 생각도 들었다. 모두가 다른 매력을 가지고 있는데도 불구하고 같은 목표와 전공으로 뭉쳐 있을 수 있다는 것이 좋았다. 자주 함께 작업하면서도 이렇게 어우러질 수 있다는 사실이 매번 신기하고 행복했다.

학교 건물에 대한 인상도 다니면서 많이 바뀌었는데, 입시생 때 학교를 방문했을 때는 층고가 엄청 높고 문도 상당히 커서 건물에 압도당하는 느낌이 들었다. 또 강의실의 문이 노란색으로 되어 있는 것도 왠지 모르게 위엄 있어 보였다. 하지만 재학생이 되어 학교를 다니다 보니 지금은 오히려 편안한 공간이 되었다. 한예종 특성상 학교에서 밤늦게까지 작업하며 보내는 시간이 많아 이제는 학교가 집처럼 느껴진다.

전략적인 교육을 지향하는 커리큘럼

한예종은 여러 장점이 있지만, 체계적인 커리큘럼이 가장 큰 장점이 아닐까 생각한다. 연기과에는 '연기 실습 1'부터 '연기 실습 6'까지의 수업이 있는데, 단계적으로 1부터 수강하지 않으면 다음 수업 이수가 어렵다. 단계가 올라갈수록 배우는 내용이 심화되기 때문에 순서대로 수강해야 한다. 학생들이 이러한 시스템을 믿고 열심히 임한다면 졸업할 때쯤에는 많은 것들을 얻을 수 있을 것이다.

연기과 수업은 크게 연기 수업, 움직임 수업, 가창 수업, 공연 제작 실습 수업 이렇게 4가지로 분류할 수 있을 것 같다. 물론 전공 수업만 들을 수 있는 것은 아니다. 교양 수업을 통해 타과 실습 수업을 들을 수도 있고, 일반 교양 과목을 수강할 수도 있다. 특히 움직임 수업은 '마임과 액션' '아크로바틱과 한국 무용' '창작 무용'으로 단계별 진행이 되는데, 나는 '창작 무용' 시간이 가장 기억에 남는다. 모두 자신의 몸과 얼굴, 목소리를 통해 표현하고 싶은 것들을 마음껏 표현했다.

연기과 수업 중 '카메라 연기' 수업은 연기과 내에서도 인기가 많아 수강 신청이 어려운 편이다. 내가 들었을 당시에는 주 1회 수업이었고, 오만석 교수님께서 수업을 맡으셨다.

수업은 실제 드라마, 영화, 연극 속 한 장면을 발췌하여 2인 또는 3인 대화 신(scene)을 공부하는 것이 주가 되었다. 현장에서 오래 활동하신 오만석 선생님께서 다양한 카메라 연기 테크닉과 일상생활 연기 기술들을 알려주셔서 매우 알차고 도움이 되었다. 카메라 연기 연습 때에는 구도별로 여러 번 영상을 찍어보고, 선생님의 코멘트를 통해 연기를 수정한다. 그런 과정을 수업 시간 내내 카메라와 연결된 커다란 스크린을 통해 바로 확인할 수 있는 환경이라 매우 좋았다. 질 좋은 수업 환경에서 훌륭한 강의를 학구열 높은 학우들과 함께 들을 수 있어서 만족스러웠다. 종강 전에는 모두 함께 그동안의 영상들을 보는 상영회를 갖는데, 한 학기 동안 모아놓은 영상을 보며 감상평을 나누고 깔끔하게 편집된 영상 속 연기를 보는 재미가 상당했다.

극단에 들어가야만
배울 수 있는 것들을
학교 공연을 준비하며
경험할 수 있다는 점이
너무 좋았다.

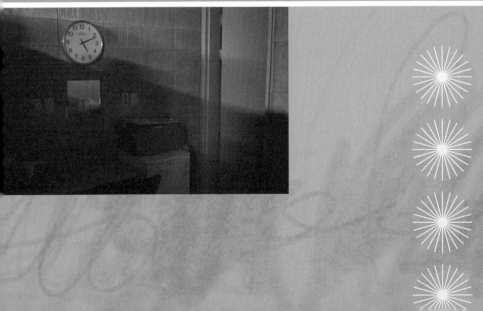

공연에서 배울 수 있는 것들

공연을 통해서도 많은 걸 배울 수 있다. 나는 한예종 공연에 참여하며 예술가로서의 마인드, 무대에서 버틸 수 있는 지구력, 프로덕션 사람들과의 커뮤니케이션 방법, 공연 제작 과정에 대한 이해 등 다양한 것들을 배울 수 있었다.

한예종 연극원 공연의 경우, '스튜디오 공연'과 '레퍼토리 공연'으로 범주가 나뉜다. 스튜디오 공연의 경우 학생들로만 프로덕션이 구성되어 있고, 레퍼토리 공연의 경우 교수님들도 함께하신다.

스튜디오 공연은 학생들끼리 만들기 때문에 훨씬 소통이 편하고, 배우 스스로 디벨롭 시킬 수 있는 것들이 많다. 또 각자 파트가 다 나뉘어 있기 때문에 본인이 해야 할 것만 정확히 해내면 된다. 내가 해야 하는 것에 집중할 수 있다는 점이 큰 장점이라고 생각한다. 물론 파트가 나눠져 있는 것은 레퍼토리 공연 또한 동일하다. 레퍼토리 공연이 스튜디오 공연과 다른 점은 교수님께서 '연출'로서 함께하신다는 점이다. 학생 연출이 아니기 때문에 공연을 준비하는 모든 과정 속에서 실제 외부에서 공연을 만들 때의 현장감을 느낄 수 있고, 색다른 가르침을 받을 수 있다.

나는 〈지구의 정복자〉라는 레퍼토리 공연에 참여했다. 극단을 운영하시던 원영오 선생님께서 직접 오셔서 움직임을 가르쳐 주셨다. 극단에 들어가야만 배울 수 있는 것들을 학교 공연을 준비하며 경험할 수 있다는 점이 너무 좋았다. 또한 예산도 차이가 많이 나는 편이다. 레퍼토리 공연에 부여되는 예산이 스튜디오 공연 예산에 비해 10배 정도 많기 때문에 훨씬 많은 것들을 시도해 볼 수 있다. 그래서 무대나 의상이 화려해지는 경우가 많다.

공연 연습은 수업이 끝난 평일 저녁 7시부터 시작되었다. 움직임 공연이다 보니 약 2주간은 신체 훈련만 진행했다. 바닥에서 온몸으로 천천히 구르는 방법과 앞으로 나아가는 방법들을 배웠다. 바닥에서 코어 힘으로 버티는 훈련이 최종적으로 공연 장면을 만드는 데 매우 중요했기 때문이다. 2주 후에는 각자 책《지구의 정복자》속에서 인상 깊었던 장면을 발췌하여 장면 발표를 진행했다. 각자의 장면들이 원영오 선생님의 지도를 통해 선명하고 날렵하게 다듬어졌다. 서투른 부분들도 선생님의 지도를 따라 세련되게 다듬어지고, 각자의 장면들이 하나로 합쳐져 이야기가 되고, 그 속에서 함께 파도처럼 휘몰아치는 장면들이 추가되면서 1편의 공연이 완성되었다. 약 2달간의 과정을 통해 무대와 내 몸이 호흡하는 방법, 상대와 나의 심장 박동 수를 맞춰가는 방법, 관객들에게 몸짓으로 하고 싶은 말들을 전달하는 방법을 배울 수 있었다. 졸업 이후 외부에 나가서도 쉽게 경험할 수 없는 좋은 작업을 교내에서 할 수 있다는 사실이 참 감사했고 뜻깊었다.

한예종은 타 과와의 협업이 매우 잘 되어, 다방면으로 많은 기회를 얻을 수 있다. 연기과의 경우 배우로서 다양한 작품을 경험하는 것이 정말 중요한데, 한예종에서는 영화과, 방송영상과, 멀티미디어영상과, 연출과, 극작과, 서사창작과, 음악창작과, 애니메이션과 등 여러 과와의 협업을 통해 다양한 작품에 함께 할 수 있는 기회를 얻을 수 있다. 학생들끼리 커뮤니케이션이 활발하게 진행되기 때문에 여러 새로운 기회들이 많아진다.

또한 연기과의 경우 3학년 때부터 '뮤지컬 트랙'이라는 것을 신청할수 있다. 쉽게 말하자면 뮤지컬 부전공이라고 말할 수 있다. 뮤지컬 댄스, 장면 연기 실습, 서양 가창 등 다양한 뮤지컬 수업을 들을 수 있고, 협업을 통해 무대에 설 수 있는 기회도 얻을 수 있다. 그 밖에도 학교에서 올린 공연들을 지원 사업 시스템을 통해 지원금을 받고 외부에서 공연을 진행할 수도 있고, K'arts 온 로드 사업을 통해 외부에서 다양한 예술 활동을 할 수 있다.

한예종의 단점을 굳이 뽑자면 학교생활이 너무 정신없이 바빠서 오히려 종강을 한 이후 마음이 공허해진다는 것이다. 학교 사람들 대부분이 워커홀릭이라는 생각이 든다. 그렇기 때문에 '잘 쉬는 방법'에 대해서 고민을 많이 해야 할 것 같다. 사실 이 부분은 예술인들이라면 누구나 다 고민하는 부분이기도 하다. 스스로 기회를 잡아야 하는 직종이라 누구보다 치열하게 살면서도 대체로 '쉼'을 불안해한다. 쉽지 않겠지만, 각자에게 맞는 '쉼'을 연구하는 시간도 충분히 가져야 한다.

연기의 기본기, 유연한 몸 만들기

입시생으로 돌아간다면 무엇보다 나는 무용 연습을 많이 하고 싶다. 바이올리니스트가 바이올린 관리를 철저하게 하듯이 배우는 자신의 몸을 잘 관리하고 가꿀 줄 알아야 한다. 배우의 악기는 몸이다. 자신의 몸을 자유롭게 사용하지 못하면 제약이 많다. 나는 인문대를 다니다 입시를 시작했기 때문에 주어진 시간이 6개월 정도로 매우 짧은 편이였다. 평생 해본 적 없던 무용을 갑자기 시작해 무작정 연습하다 보니 허리 디스크를 얻게 되었고 증상이 악화되어 수술까지 받았다. 당시에 한예종은 무용을 잘하는 사람을 좋아한다는 말이 돌던 때여서 좌절감이 상당했다. 물론 시험을 포기하지 않았고, '뮤지컬'로 특기를 변경하여 시험을 치렀지만 아직도 무용에 대한 갈증이 있다. 꼭 무용이 아니더라도, '배우'를 꿈꾸고 있다면 꼭 몸을 잘 사용하는 방법을 배우면 좋겠다. 신체를 자유롭게 사용할 수 있도록 끊임없이 트레이닝을 해야 한다. 단순히 헬스를 해서 몸을 만드는 것과는 다른 개념이다.

움직임에 대한 갈증은 한예종에서 움직임 수업을 들으며 많이 해소되었다. 하지만 재미를 느끼게 되니 더 배우고 싶다는 갈증이 생겨났다. 거기다 학교를 다니다 보면 주변에 신체를 정말 잘 사용하는 학생들이 많이 보여서 갈증이 더 심해지는 것 같다. 혹 나와 비슷한 상황의 학생이 있다면, 보이스 트레이닝뿐만 아니라 미리 신체 트레이닝도 하기를 바란다.

한예종 연극원예
와보니

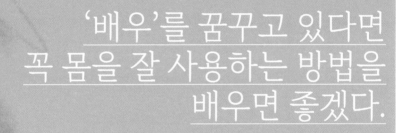

'배우'를 꿈꾸고 있다면
꼭 몸을 잘 사용하는 방법을
배우면 좋겠다.

어디든
내가 다닐 학교
하나는 있겠지

interview

이승기

연극원 연기과 20학번

@ @01_tmd71

기꺼이 할 수 있는 일을 찾다

나는 어릴 때부터 사람들 앞에 나서는 걸 좋아했다. 앞에 설 수 있는 자리가 있다면 찾아다녔다. 중학교 때는 교회에서 드라마 팀에서 연극을 만들어 발표하기도 했다. 어렸을 때부터 이러한 활동을 즐겼기에 자연스럽게 예술고등학교에 관심을 가지게 되었다.

하지만 당시 부모님께서 지금부터 전공을 한정 짓고 예고에 진학하면 나중에 흥미가 떨어질 수 있고, 적성과 맞지 않는다는 생각이 들어도 진로를 바꾸기 힘들 수도 있다고 말씀해 주셔서 일반 인문계 고등학교에 진학했다.

이후 교외 청소년 센터 뮤지컬 동아리에 들어가서 고등학교 1~2학년 동안 그곳에서 연기와 노래를 연습했다. 이때의 경험이 나에겐 아직도 좋은 추억으로 자리 잡고 있다. 밤새 연습하고 다 같이 한 공간에서 쪽잠을 자고 다시 등교하는 생활이 힘들기보다 재미있고 좋았다. 이런 과정들이 내가 연기를 하면서 견뎌야 할 부분이라면 기꺼이 할 수 있을 것 같았다. 평생 해도 즐겁고 재미있게 임할 수 있을 것 같다고 생각했고, 고등학교 3학년 3월부터 본격적으로 연기과 진학을 위해 입시를 준비했다.

다양한 커리큘럼으로 감각을 깨우다

입시 때 연기를 가르쳐주신 선생님께서 한예종을 추천해 주셨다. 평소 이성적으로 연기를 하는 나에게 큰 도움이 될 것이라고 하셨다.

실제로 한예종에 입학해 여러 수업을 들어보니 내가 미처 생각하지 못했던 감각을 깨우고 자극하는 훈련들이 많아서 굉장히 만족하며 학교를 다녔다.

특히 1학년 때 배웠던 '호흡과 발성', '움직임', '박과 사위' 수업이 기억에 남는다. 호흡과 몸의 움직임을 함께 사용하고, 연결 짓는 훈련들이 이성적으로 연기에 접근하던 나에게 큰 도움이 되었다. 또 호흡과 발성 수업에서는 내 몸의 상태를 인식하고, 내가 내는 소리들이 어떻게 달라지는지 알아가는 과정이 진행되는데, 그 속에서 나의 호흡과 소리를 정확하게 인식하게 되었고, 몸 안의 감각에도 집중할 수 있어서 새로웠다.

가장 재미있었던 수업은 1학년 때 수강한 '즉흥 연기'다. 사실 입시를 준비하면서 수많은 즉흥 연기를 하게 되지만, 그것들은 주어진 주제에 맞춰 무언가를 만들어내고, 시간 내에 표현해야 하는, 오로지 시험을 보기 위해 만들어진 연기이다. 처음에는 대학교에 와서 또 이런 걸 배우나 싶어 걱정이 앞섰다. 하지만 걱정과 달리 즉흥 연기 수업에서는 연극 놀이를 기반으로 한 다양한 활동들을 통해 '나'에 대해 알아가고, '현재'에 집중하는 시간을 가질 수 있었다. 또 '즉흥'이라는 특성상 정해진 것들이 없기 때문에 더 과감히 도전할 수 있었고, 함께 수업을 듣는 사람들과 생각을 공유하고 몸으로 다양한 것들을 표현하면서 스스로 설정한 연기의 한계를 벗어날 수 있게 되었던 것 같다.

1학년 1학기 종강 이후에는 약 일주일 동안 '풍물 특강' 수업이 진행된다. 이 수업은 '박과 사위'라는 과목에서 '박' 부분을 담당하시는 교수님께서 진행하시는 특강으로, 한국 고유의 풍물을 배우는 시간이다. 연기과 학생들은 졸업을 위해 이 특강을 필수로 수료해야 한다. 수업은 북, 장구, 꽹과리 3파트로 나누어 진행된다. 각자 다양한 파트를 경험해 보고, 이후 1개 파트를 선택해 연습을 진행한 후, 마지막 날에는 모두 함께 작은 공연을 올리며 마무리된다. 풍물 특강은 학기 중에 진행되는 것이 아니기 때문에 시험도 과제도 없다. 동기들과 함께 한국 고유의 소리를 연주하며 즐길 수 있는 있는 시간이었기에 개인적으로도 만족도가 높았다.

한예종 연기과는 1, 2학년 때는 공연에 참여하거나 외부 활동을 할 수 없다. 아마도 아직 외부에서 활동할 만큼의 준비가 되어있지 않기 때문이라고 생각된다. 그런 의미에서 모두 함께 모여 공연을 할 수 있는 풍물 특강 수업은 소중한 기회다. 물론 연기를 통해 공연을 올리는 형태는 아니지만, 다른 사람들과 협업하고 맞춰나가는 과정, '연출'이라고 볼 수 있는 선생님의 지휘를 따라가는 과정 등 공연에서 필요한 요소들을 충분히 습득할 수 있었다.

연기과 수업의 꽃이라고 할 수 있는 '연기 실습'은 파트너와 함께 장면을 직접 만들어 발표하는 수업이다. 거의 일주일에 1번은 꼭 발표를 하게 되는데, 어떤 식으로 인물에 접근해야 하고 표현해야 하는지 깊게 고민해 볼 수 있는 시간이다. 사실 연기를 하다 보면 내가 생각하고 표현하는 것들이 보는 사람들에게 정확하게 전달되지 않는 경우가 많다. 그런 의미에서 연기 실습 시간의 발표는 큰 도움이 되었다. 내가 고민한 것들을 수업 시간에 발표하고, 교수님과 동기들의 다양한 피드백을 듣는 과정을 거치면서 연기에 대한 새로운 고민들을 할 수 있게 되었다.

1학년 때는 조금 더 내추럴하고 충동에 의한 연기를 한다면, 2학년 때는 '화술', '연극사' 등 조금 더 심화된 내용의 수업을 수강하며 배우로서 가져야 할 테크닉적인 부분과 관련 지식을 배울 수 있다. 이렇듯 각 학년별로 적절한 커리큘럼을 통해 한 단계씩 성장할 수 있도록 만든 체계적인 시스템이 한예종의 여러 장점 중 하나다.

성장할 수밖에 없는 환경

훌륭한 교수님들 밑에서, 좋은 환경 속에서, 열정적인 사람들 속에서 전공을 공부할 수 있고 예술을 펼칠 수 있다는 점이 한예종의 가장 큰 장점이라고 생각한다. 연기과의 경우 연기에 대한 생각도 다각도로 할 수 있게 된다. 그런데 이것은 장점인 동시에 단점이 될 수도 있다. 새벽까지 연습하고 잠에 드는 그 순간까지 발표에 대해 생각하고, 연기에 대해 고민한다. 아침에 눈을 떴을 때부터 전공 생각만 하며 하루가 흘러가는 것이다. 하나에 집중할 수 있다는 것이 장점이지만, 그만큼 다른 것들에 신경 쓸 시간이 줄어든다는 게 문제가 되기도 한다.

또 한예종의 빠듯한 스케줄도 같은 맥락에서 단점으로 여겨질 수도 있을 것 같다. 나는 모든 대학교의 시간표가 다 이렇게 쉴 틈 없이 빽빽하다고 생각했다. 다른 학교 친구들과 시간표를 비교해 본 뒤에야 한예종의 시간표가 굉장히 힘든 편에 속한다는 것을 깨달았다. 빡빡한 일정 속에서 과제와 연습까지 소화해야 해서 체력적으로도 정신적으로도 힘들게 느껴질 때가 많았다. 파트너와 연습하기 위해 새벽까지 학교에 남아 있는 것은 기본이고, 연습실이 없으면 연습실이 빌 때까지 기다려야 한다. 정말 하나를 배우기 위해 많은 시간을 쏟아부어야 하는데, 이러한 환경 속에서 본인의 몸과 마음을 스스로 살피지 않으면 쉽게 병이 날 수 있겠다는 생각이 들었다.

한예종 연기과의 경우 1, 2학년 때는 전공 수업 시간표가 정해져 있다. 또 그 학기에 들어야 하는 필수 과목을 꼭 이수해야만 다음 학기 수업을 수강할 수 있는 시스템이기 때문에 전공 외의 교양 과목을 듣는 것은 불가능에 가깝다. 연기 실습 수업의 경우, 일주일에 2번, 4시간씩 수업을 듣는다.

일반 대학교는 이렇게 일주일에 8시간 수업이 진행될 경우 총 8학점을 부여하지만, 우리는 4학점을 받는다. 다른 학교 친구들과 시간표를 비교했을 때 분명 한예종의 시간표가 더 빡빡하지만, 실제 학점은 작다는 점이 모두를 놀라게 했다.

물론 시간표를 정해주는 시스템도 장점이 있다. 학교에서 3학년 때부터 외부 활동을 허락해 주기 때문에 1, 2학년 때 그 기반을 만들 수 있다는 점이다. 또 정해진 시간표가 있으면 수강 신청에 실패할 수가 없기 때문에, 학생들이 필수적인 내용을 배우지 못하고 외부 활동을 하게 되는 일이 없다.

몸은 유연하게 마음은 편하게

만약 다시 입시생으로 돌아간다면 몸을 이완시키고 스트레칭하는 훈련을 더 열심히 하고 싶다. 학교에 다녀보니 몸이 유연하면 수월하게 임할 수 있는 수업들이 많았다. 그래서 입시생으로 돌아간다면 스트레칭을 더 열심히 하고 싶다.

또 '특기'를 더 일찍 시작하고 싶다. '특기'는 연기과 시험 과목 중 하나인데, 이 부분은 뮤지컬이나 무용을 준비하는 것이 일반적이기 때문에 특기는 빠르게 시작하면 시작할수록 좋은 것 같다. 물론 언제 시작하는지보다 얼마나 열심히 하느냐가 중요하지만, 어차피 전공을 할 거라면 조금이라도 일찍 시작해서 수준을 더 올리는 것이 좋을 것 같다.

그리고 쉽지는 않겠지만, 힘을 좀 빼고 입시에 임하면 좋겠다. 나는 사실 걱정이 많이 없는 편이다. 실력과는 별개로 대학에 대한 걱정을 많이 하지 않았다. '어디든 내가 다닐 학교 하나는 있겠지.'라는 생각이 있었다. 시간이 지나고 보니 이러한 마인드가 오히려 도움이 많이 되었던 것 같다. '이 학교에 꼭 가야 해!'라는 생각은 긴장으로 연결되기 쉬운데, 내 성격상 긴장을 하면 할수록 평소보다 실력 발휘를 못하기 때문이다. 이렇게 부담 없는 마음이 오히려 시험을 편하게 보러 다닐 수 있게 만들어주었던 것 같다. 꼭 한예종을 와야 한다는 생각도 없었다. 그저 연기를 배울 수 있는 곳이라면 어디든 즐겁게 배울 수 있으니 하고 있는 것에 집중하자는 생각만 했다. '대한민국에 연기를 가르치는 학교가 이렇게 많은데 나한테 연기를 가르쳐 줄 학교 하나는 무조건 있다!'는 마음으로 마음 편히 입시를 치렀고, 좋은 결과를 얻었다. 입시를 준비하는 여러분도 부담과 걱정이 있겠지만, 최대한 마음을 편안하게 먹고 준비했으면 좋겠다.

03

다양한 시각으로 도전하는 무대미술

interview

이현정

연극원 무대미술과 21학번

@ @cong_j00

무대미술을 시작한 계기

　어릴 때 아버지가 재직하시던 회사에서 공연 티켓이 많이 나온 덕분에 공연을 많이 관람하며 자랐다. 웅장한 사운드와 무대 스케일은 호기심 많았던 어린 나를 압도했다. 나는 이러한 기분 좋은 충격과 여운을 즐기며 공연 관람을 꾸준히 즐겼다. 그러다 하루는 문득 '공연은 일상생활에서 볼 수 없는 시대나 상황을 보여주는데도, 사람들이 몰입하게 만드는 힘이 있구나' 하는 생각이 들었다. 나에게 공연은 새로운 세상을 보여주는 창구였다. 미술을 좋아했었던 나는 공연을 보며 무대를 내 디자인으로 채우고 싶다고, 공연에 관련된 일이라면 뭐라도 하고 싶다고 생각했다. 그리고 고등학교 때 관련된 전공을 찾던 중 무대미술과가 있다는 것을 알게 되었다. 어릴 적부터 좋아하던 공연 예술의 무대에 내가 지금까지 해온 미술을 접목시킬 수 있지 않을까 하는 설렘을 안고 본격적으로 무대 미술 공부를 시작했다.

한예종은 천재만 들어간다고?!

　한예종은 '천재만 들어가는 학교'라는 인식이 있는데, 입시생이었던 나도 마찬가지였다. 이러한 이미지 때문에 입시를 준비할 때는 진입 장벽이 굉장히 높게 느껴졌다. 하지만 실제로 한예종에 들어와 보니 천재들만 존재하는 학교는 아니었다. 잘하는 학생들을 뽑는다기보다는 다양한 경험과 목표를 지닌 사람들을 뽑아 교육을 통해 예술가로서의 성장을 돕는다는 느낌을 받았다. 상호작용 속에서 폭넓은 시각을 갖게 하는 것이 학교의 목표인 것 같다. 실제로 나 역시 학교에 다니는 동안 다양한 색깔을 가진 사람들과 함께 공부하고 작업하면서 서로의 경험과 팁을 나눌 수 있어 도움이 되었다. 그러니까 한예종은 천재들만 들어오는 학교가 아니라, 천재를 만들어내는 학교인 셈이다.

한예종에서는 여러 가지 도전과 실험도 해볼 수 있다. 재학생 모두가 각자의 전공 내에서 다양한 도전들을 하는데, 나는 이런 작업들이 마치 축제처럼 느껴졌다. 무대미술과 선배 중 한 명은 돗자리를 빌려주는 프로젝트를 진행했는데, 사용하는 사람에 따라 매일 변화하는 돗자리의 형태를 관찰하는 것이 목적이었다. 훼손된 부분이나 심지어 불탔던 흔적 등이 발견되기도 했다. 프로젝트 작업 중 흥미로운 일이 생기면 자신의 SNS를 통해 일화를 공유해 주었다. 이것은 일례에 불과하다. 한예종에는 이런 사람들이 많다. 자기만의 프로젝트를 기획하고 실행하고 인사이트를 공유하면서 스스로 성장하는 사람들이.

    무대미술과에는 '무대', '조명', '의상', '프로덕션(영화미술)' 이렇게 4가지의 세부 전공이 있다. 세부 전공은 3학년 때 선택하는데, 세부 전공을 선택했다고 해서 전공 수업만 들어야 하는 것은 아니다. 원한다면 다른 수업들도 들을 수 있지만, 졸업 전까지 1가지 전공을 정해 그 전공의 필수 수업을 모두 이수해야 한다.

    그동안 들었던 수업 중, 나는 1학년 1학기에 수강한 '연극하기' 수업이 가장 기억에 남는다. '연극하기'는 연극원에 입학한 모든 신입생이 거쳐 가는 관문이라고도 할 수 있다. 일주일에 1번 진행되는 이 수업에서 다양한 전공의 학생들이 만나 각자의 이야기를 주고받고, 하나의 짧은 연극을 만들게 된다. 이 과정이 즐거웠던 이유 중 하나는 자율성이다. 각 반의 지도 교수님은 전적으로 학생들의 의견을 수용해 주신다. 학생들이 자유롭게 의견을 나누다가 막히는 것 같으면 교수님께서 코멘트를 해주시는데, 처음에는 그것이 굉장히 연극과 벗어나 있다는 느낌을 받았다. 이를테면 "너희들이 가장 좋아하는 노래를 공유해 보자.", "가장 인상 깊었던 추억이 있으면 공유해 보자." 같은 말들이었다.

    하지만 교수님의 조언을 따르다 보면 연극을 만들어내는 과정 속에서 막혔던 부분이 자연스럽게 풀리기도 했다. 서로의 이야기와 취향을 알게 되면서 그것을 우리가 만들고자 하는 연극 속의 대사나 행동으로도 녹여낼 수 있었다. 창작 과정 중 막히는 부분이 생길 때 집요하게 파고드는 것도 방법이 될 수 있지만, 한 발짝 벗어나면 새로운 것을 발견하고 그것을 다시 작업 속으로 불러올 수도 있다는 사실을 깨닫게 해준 시간이었다. 전혀 관련이 없다고 생각한 지점에서도 새로운 아이디어를 불러올 수 있으며, 다양한 질문 속에서 답을 찾아 나가는 과정이 창작자의 중요한 능력이라는 걸 몸소 느꼈다. 결론적으로 처음의 방향성과는 다른 결의 연극이 탄생하긴 했으나 과정에서 배운 점도 많았고, '우리만의 연극'을 만들어낼 수 있어 기억에 많이 남는다.

세계무대미술대전 in 프라하

한예종은 체코 프라하에서 4년에 1번씩 열리는 세계무대미술대전(PQ, Prague Quadrennial)에 참여한다. 이번 2023년 행사에는 여러 가지 여건상 신청 시기를 놓쳐 참여하지는 못했지만, 눈으로라도 직접 보고 올 수 있도록 교수님들께서 일찍 종강을 해주셔서 다녀올 수 있었다.

프라하 홀리쇼비체 마켓의 여러 건물 공간을 활용해 전시를 했고, 건물마다 프로 작업자들의 작품, 학생들 작품, 어린아이들의 작품, VR을 활용한 작품 등 다양한 작품이 전시되어 있었다. 전 세계 무대미술 전공자의 다양한 작품과 퍼포먼스를 볼 수 있었고, 작품 설명을 들을 수 있어 유익했다.

경험이 많이 쌓이면 실제 작업할 때 영감을 얻을 수 있으므로 최대한 많이 보고 느끼는 것이 좋다.

무대미술과의 수업

1학년 때는 공연을 만들 때 필요한 과정들을 차근차근 배우는 수업이 많다. 공연의 역사와 희곡들을 접하며 이론적인 수업을 하고, 무대 제작에 필요한 도면을 읽는 법과 직접 도면을 그리는 법도 배운다. 도면을 실제로 구현할 때 필요한 공구 사용법을 배우고 직접 만들어보는 시간을 가지면서 점차 기본적인 것들은 만들 수 있는 사람이 된다. 1학년 2학기 때부터는 선배들의 졸업 전시를 도우면서 실전에서 필요한 팁을 전수받으며 응용해볼 수 있는 기회도 있다.

2학년 때는 세부적인 전공을 전반적으로 가볍게 맛볼 수 있는 수업이 많다. 3학년 때 세부 전공을 정하기 전에 모든 파트를 전반적으로 다룰 수 있도록 하기 위함이다. 무대 파트뿐 아니라 조명, 의상 등을 배우게 되는데, 이 방식은 다른 파트에 대한 이해를 높여 이후 작업 시 의사소통에도 도움이 된다. 또 2학년 때부터는 공연에 메인 디자이너가 아닌 '보조'로 참여가 가능하다. 선배들이 공연을 올릴 때 옆에서 도우면서 공연이 만들어져 가는 과정을 직접 경험할 수 있다.

한예종에는 자기만의
프로젝트를 기획하고 실행하고
인사이트를 공유하면서
스스로 성장하는
사람들이 많다.

3학년 때는 직접 메인 디자이너가 되어 공연을 만들어야 하기 때문에 선택한 세부 전공에 맞춰 심화된 수업을 듣고, 나머지 시간에는 학교 공연을 준비하며 직접 공연을 올려보는 실습을 한다. 4학년 때는 지금까지 배웠던 것들을 잘 정리하고 포토폴리오를 채워나가며 졸업 전시를 준비한다.

공연마다 준비 기간이 다르기는 하지만, 학교 공연은 보통 공연 두 달 전부터 각 파트별 스태프들이 모여 아이디어 회의를 진행한다. 이렇게 미리 디자인을 잡아두고, 공연 1달 전쯤에는 그 디자인을 바탕으로 예산을 정해 구체적인 제작 계획을 세운다. 또한 이때 다른 파트와도 소통을 계속 하면서 각 파트가 하나의 공연장에서 잘 어울릴 수 있도록 고민한다. 그리고 학교에서 예산이 나오면 본격적으로 재료들을 구매해서 제작하고 공연을 올린다. 공연에 따라서 준비 기간이 더 길어지기도 하므로 공연을 준비하기 전에 스케줄을 잘 조율해 놓아야 한다.

한예종의 많은 실기과가 그러하듯, 무대미술과도 대부분의 수업이 실기로 진행된다. '연극의 역사와 전통', '무대미술의 양식' 등의 이론 수업도 진행되지만, 대부분은 제작하는 방법이나 디자인을 배우는 실기 수업으로 구성되어 있다. 교수님들이 현역이셔서 학생들을 업계 후배처럼 대해주시고, 실제 현장에서 작업할 때 꼭 필요한 부분도 세세하게 가르쳐 주신다. 어떻게 해야 빠르게 작업을 진행할 수 있는지, 어떻게 해야 안전하게 작업할 수 있는지 등 현장에서 일을 해보지 않으면 알 수 없는 좋은 팁도 많이 얻을 수 있었다. 또 같은 작품을 읽고 다양한 관점에서 해석해 각자의 작품을 만들어내기 때문에, 타인의 작품을 보면서 다양한 구성과 오브제를 보면서 시야가 넓어지는 면도 있다. 동일한 작품 속에서 여러 개의 이야기가 탄생한다는 점이 참 흥미롭다.

이처럼 무대미술은 절대 혼자 할 수 있는 일이 아니다. 구상은 혼자 할 수 있겠지만, 그것을 무대에 표현하고 만드는 데는 많은 손이 필요하다. 한 공연당 무대 디자이너와 조명 디자이너, 그리고 의상 디자이너가 1~2명 정도 붙다 보니 각 파트별 디자이너가 책임지고 작업을 해야 하는 양이 상당하다. 특히 공연 예산이 늦게 나오는 경우에는 제작이 늦어져 몰아서 작업해야 하는 양이 많아지기 때문에 디자이너들이 더 힘들어진다. 극장 셋업 기간에는 잠을 못 자고 작업하는 날이 대부분이다. 그럼에도 열심히 나의 작업을 도와주는 팀원들이 있어 큰 힘이 된다.

정답이 없는 예술이기에

한예종은 '절대 평가' 제도를 시행하고 있다. 상대 평가가 아니기에 점수에 연연하지 않고 하고 싶었던 다양한 시도를 해볼 수 있다. 그리고 교수님들께서 내가 고민하고 연구했던 과정의 시간들을 중요하게 여겨주신다는 점이 큰 힘이 된다. 결과물을 만들기까지 한 학기가 걸릴 때도 있고 일주일이 걸릴 때도 있다. 사람마다 필요한 시간이 다르고 결과물도 제각각이지만, 교수님들께서는 학생들의 속도와 퀄리티를 비교해 점수를 주지 않는다. 오랜 시간이 걸리더라도 스스로 연구하여 해결해나가고자 하는 의지를 중요하게 생각해 주신다. 예술은 정답이 없는 분야이기 때문에 결과물이 아닌 과정을 보고, 각자의 개성과 이야기를 존중해 준다는 점에서 좋은 제도라고 생각한다.

이렇게 좋은 점이 많지만, 한예종은 너무 한예종에 갇혀있다는 단점도 있다. 학교 사람들과 소통하고 교류하는 일은 많지만, 다른 학교와의 협업은 적은 편이다. 다른 학교 사람들과의 협업도 분명 미처 발견하지 못했던 부분들을 발견할 수 있게 해주는 좋은 창구일 텐데, 그 부분이 부족하다는 것이 아쉽다.

삼수 끝에 알아차린 입시 성공의 한 끗

사실 나는 한예종 입시를 3번 만에 성공했다. 돌이켜보면 마지막 시험은 지금 생각해도 후회가 없다. 반면 2번의 실패는 꽤나 당황스러웠다. 대형 학원에서 1등을 했기 때문에 납득이 잘 되지 않았다. 문제는 여기에 있었다. 현역과 재수 시절에도 열심히 했던 것은 동일하지만, 그저 그림 자체를 잘 그리는 것에 연연했었다. 내가 왜 이 일을 해야 하는지에 대한 목적의식이 없었던 것이다. 무대를, 무대미술을 좋아하긴 하지만 구체적으로 왜, 어떤 게 좋은 건지, 꼭 이 일을 하고 싶은 이유가 무엇인지 한 번도 진지하게 생각해보지 않았다는 점이 실패 원인이라 생각했다. 나의 실패를 돌아보며 느낀 것은, 무슨 일을 하든 나에 대해 알아가는 시간이 꼭 필요하다는 점이었다. 별거 아닌 것 같아 보이지만, 입시에 있어서도 굉장히 중요한 부분이다. 그래서 삼수를 하면서는 나 자신에게 많은 질문을 던졌다. 그림을 잘 그리려고 노력하는 시간보다 나에 대해 알아가고자 하는 시간을 더 오래 가졌다. 내가 색채가 다양한 것을 좋아한다는 것, 화려한 무대를 좋아한다는 것, 추상적인 표현보다 사실적인 구현을 할 때 매력을 느낀다는 것 등 나에 대해 하나씩 알아가면 알아갈수록 내 그림에도 나의 색깔이 담기기 시작했다.

　이렇듯 나에 대해 아는 것부터 시작해야 그림 자체에도 나의 이야기를 담을 수 있고, 면접 때도 자신감 있게 답변할 수 있다. 이것이 내가 직접 한예종 입시를 3번이나 도전하면서 깨달은 것이다.

　실패와 성공의 차이는 그림 실력으로만 결정되는 것이 아니다. 세상에 그림을 잘 그리는 사람은 많다. 입시생 모두가 그림을 '잘' 그리기 위해 무던히 노력한다. 그러니 그림을 잘 그리기 위해 노력하는 것도 중요하지만, 남들과 다른 매력을 가지기 위해 본인에 대해 깊게 고민해보자. 큰 힘이 될 것이다.

연출은 아티스트가 아니다

김성윤

연극원 연출과 22학번

@yooni0i

　　나는 중학교 1학년 때 학교 뮤지컬 동아리를 통해 처음 연극을 접하게 되었다. 아주 어렸을 때부터 무언가를 그리거나 만드는 것을 좋아했지만, 뚜렷한 진로를 정하지는 못했다. 그런데 어느 날 공연을 올리는 순간 느낌이 왔다. '이건 내 길이다!'

　　그런데 어렵게 입시를 성공해 학교에 들어가서 들은 말은 "연출은 아티스트가 아니다."이다. 이 말은 내가 1학년 때, 전공 교수님이 수업을 시작하면서 하신 말씀이다. 멋진 예술가가 되겠다는 일념으로 삼수까지 해서 대한민국에 유일한 국립 예술 대학에 입학했는데, 전공 교수님은 연출가는 예술가가 아니며, 예술가의 태도로 작업에 임하면 안 된다고 하신 것이다. 그 말을 듣고 나는 큰 혼란에 빠졌다. 하지만 학교생활을 계속하며 학교의 운영 방식을 알게 되고, 학교 밖의 작업 현장에 대한 이야기도 들으며 교수님이 왜 그렇게 말씀할 수밖에 없었는지 깨닫게 되었다.

　　중학교 시절 내가 이해한 연출의 역할은 모든 것을 결정하고 지시하는 것이었다, 그래서 연출가가 되면 나만의 예술 세계를 마음껏 펼칠 수 있다고 생각했다. 하지만 학교에 들어와서 배운 연출은 완전히 달랐다.

　　아마 나와 비슷한 생각을 하는 학생들이 있다면, 입학 후에 나와 같이 환상이 깨지는 경험을 하게 될 것이다. 지금은 내가 가지고 있던 연출에 대한 환상이 사라진 상태다. 더 근본적으로는 '예술가'라는 존재에 대한 환상이 사라졌다고 해야 할 것이다. 이제부터 한예종 연출과에 대해 이야기하면서 구체적으로 환상이 어떻게 사라지게 되었는지 이야기해 보겠다.

기대와는 다른 학교생활

　　한예종을 꿈꾸는 많은 입시생들은 대학 생활에 대한 각자의 기대가 있을 것이다. 나도 예술 대학에 대한 기대가 있었다. 입학하기 전에는 멋진 옷을 차려입고 수업을 듣고, 공강 시간에는 잔디밭에 돗자리를 펴고 앉아 여유롭게 책을 읽거나 글을 쓰는 대학 생활을 기대했다. 이 정도의 상상은 아마 대부분의 입시생들이 하고 있지 않을까 생각한다. 그런데 한예종 연출과에 입학 후 경험했던 대학 생활은 내 기대와 너무 달랐다.

　　옷은 무조건 무채색에 예쁜 옷보다는 편한 옷을 찾게 되고, 밀려드는 과제를 하느라 여유로움이라는 것이 어떤 감각이었는지 이제는 가물가물할 정도다. 조금 더 자세하게 설명하자면 한예종 연출과는 실기과이기 때문에 실기 수업 위주로 이루어진다. 그러나 1, 2학년의 개설 과목을 살펴보면 이론 수업의 수가 더 많을 정도로 이론을 소홀히 하지 않는다. 오전에 '박과 사위'라는 강의에서 한국 무용과 장구 연주를 배우다가 오후에 '명작읽기'라는 강의에서 명작을 읽고 분석하는 수업을 듣거나, '글쓰기' 수업에서 소설에 대해 배우다가 수업이 끝나자마자 극장에서 제작을 돕는 '극장 실습' 수업에 참여하는 식이다. '박과 사위'와 '극장 실습'은 활동하기 편하고, 망가져도 되는 옷을 입어야 하는 수업이라서, 자연히 이론 수업인 '명작 읽기'와 '글쓰기' 수업에도 멀끔한 모습으로는 갈 수 없다.

간혹 수업을 적게 들으면 되지 않냐고 말하는 사람들이 있다. 한예종 연출과는 1, 2학년 커리큘럼이 촘촘하게 짜여있다. 선수 과목✚으로 정해진 수업도 많고, 그것을 듣지 않으면 다음 단계의 수업도 들을 수 없기 때문에 졸업이 늦어지지 않으려면 학교가 만들어 놓은 시간표를 따를 수밖에 없다.그렇게 정신없이 학교생활을 하다 보면 시간은 훌쩍 지나있다.

예술가에 대한 환상도 그렇다. 예술가 내지는 예술계 종사자들은 원할 때 일하고, 여러 곳으로 여행을 다니며 영감을 얻고, 작업을 위해 충분한 휴식을 가질 수 있을 줄 알았다. 하지만 그렇지 않다. 좋아하는 분야의 전공자가 된다는 것은 너무 행복한 일이지만, 그만큼 부담되는 일이기도 하다. 나를 예로 든다면 고등학교 동아리와 취미로 연극을 할 때는 막히는 부분이 있으면 잠시 쉬었다가 하든지, 포기해 버려도 괜찮았다. 게다가 결과물이 어떻든 과정을 칭찬받았지만, 전공자로 연극을 대할 때는 정해진 마감 기한 안에 분량에 맞춰 결과물을 만들어 내는 것은 당연하고, 결과물로 다

✚ 정해진 과목을 먼저 이수해야 다음 과목을 들을 수 있도록 정해진 과목. 연출과에는 '연출 입문-연출실습'이 대표적이다.

	월	화	수	목	금
9				**연극사1** 연극원 영상원 (본관) L506	
10	**극장실습2** 연극원 영상원 (본관)L506	**인형극실습1** 연극원 영상원 (본관)L103			
11			**예술가의 젠더 연습** 연극원 영상원 (본관) L508	**고전 읽기** 학교본부-예술 정보관(본관) M507	**명작읽기2** 연극원 영상원 (본관) L506
12					
1			**미학과 가치론** 학교본부-예술 정보관(본관) M509		
2	**연극사1** 연극원 영상원 (본관) L506	**연출과 연기** 연극원 영상원 (본관)L521			
3	**연출을 위한 스 테이지매니지 먼트** 연극원 영상원 (본관) L508				
4					
5					
6					
7					
8	공연 연습	공연 연습	공연 연습	공연 연습	공연 연습
9					
10					

1학년 2학기 시간표

른 사람을 설득해야만 한다. 또 취미가 아니므로 나를 모르는 불특정다수가 내 작품을 많이 보게 된다는 것도 부담으로 다가온다. 따라서 연극에 대해 이론적으로도 더 공부해야 하고, 작품의 완성도도 올려야 한다. 전공자가 된다는 것은 이런 것이다. 하고 싶지 않을 때도 작업을 해야 하고, 마감을 맞추기 위해 여행과 휴식은 포기해야 하는 것 말이다.

그리고 '모든 것을 결정하고 지시를 내리는' 모습도 연출가에 대한 내 착각이었다. 우선 연출과에 입학하면 연출에 대해 배우고, 연출을 직접 해 볼 줄 알았는데, 연출과 1학년 수업들은 대부분 연출 그 자체를 배운다기보다는 연출을 위한 부수적인 것들을 배운다. 대표적인 연출과 1학년 필수 강의는 다양한 장르의 텍스트 작품들을 읽고 분석하는 '명작 읽기'와 '글쓰기', 한국 무용과 장구를 배우는 '박과 사위', 무대 감독에 대해 배우는 '연출을 위한 스테이지 매니지먼트', 공연 제작 실습 수업인 '극장 실습' 등이 있다. 그나마 연출에 대해 전공 선생님들과 이야기하는 '예술 산책', 배우와 연출의 관계에 대해 배울 수 있는 '연출과 연기' 수업이 있기는 하지만, 내가 생각했던 직접 연출을 하는 수업은 1학년에는 없었다. 게다가 '극장 실습' 수업 때 톱질과 망치질을 하고 무거운 무대를 옮기기까지 한다. 그러니까 내가 상상했던 연출가의 모습은 극히 일부였던 것이다. 결정적으로 "연출은 아티스트가 아니다."라는 교수님의 말까지 듣고 나니 나는 잠시였지만 한예종 연출과에 회의를 느꼈다.

거대한 세계를 만날 수 있는 곳

그럼에도 나는 연극 연출을 하고 싶은 사람들에게 한예종 연출과는 감히 최고라고 말할 수 있다. 지금까지 안 좋은 이야기들만 늘어놓더니 갑자기 이게 무슨 소리인가 싶겠지만, 앞서 말한 괴로웠던 부분을 상쇄할 만큼 한예종에서 얻은 것이 훨씬 많기 때문이다. 그래서 나는 여전히 한예종 연출과를 그만두지 않았고, 여전히 연극 연출가가 되고 싶다.

우선 앞서 말한 수업들은 지나고 보면 연출 작업에 많은 도움이 된다. 나도 '극장 실습'을 배울 당시에는 톱질과 망치질이 연출에 왜 필요한지 몰랐지만, 후에 직접 무대를 제작해 본 경험이 시행착오를 줄이는 데 도움을 주었다는 걸 알게 되었다. '연출을 위한 스테이지 매니지먼트' 수업도 내가 직접 무대 감독 일을 하거나 무대 감독과 일을 할 때 원활한 소통을 할 수 있는 방법을 자연스럽게 배울 수 있다. 이론 수업들도 인문학적 사유를 넓혀 준다. 이외의 수업들도 왜 한예종이 우수한 커리큘럼으로 유명한지를 알 수 있을 정도로 모두 나의 전공에 도움이 되었다.

그리고 한예종은 6개의 원(음악, 연극, 영상, 무용, 미술, 전통 예술)이 모여 있는 학교다. 이 6개의 원은 국내와 해외에서 모두 인정받고 있는데, 한예종의 재학생과 졸업생이 우수한 성과를 내고 있기 때문이다. 이처럼 우수한 인재들을 만나는 것은 나의 작업 활동에도 아주 큰 도움이 된다. 분야가 다르더라도 한 사람의 거대한 세계를 만나면 그만큼 나의 세계도 넓어지기 때문이다.

전공 수업에서 타 원, 타 과의 부전공생과 만나거나 다른 과의 수업을 들을 수도 있고, 교양 수업에서 다양한 과의 전공생을 만날 수도 있다. 실제로 나는 기숙사 룸메이트가 거문고 전공이라 초대권으로 국악 공연을 보러 가거나 극작과와 친해져 함께 희곡을 쓴 경험이 있다. 이렇듯 수업 내에서 배우는 것뿐만 아니라 수업 외적으로 다양한 분야의 예술 전공생을 만나며 배우고, 영향을 받는 것도 많다.

또한 같은 과 사람들을 만나는 것도 정말 행복한 일이다. 가족이나 친구들에게 전공에 관해 이야기를 하면 내가 하는 말에 공감을 해줄 수는 있어도, 이해하는 데는 한계가 있다. 그런데 동기들에게 내 고민을 말하면 나보다 더 깊이 공감해 주고 반응해 준다. 거기서 끝나는 것이 아니라 실질적으로 도움이 되는 조언도 해준다. 실제로 포기하고 싶은 순간이 찾아왔을 때, 함께 노력하고 있는 동기들을 보며 극복했던 적도 있다.

좋은 환경에서 공부하는 기쁨

한예종은 연출을 하기에 매우 좋은 환경이 마련되어 있다. 타 대학에서 연출을 전공하는 친구들의 이야기를 들어보면 다른 학교에는 공통적인 문제가 있었다. 바로 연출 전공으로 입학했지만, 제대로 된 연출을 공부하지 못하고 졸업할 수도 있다는 것이다. 많은 학교들이 연출 전공을 많이 뽑는다. 적게 뽑더라도 연출 전공생 수에 비해 공연의 횟수가 적기 때문에 같은 전공 내에서 경쟁을 통해 연출의 자리를 쟁취해야 한다. 대학에 들어가서도 경쟁에서 이기지 못하면 연출을 해볼 기회를 얻지 못하고 본인이 원치 않는 음향, 조명, 의상팀에서 일을 해야 한다. 그러나 한예종 연출과는 모든 연출과 학생이 두 번의 연출을 할 수 있도록 환경을 구축해 두었다.

또 공연에 대한 자율성이 매우 높다. 다른 학교는 어렵게 경쟁을 통해 연출이 되어도 실질적인 연출은 지도 교수가 하고 학생은 조연출과 같은 역할을 할 수밖에 없다고 들었다. 하지만 한예종 연출과는 연출 제안서부터 시작하여 실질적인 연출은 학생이 하고, 지도 교수는 조언을 하는 역할로 존재한다. 게다가 지도 교수도 연출을 맡은 학생이 본인에게 도움이 될 수 있는 교수님을 직접 섭외하고, 공연팀의 출연진과 제작진까지도 연출이 직접 섭외하는 방식이다.

전공 교수님들도 현장에서 인정받는 매우 뛰어난 예술가들이시다. 학교에서는 교수이지만, 밖에서는 존경받는 연출가이기 때문에 교수님들의 조언이 작업에 많은 도움이 되고, 가끔 교수님의 공연에 참여하여 현장을 경험해 볼 기회도 주어진다. 이런 환경이 마련되어 있어서, 회의감을 느끼던 때에도 나는 학교를 관둘 수 없었다. 한예종 연출과에 불만을 품고 떠나도 더 좋은 환경을 마주할 수 없을 것 같았기 때문이다.

연출은 아무것도 아니라는 말의 의미

    연출과 입시생이었고, 지금은 연출과 재학생인 사람의 입장에서 연출을 공부하는 사람들에게 하고 싶은 말이 있다. 어쩌면 다소 고리타분한 말이 될 수도 있을 것 같다.

    앞서 말했듯 한예종 연극원 공연 제작 시스템은 연출과 학생에게 막대한 권력과 자율성을 쥐어 준다. "연출가는 예술가가 아니다."라는 교수님의 말씀도 연출의 자율성 보장을 위해 한 말이다. 이 시스템은 학생들이 자유로운 창작 활동을 하길 바라는 마음에서 구축된 것이지만, 연출이 마음만 먹으면 모든 것을 마음대로 할 수 있는 판이 되기도 한다.

    그러나 연극은 연출의 작품이 아닌, 출연진과 제작진 모두의 작품이다. 배우와 디자이너, 작가 등 공연 제작에 참여하는 모든 사람이 각자의 분야에서 무언가를 창작하면 연출은 그걸 연출적 목적을 지니고 모으는 것이다. 연출가가 아티스트가 아니라는 말도 연출은 새로운 것을 만들어내는 것이 아닌, 제작진과 출연진이 만들어낸 것들을 조화롭게 합치는 것이기 때문에, 스스로 무언가를 만들어내는 데 목적을 두지 말라는 뜻이다.

    학교 밖에서도 연극 제작에서 연출이 갖는 권력은 매우 크다. 연극사를 돌아봐도 계급 사회에서 연출은 계급이 높은 사람들이 하던 것일 때도 있었으니 말이다. 실제로 연출과 전공 교수님들은 연출이 가진 권위와 권력을 잘못 사용하지 않도록 "연출가는 아티스트가 아니다." "연출은 아무것도 아니다." "연출은 좋은 사람을 모으는 게 전부다."와 같은 말을 많이 하신다.

연출과의 커리큘럼도 배우와의 소통 방법을 배우는 '연출과 연기', 무대 감독과의 소통 방법을 배우는 '연출을 위한 스테이지 매니지먼트', 작가와 소통하는 법을 배우는 '창작 콜라보레이션', 디자이너와의 소통 방법을 배우는 '연출과 디자이너의 콜라보레이션' 등으로 이루어져 있고, 이 모든 수업을 들어야 마침내 연출을 직접 할 수 있는 자격이 주어진다. 또 조연출과 무대 감독으로 공연에 3회 이상 참여해야 졸업을 할 수 있다. 이는 모두 연출가가 끊임없이 자신의 권력을 인지하고 경계해야 하는 자리임을 일깨우는 과정이다.

그런데 내게 조언을 구하는 입시생들을 만나면, 과거에 내가 그랬듯 연출이 모든 것을 결정하고 지시하는 역할이라고 생각하는 사람들이 많다. 게다가 권력을 휘두르고 싶어서 연출이 하고 싶다는 입시생도 만났던 적이 있다. 하지만 이는 한예종 연출과 입시에 전혀 도움이 되지 않는다고 말해주고 싶다.

입시에서 실기(글쓰기)로 아주 뛰어난 모습을 보여주기는 힘들다. 물론 남들과 비교될 정도로 못 쓰지 않도록 글쓰기를 열심히 준비해야 하지만, 연출과는 8명 이하의 소수만 뽑기 때문에 능력을 어필하는 것보다는 내가 연출이 되어도 괜찮은 사람, 다른 사람들과 협업을 잘 진행할 수 있는 사람이라는 것을 보여주는 더 효과적이라고 생각한다. "저는 연출을 많이 해봤고, 잘한다는 이야기도 많이 들었습니다."라고 이야기하는 것보다. "저는 연출을 많이 해보았지만, 여전히 어려운 것 같습니다. 학교에서 저의 부족한 부분을 채우고 싶습니다."라고 말하는 것이 더 좋은 인상으로 남을 것이다.

그리고 가끔은 입시에 대한 부담감을 내려놓고 독서나 여행 등으로 다양한 경험을 해보길 바란다. 앞에서 말했듯 창작 활동은 입력이 있어야 출력이 가능하다. 나는 시험장에 가는 길에 읽은 산업 재해 유족의 인터뷰를 바탕으로 스토리텔링을 했다. 세상의 많은 이야기를 직접 보고 읽어야 시험장에서도 세상과 동떨어지지 않은 이야기를 할 수 있는 것이다. 부디 한예종 연출과의 입시를 준비하는 학생에게 이 글이 도움이 되어 학교에서 만날 수 있기를 바란다.

다양한
수업 경험이 준
인사이트

강정인

연극원 극작과 21학번

@da_kkangjung

초등학교 5학년 때 친구들끼리 소설을 쓰기 시작한 이후로 글을 썼다. 조금씩이라도 끊이지 않고 계속 썼다. 고등학교 때는 처음으로 희곡이라는 장르를 쓰기 시작했다. 글을 쓴다는 것은 한 인생의 일부를 만들어 보여주는 것이라고 생각한다. 고등학교까지 써왔던 소설도 그랬지만 희곡은 특히 더 그랬다. 연극은 관객의 눈앞에 장면을 들이미는 예술이니까. 그렇지만 내가 학창 시절 만날 수 있는 인간 군상은 한정되어 있었다. 대입 준비를 하는 인문계, 혹은 글을 공부하는 친구들, 과학고에 간 몇몇 친구들이 전부였다. 하지만 학교에 들어와서 시야가 넓어졌다.

한예종은 연극을 올릴 때 학생 자유도가 높은 편이라 매 학기 말에 하는 공연 프레젠테이션을 보고 직접 참여할 공연을 고른다. 횟수 제한도 없다. 한 학기에도 몇 번씩 참여할 수 있다. 학내 연극에 참여하게 되면 여러 예술 분야를 전공하는 사람들이 모인다. 흔히 생각할 수 있는 연기과, 연출과, 무대미술과뿐만 아니라 음악을 위해 작곡과, 움직임을 위해 무용원 창작과, 공연 영상 촬영을 위해 영화과 등과도 협업한다. 공연을 할 때만은 학부와 대학원의 구분도 없다. 학부에도 현역이 아닌 사람들의 비율이 높다. 그러다 보니 다양한 사람을 만난다. 다양한 과에서, 다양한 배경을 가지고, 다양한 것을 추구하며 살아가는 사람들. 그런 사람들의 인생 이야기를 하나씩 듣는다. 자연히 시야가 넓어질 수밖에 없다.

물론 학내 공연에 참여하여 얻는 것들은 사람에 따라 다를 수 있다. 학교는 환경을 제공하지만 참여하는 것은 개인의 선택이다. 그래서 시야를 넓힐 수 있는 공통적인 기회에 대해 이야기 해보고자 한다. 바로 학교 수업이다.

전공 기초 자산을 만드는 1, 2학년 수업

1학년 때 수업들은 전공을 해나가는 데 필요한 기초 자산을 만드는 수업들이 대부분이다. 연극원 1학년은 입학하자마자 공통 필수 수업들을 수강한다. 연극에서 사용하는 도구 사용법을 배우고 선배들 공연에 직접 가 실습하는 '극장 실습', 연극원 1학년들이 모두 모여 공연을 만드는 '연극하기' 같은 수업들로 연극이 어떤 방식으로 운영되는지 알게 된다. 극작과 같은 경우, '박과 사위', '명작 읽기' 같은 수업들을 추가로 수강한다. '박과 사위' 같은 경우에는 장구를 배운다. 여러 장단들을 배우면서 희곡의 기본 박자감을 배울 수 있는 수업이다. '명작 읽기'는 주마다 선생님이 선정하신 고전을 한 작품씩 읽는다. 매주 그 작품을 선택한 사람들이 독후감을 쓰고, 수업 시간에 책과 관련된 건설적인 토론을 한다. 소설의 배경이 된 사회 문제, 역사 등 다양한 내용이 토론 주제로 나온다.

극작과는 1학년 2학기부터 조금씩 희곡 쓰기에 들어간다. 전공으로는

'기초 취재 필드워크', '기초 극작', 공통 필수 과목으로는 '연극사' 등의 수업이 있다. '기초 취재 필드워크'는 선생님과 함께 직접 발로 뛰어 리서치를 해보고, 이를 바탕으로 글을 써보는 수업이다. 선생님과 함께 어린이 대공원을 가기도 하고, 학교 근처의 전통 시장에 방문하기도 한다. 전통 시장에서는 일정 금액의 상품권을 받고 물건을 구매해 그것에 관한 글을 쓴다. 학기말에는 수업 내용을 바탕으로 10분 희곡을 쓴다. 마지막에 완성된 10분 희곡은 기성 배우들과 간단하게 발표해 볼 수 있다. '기초 극작'은 이름 그대로, 극작의 기초를 다지는 수업이다. 다양한 장르의 짧은 희곡을 써보면서 기초적인 극작법을 배운다. '연극사'는 '명작읽기'의 희곡 버전이다. 그러나 명작 읽기와 달리 연극사는 이론 수업과 토론 수업으로 나누어 일주일에 2번 진행되고, 토론 수업 때는 각각 선택한 희곡을 발표한다. 1학년 2학기와 2학년 1학기에 진행되는 이 연극사 수업을 통해 연극의 역사와, 대표작들을 알아보게 된다. 연극에 대한 틀을 파악하고 고전에 대해 알 수 있다.

1학년 때 기초를 다진 후 2학년부터는 본격적인 실습이 시작된다. '극작 연습' 수업에서는 자신의 희곡으로 직접 낭독극을 작연출해 볼 수 있다. 학기 초에 10분 극 3개 정도를 써보고 이후 낭독극을 올릴 30분 극을 써보는 형태다. 30분 극을 쓰기 시작하면, 우선 시놉시스를 써 간다. 이 시놉시스에 대한 합평과 수정을 몇 주 동안 한다. 통과될 때까지 계속 수정해야 한다. 시놉시스가 통과되면 그때부터 글을 쓰기 시작한다. 글을 쓰고 나서도 합평과 수정이 반복된다. 학기가 끝나기까지, 혹은 종강 이후까지 글을 퇴고한다. 마침내 글이 완성되면 배우를 섭외한다. 정식 공연이 아니라서 개인적인 루트로 배우를 구해야 한다. 배우 섭외를 마치면 짧은 연습 기간을 가진 후, 방학 중에 낭독극을 올린다. 나는 시놉 단계에서 어려움을 겪은 케이스였는데, 당시에는 힘들었지만 지나고 보니 나름의 성취감을 얻을 수 있어서 꽤나 기억에 남는 수업이다.

전공을 깊게 파고드는 3, 4학년 수업

3학년 전공 수업인 '창작 콜라보레이션'은 연출과와 협업하는 수업이다. 한 학기 동안 극작과는 10분, 20분, 30분 극을 쓰고, 연출과는 그 작품을 연출해서 공연을 올린다. 이를 통해 자신의 희곡이 연출의 손에서 탄생하는 과정을 경험할 수 있다.

창작 콜라보레이션과 함께 진행되는 수업으로는 심화적인 극작을 배울 수 있는 '희곡 쓰기' 수업이 있다. 일종의 논문을 쓰는 수업인데, 자신이 선택한 교강사님과 3~4명의 적은 수강 인원으로 한 학기 동안 수업을 받는다. 과외와 같은 느낌이다. 정말 적을 때는 1:1이 되는 경우도 있다. '희곡 쓰기 1, 2'는 3학년과 4학년에 나눠서 수강한다. 이때 완성한 작품을 졸업 작품과 '신작 희곡 페스티벌'에 발표할 작품으로 선택하는 경우가 많다.

마지막으로 '극작 스튜디오' 수업은 '신작 희곡 페스티벌'이라고 불리는 행사에서 졸업 공연을 진행하는 수업이다. 앞의 공연들은 짧은 공연이었다면 이번에는 예산을 타서 정식 공연 길이의 낭독 공연을 올리게 된다. 교내에서 극작과 모두가 자기 작품으로 공연을 올릴 수 있다는 점은 한예종의 큰 자랑거리다. 이 행사에서 선정된 한 작품은 그다음 해에 극작과 졸업 공연으로 정식으로 올라가게 된다.

다양한 경험을 할 수 있는 선택 수업

그 외의 선택 수업들도 전문적이다. 극작과의 전공 선택 과목으로는 다양한 수업들이 있다. 그중에 내가 들어본 수업을 예로 들어보자면 '현장 답사', '취재 필드워크'와 같은 수업들이 있다.

'현장 답사'는 교수님과 글감을 찾으러 직접 발로 뛰는 수업이다. 이전에는 캠프 형식으로 진행되었다고 하는데, 내가 수강했을 당시에는 코로나 탓에 현장 체험 학습 느낌으로 진행됐다. 선후배들이 많이 참여하는 수업이라 같은 학과 내 사람들도 사귈 수 있다.

'취재 필드워크'는 코로나 시국에 들어서 지금도 같은 방식으로 진행되는지는 모르겠다. 전체적으로 구조가 '명작 읽기'나 '연극사' 수업과 비슷하다. 매주 책을 읽고, 토론한다. 다만 다른 점이라면 동시대 문제들을 다룬 책들을 가지고 한다는 점이다. 발표 매체를 자유롭게 정할 수 있어서 보드

게임을 만들어 갔던 기억이 난다. 일반 선택, 교양 선택으로 선택할 수 있는 과목들에서도 꽤 전문적인 내용을 경험해볼 수 있다. 실제로 몇몇 수업들은 처음 실습을 접해보는 전공생들과 함께 수업을 들을 수 있다. 밖에서는 쉽게 사용하지 못하는 여러 기구들도 사용할 수 있다. 가마를 사용해서 유리 조형물도 만들어보고, 톱질을 해서 의자도 만들고, 동양화도 그려보고, 성악이나 연기도 배워볼 수 있다. 타 전공 수업 접근성도 좋다. 열려 있는 수업들도 있고, 설령 열려 있지 않더라도 교수님께 말씀드려서 들어갈 수 있는 수업도 많다. 나도 교수님께 말씀드려 예술경영전공 수업인 경영학 수업에 참여했던 적이 있다.

수업의 다양성이 주는 장단점

극작과를 준비하는 입시생들은 보통 문창과도 함께 준비하는 경우가 많다. 워낙에 극작과의 수가 적기 때문이다. 그리고 이 경우, 선생님 때문에 학교를 선택하는 입시생들도 종종 있다. 우리 학교에는 워낙에 쟁쟁한 선생님들이 많이 계시다 보니 좋아하는 선생님이 계실 확률도 높다. 그 외에도 많은 예술적 기초 소양을 쌓을 기회가 많다는 장점이 있다. 본관 갤러리에서 조형예술과, 무대미술과, 애니메이션과 등등이 전시회를 열기도 하고, 극장에서 전통예술원, 무용원 등이 공연을 하기도 한다. 특히 전시는 그냥 관람해도 되는 경우가 많아 쉽게 좋은 작품을 볼 수 있다.

물론 사람에 따라서는 어떤 장점이 단점으로 여겨질 수도 있다. 예를 들면 앞서 말한 1학년 때 듣는 공통 필수 수업 같은 것이다. 해당 수업들이 연극의 기초가 된다는 사실을 분명히 머리로는 알고 있다. 그런데 어느 날은 글 쓰려고 학교에 들어왔는데 목장갑을 끼고 무대를 세우고 철거하고, 장구를 치고 있는 본인의 모습이 당황스럽게 느껴진다.

또 글 쓰는 계열 전공은 보통 오래 앉아서 글을 쓰다 보니 체력이 좋지 않은 경우가 많다. 그래서 처음 '극장 실습' 수업을 들을 때 체력적으로 많이 힘들었다. '박과 사위' 수업에서 신명 나게 장구를 치면서도 '내가 이걸 왜 하고 있지?' 하는 생각도 들었다.

예술 계열에 한정되어 있는 수업들도 단점으로 들 수 있다. 아무래도 예술 대학이다 보니 교양 수업이나 일반 선택 수업도 대부분 예술 관련이다. 그래서 가끔 다른 분야의 교양을 듣고 싶을 때 애로 사항이 생긴다. 물론 학교 측에서도 대안을 마련해두고 있다. 외대와의 합동 수업은 별다른 신청 없이 들을 수 있고, 만약 공학, 자연과학 계열의 수업을 듣고 싶으면 교류 수학을 신청하면 된다. 교류 수학 할 수 있는 학교는 광운대, 고려대, 숙명여대, 성균관대, 한국외대, 부산대, 경북대, 전남대, 한양대, 카이스트 등이 있다. 물론 그냥 갈 수는 없다. 이전 학기 학점이 3.0 이상, 최대 학점의 1/3만 가능하다. 그마저도 선착순이고, 마지막 학기에는 불가능하다. 하지만 장점이 크다. 다른 학교의 수업과 시설을 체험해 볼 수 있는 데다가, 일정 점수

실기를 준비하기 위해서 기출문제를 보고,
내용을 구상하는 연습을 하는 것도 중요하지만,
전혀 다른 내용이 나올 수 있으니 평소에
부지런히 읽으면서 기본기를 쌓는 것이 좋다.

이상만 넘으면 패스, 논패스로 성적이 결정돼서 전체 성적에도 큰 영향을 끼치지 않는다. 나는 1학년 때 고려대학교에서 일반 생물학 수업을 수강했다. 생명 과학 과목을 좋아해서 선택한 수업이었는데, 코로나가 한창인 때라 전체 비대면으로 진행한 점이 아쉬웠다.

입시에 관하여

마지막으로 극작과 입시 준비에 대해 이야기해 보려고 한다. 앞서 말했듯 보통 극작과와 문창과 입시를 함께 준비하는 경우가 많다. 그리고 이런 입시생들은 특기자 전형 준비를 위해 수많은 백일장과 공모전을 준비한다. 입시를 위해 전국의 공모전과 백일장을 돌아다니는 입시생들을 '백일장 키즈'라고도 하는데, 이렇게 백일장, 공모전에 집중하다 보면, '내 글'이 아닌 '심사위원이 좋아하는 글'을 쓰려고 노력하게 된다. 이전 수상작들을 보면서 어떤 결의 글을 좋아하는지 분석해서 그것에 맞춰 공모전마다 소재와 문체를 바꾸어 내기도 한다. 그게 나쁘다기보다는 '내 글' 하나 정도는 챙겨두면 좋다는 말을 하고 싶다. 자신이 하고자 하는 이야기, 하고 싶은 이야기는 알아야 한다. 만약 잘 모르겠다면, 자신이 지금까지 쓴 글들을 읽어 보면서 공통적으로 하고 싶은 말이 무엇인지 한 번 찾아보자. 솔직해지는 게 가장 중요하다고 생각한다. 멋있는 주제, 거창한 글이 아니더라도 괜찮다. 사소하더라도 내가 꼭 말하고 싶은 이야기들을 찾아보자. 여전히 찾지 못하겠다 싶으면 신문이나 다큐멘터리 등을 보면서 견문도 넓히면서 발견해야 한다.

또 여러 시사 논점에 대해서 자신의 입장을 가지고 있는 것도 좋다. 극작가는 사실 항상 현실의 문제에 대해 주시하고 있어야 한다. 연극은 꾸며낸 이야기이지만, 완전한 허구의 이야기만은 아니다. 당장 극작과 실기 문제만 봐도 알 수 있다. 내가 봤던 시험도 동시대 사건을 다룬 기사 2개('한진중공업 파업 도보 행진', '방배동 모자 사건')와 책(《1900년 베를린의 유년시절》)에서 각각 한 인물씩 뽑아 3,000자 글쓰기를 하는 것이 주제였다. 실기를 준비하기 위해서 이전 입시 문제들을 보고, 내용을 구상하는 연습을 하는 것도 중요하지만, 전혀 다른 내용이 나올 수 있으니 평소에 부지런히 읽으면서 기본기를 쌓는 것이 좋다.

입시 기간 동안 가장 중요한 것은 건강이다. 물론 정신 건강 포함이다. 잔소리 같아도 밥 잘 먹고 운동도 열심히 해야 한다. 잠도 충분히 자야 한다. 특히 글 쓰는 사람들은 취미도 정적인 경우가 많다. 몸과 마음을 환기해 줄 수 있는 취미를 가져보자. 아이돌, 만화 등의 '덕질'도 좋다. 사치라고 생각될지도 모르지만, 그렇지 않으면 나중에 여러모로 힘들어진다. 한예종은 기본적으로 과제가 많은 학교다. 한예종 석관 캠퍼스는 '석관동의 등대'라고 불릴 정도다. 과제 하는 학생들로 학교 불이 꺼지는 일이 없기 때문이다. 극작과는 특히 학년이 올라갈수록 더 바빠진다. 심할 때는 아침 9시부터 밤 11

시까지 학교에 있어야 한다. 극장주(공연을 하는 주간)에 문제가 생기면 새벽 4~5시까지 있기도 한다. 이건 그래도 몸이 힘든 경우다. 가장 미칠 것 같을 때는 당장 과제는 해야 하는데 소재고 시놉시스고 아무것도 안 떠오를 때다. 글이 중간에 턱 막혔을 때도 그렇다. 이럴 때는 몇 시간이고 앉아서 붙잡고 씨름한다. 소재가 될 만한 분위기의 음악들을 닥치는 대로 듣기도 하는데, 그래도 안 되면 좋아하는 카페에 가는 등 장소를 옮겨 보기도 한다. 가끔은 술의 힘을 빌리기도 하는데, 보통 이렇게 쓰면 아침에 다 갈아엎어야 한다.

6~70분짜리 연극을 하기 위한 희곡은 기본 20페이지가 넘는다. 사람마다 다르긴 하지만, 이 정도 분량의 희곡을 뽑아내려면 2~3달은 기본으로 걸린다. 나 같은 경우 2달 만에 완성해 보기도 했지만, 2달 내내 이것만 잡고 있었을 때의 기준이다. 체력도 힘들고 정신도 힘들다. 그래서 미리미리 몸 건강과 정신 건강을 챙겨두어야 한다.

그리고 극작과의 경우 내신도 중요하다. 극작과의 입시는 1차와 2차로 나뉘는데, 1차에는 내신과 언어 능력 평가를 보고, 2차 때는 글쓰기와 면접을 본다. 그런데 1차에서 내신 반영 비율이 50%다. 그렇기 때문에 내신도 소홀히 하면 안 된다.

입시는 언제나 어렵다. 최대한 도움이 될 수 있게 적어 보았지만, 입시기준은 계속 바뀌기 때문에 자료를 잘 찾아가면서 차분히 준비하기 바란다. 입시를 준비하는 모든 분에게 좋은 소식이 있었으면 좋겠다.

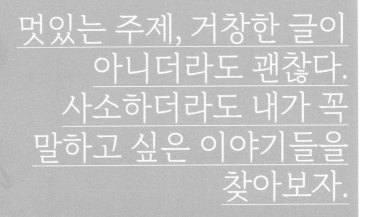

멋있는 주제, 거창한 글이
아니더라도 괜찮다.
사소하더라도 내가 꼭
말하고 싶은 이야기들을
찾아보자.

06

학년별로
훈련하는
연기 커리큘럼

interview

이준원

연극원 연기과 20학번

@ @purecourage_

전공을 전공답게 공부할 수 있는 곳

　　나는 한예종에 입학하면, 제도화되어 있는 교육 과정에서는 경험할 수 없었던 것들을 학교가 채워줄 것이라는 기대감을 가지고 있었다. 고등학교 시절 입시를 준비하면서 '연기'라는 행위 하나에 자신이 갇힌 느낌이었다. 한예종에서는 연기 방법이 아닌 예술 전반에 대한 색다르고 혁신적인 지식을 배울 수 있을 거라 기대했다.

　　한예종은 본인의 전공에 대해 집요하게 파고들고 연구할 수 있는 환경이 조성되어 있다. 교양 수업보다는 전공 수업이 더 많은 비중을 차지하고 있고, 이론 수업보다는 실기 수업의 비중이 강하다. 그렇기에 정말로 내가 연기를 '전공'하고 있다는 느낌을 크게 받을 수 있었다. 학교에 들어온 이상 필연적으로 본인의 전공에 많은 시간을 투자하게 되는데, 이 시간 속에서 스스로 고민할 수 있는 시간도 많이 주어지고, 전공에 대해 깊게 파고들고 연구하고 도전해 볼 수 있다. 바로 이 부분이 한예종이 지닌 장점이 아닐까 싶다.

　　예술은 삶과 같다고 생각한다. 배우는 삶의 어떠한 장면을 연기라는 행위로 표현하는 직업이다. 한예종의 수업도 삶을 닮아있는 것 같다. 한예종에 들어와 느낀 점은 단순히 보이는 것보다는 본질적인 요소들에 대한 수업이 많다는 점이었다. 수업을 듣다 보면 자기 자신에 대해서 생각해 볼 수 있을 법한 주제들을 많이 마주하게 된다. 연기에 관련된 수업이라고 해서 연기의 기술을 배우는 것에만 국한되는 것이 아닌, 전반적으로 나를 돌아보고 생각해 볼 수 있게 한다. 또 함께 연기를 하는 사람들과의 교류를 통해 인간관계와 삶, 그리고 소통하는 법에 대해서도 배울 수 있다.

　　한예종 연기과에서는 '나'에 대한 이해를 바탕으로 나와 닮은 인물들을 연기해 보는 시간을 갖는다. 우선적으로 자신을 파악하기 위해 '에니어그램'이라는 성격 유형 검사를 한다. 이를 통해 나의 유형에 맞는 건강한 상태와 그렇지 못한 상태의 보편적 사례들을 탐구한다. 더불어 나와 다른 유형을 지닌 사람들의 특성도 알아가며 그들과의 관계를 구축해 나가는 방법들을 탐색한다. 이러한 과정을 통해 나와 타인에 대해 깊이 있게 생각해볼 수 있었다. 더불어 내가 연기해야 하는 인물의 성격 유형을 파악하고 표현하는 데에도 많은 도움을 얻을 수 있었다.

연기과의 핵심, 연기 실습

　　한예종 연기과에서 가장 핵심이 되는 수업을 고르라고 한다면 '연기 실습' 수업을 고를 것이다. 1학년 1학기부터 3학년 2학기까지 총 6학기 동안 '연기 실습' 수업을 듣게 된다. 수업 내에서 가장 주가 되는 것은 '장면 연기'이다. 같이 수업을 듣는 사람들 중에서 '연기 파트너'를 맺고 작품과 장면을 정해 연습한 후, 수업 시간에 발표하는 형식이 대부분이다. 이를 위해 연기 파트너와 함께 장면을 분석하고 연습하면서 많은 시간을 함께 보내게 되는데, 그 과정 속에서 갈등과 의견 충돌 등 다양한 장애물을 만나게 된다. 이러한 장애물들을 어떻게 조율하여 장면 하나를 완성해 나갈 것인지 파트너와 함께 고민하고 연습하는 과정 자체가 배움인 것 같다. 또 삶을 살아가며 마주하는 인간관계에 대한 연습처럼 느껴지기도 했다.

　　이렇듯 '연기 실습' 수업은 연기의 기술적인 부분 외에도 인간관계에 대해서, 삶에 대해서 사유하게 만들어주는 것이 가장 큰 장점이다. 또 어느 한 방향으로 생각이 갇히지 않도록 계속해서 새로운 파트너와 다양한 장면을 경험할 수 있는 구조도 장점이라고 생각한다. 파트너와 함께 하면서 단순히 장면을 완성도 있게 보여주는 쇼적인 부분뿐만이 아니라, 관객들에게 우리가 전하고 싶은 메시지는 무엇인가, 관객으로 하여금 어떤 생각이 들게 할 것인가 등을 고민할 수 있어 좋았다. 그리고 교수님께서 하나하나 정해주지 않는다는 사실이 처음에는 불안하기도 했는데 지금 와서 생각해 보니 자유롭게 사유하고 도전해 볼 수 있다는 점이 성장하는 데 도움이 된 것 같다.

특별하고 재미있었던 즉흥 수업

1학년 때 듣는 '연기 실습' 수업 때는 '충동'과 '즉흥'에 대한 수업이 진행되곤 하는데, 어느 날은 교수님께서 "너희가 지금 하고 싶은 게 뭐니? 지금 그걸 해라."라고 하신 적이 있다. 처음에는 수업 시간에 내가 원하는 충동에 따라 행동한다는 것이 어색하고 '정말 해도 되는 건가?'라는 생각이 들기도 했지만 걱정도 잠시, 자판기에 바로 달려가는 사람부터 눕는 사람, 산책을 나가는 사람 등등 모두 저마다의 충동에 따라 움직였다. 수업 시간이라는 것을 떠나서 내 몸과 마음이 가장 원하는 일이 무엇인지를 생각해 볼 수 있었고, 더 나아가 '충동'과 '즉흥'에 대해 지루한 이론이 아니라 직접 경험하고 느끼면서 배울 수 있어서 신기했고 기억에 많이 남는다.

다른 학교와 커리큘럼은 비슷할 수 있지만, 한예종의 차별성은 움직임을 기반으로 하는 수업들이 많다는 데 있다. '움직임', '라반 테크닉', '알렉산더 테크닉', '호흡과 발성', '박과 사위', '신체의 이해' 등 다양한 수업에서 몸의 구조를 다루고, 신체를 주로 사용한다.

연기는 결국 배우의 몸에서 나온다. 그렇기에 나의 몸을 제대로 알고 움직임의 본질을 배우면서 신체의 다양한 감각들을 깨우고 여러 가지 표현 방식을 배울 수 있다는 점이 한예종 수업의 장점이라고 생각한다.

폭넓은 경험이 가능한 시스템

연기과 1학년이 끝나면 2학년으로 넘어가는 시점에 영화과분들과 대면식을 갖고, 연기과와 영화과의 촬영 안내 및 구인을 위한 단톡방도 개설된다. 학교 안에서 영화를 전공하는 학생들과 교류하고 그들의 작품에 참여할 수 있다는 것만으로도 큰 경험이 되지만, 학교에서의 인연이 계속 이어져서 외부 활동으로까지 연결될 수 있다는 점이 큰 메리트이다.

또 한예종의 공연은 창작극 형태가 많다. 아동극 형태의 창작극부터 뮤지컬 낭독극까지 다양한 형태의 창작극이 매 학기 새롭게 만들어진다. 무거운 작품들도 좋지만, 어쩌면 뻔할 수 있는 고전 작품들에서 벗어나, 새로운 작품을 함께 만들어 나가는 과정을 경험할 수 있다는 것이 큰 장점이라고 생각한다. 창작 과정에 함께 하며 새로운 것을 만들어내는 것은 꼭 연기뿐만이 아니더라도 공연 예술을 하는 모두에게 좋은 경험이 되는 것 같다.

연기과만의 특징이 있다면 활동 제약이 있다는 점이다. 연기과 학생들은 3학년 때부터 공연에 참여할 수 있고, 외부 활동도 가능한데, 앞서 언급했던 '연기 실습' 수업 1에서 4까지 이수해야 활동이 가능하다. 누군가는 이 제도에 대해 억압적이라고 생각할 수도 있지만, 나는 활동과 공연에 대한 갈망이 생기게 되고 소중함을 깨달을 수 있다는 점에서 나쁘지만은 않다고 생각한다. 학교에 들어오자마자 당연하다는 듯이 공연을 준비하고 오디션을 준비하는 것이 아닌, 내가 무대에 서기 위해서 그리고 현장에 나가기 위해서 어떤 것들을 갖추고 준비해야 하는지 스스로 돌아보고 준비할 수 있다는 점에서 본 제도가 필요하다는 생각이 든다.

또 다른 특징은 공연의 자율성이다. 타 학교 친구들과 이야기를 나눠 보면, 학년별로 공연을 해야 하는 시기가 정해져 있는 경우도 많고 스태프로 꼭 공연에 참여해야 하는 경우도 많았다. 그리고 1학년 워크숍, 2학년 정기 공연, 4학년 졸업 공연 등 학년별로 어떠한 시점이 되면 열리는 공연들이 있지만, 한예종의 경우 전문사 공연, 예술사 공연, 레퍼토리 공연 등 다양한 형태의 공연으로 구성되어 있다. 또한 모든 공연이 학년별로 진행되는 공연이 아니라는 점이 특징이다. 매 학기 올라오는 15개 정도의 공연 중 내가 하고 싶은 공연들을 자유롭게 선택해서 참여하면 된다. 학년별로 묶여 있는 시스템이 아니다 보니 전문사 재학생 분들과도 함께 연기를 해볼 수도 있다. 어차피 현장에 나가면 다양한 사람들과 작품에 함께하게 되니 그것의 선행 연습이라고 생각하면 된다. 그리고 배우로서 입지를 넓히고 있는 동기나 선배들을 보면서 긍정적인 자극을 많이 받을 수 있다. 꼭 연기과뿐만이 아니더라도 음악과, 영화과 등 다양한 분야에서도 멋지게 본인의 예술을 해나가고 있는 사람들이 많아 그 자체로 큰 힘이 되는 것 같다.

아쉬운 학교 위치

　한예종은 타 대학들처럼 대학가나 번화가에 있지 않고, 너무 고립되어 있어서 스트레스를 해소하거나 새로운 것들을 경험할 수 있는 공간을 학교 근처에서 찾을 수 없어서 아쉬움이 크다. 물론 예술을 함에 있어서 고립되어 기술을 연마하는 것도 좋은 선택지가 될 수 있지만, 사람들과 모이고 교류하고 소통하는 과정도 굉장히 중요하다고 생각한다. 그런데 위치 자체가 고립되어 있다 보니 다양한 사람들을 만나 소통하기가 어려워 아쉽다. 심지어 학교 근처에 영화관 하나가 없어 고립된 느낌이 더 크게 느껴지는 듯하다.

　서초 캠퍼스의 경우 예술의전당 안에 있기 때문에 공연을 관람한다거나 전시를 보는 등 학교에서 잠시 벗어나 새로운 자극들을 받을 수 있지만, 연극원이 있는 석관 캠퍼스는 위치 특성상 너무 고립되어 있다. 학교 밖에는 아파트와 주민센터밖에 없으니 아쉬움이 생길 수밖에 없다. 물론 이런 위치적인 특징 때문에 학생들끼리 더 돈독해지기도 하고 각자의 작업에만 몰두할 수 있기도 하다.

무엇을 향해 달려가고 있는지 생각할 것

입시생으로 돌아간다면, 나 자신에 대해 깊게 생각하는 시간을 많이 가질 것 같다. 사실 고3 때는 대학이 최우선이고, 연기 공부가 인생의 전부 같았고, 입시 결과가 좋지 않으면 인생이 망할 것 같았다. 그런데 막상 대학생이 되어 마음의 여유가 생기니 내가 정말 이 학교를 왜 오고 싶었는지, 연기를 왜 하고 싶은지, 더 나아가 왜 예술을 하고 싶은지, 연기를 할 때 행복한지, 무엇을 위해 달려가고 있는지 등 여러 생각이 들었다. 그리고 이런 고민을 고등학교 시절에 더 깊게 했으면 좋았을 것 같다. 학교에 들어온 것을 후회한다는 의미가 아니다. 내가 무엇을 위해 달려 나가고 있는지 알고 임하는 것과 무작정 달려 나가는 것은 큰 차이가 존재한다는 것을 말하고 싶은 것이다.

또한 건강을 잘 관리하라는 말도 하고 싶다. 배우는 몸이 자산이기 때문에 몸과 마음이 병들면 이 일을 지속할 수 없다. 입시가 끝이 아니라, 앞으로 더 먼 여정을 떠나야 하기 때문에 몸과 마음을 건강하게 잘 살피고 유지해야 한다. 그리고 너무 앞만 보지 말았으면 좋겠다. 물론 주어진 과제를 충실히 해야 하지만, 학교를 다닐 때만이라도 조금 더 근본적인 질문들을 스스로에게 던져보자. 수업을 대할 때도 마찬가지다. 누군가는 연극사, 신체의 이해, 알렉산더 테크닉 등 연기에 대한 기술을 알려주는 수업이 아니면 배울 필요 없다고 느낄 수 있겠지만 그렇게 생각하지 않았으면 좋겠다. 열린 마음으로 다양한 내용을 수용해 보려고 하면 할수록 얻어 갈 수 있는 것들이 많아진다.

지금까지 많은 이야기들을 했지만, 무엇보다 자신이 행복한지, 현재의 상태는 어떤지를 계속해서 살피면서 공부하기를 바란다. 부디 책을 읽는 모두가 튼튼한 내면을 갖고, 무사히 입시를 마무리했으면 좋겠다.

07

언제나
예술 곁에 있을 수
있다는 기쁨

송서영

연극원 연극학과
예술경영전공 21학번

@s.0_.ssong

평범한 사람도 예술인이 될 수 있을까?

예술을 좋아하지만 그냥 평범하게 공부하던 학생. 고등학생 때까지의 나는 딱 이렇게 정의할 수 있을 것 같다. 악기 배우는 것을 좋아해서 학원, 학교 오케스트라, 방과 후 학교를 가리지 않고 다니며 바이올린, 플루트, 클라리넷, 드럼, 해금 등의 다양한 악기를 배웠다. 하지만 딱 취미 수준이었다. 잘함과 평균 그 사이 어딘가에 위치한 실력을 가진, 연주를 좋아하지만 연습은 좋아하지 않는 그런 학생이었다. 전시나 공연 보는 것도 좋아하기는 했지만, 기숙사에 들어가야 하는 고등학교를 다닌 탓에 많이 보지는 못했다. 어쩌면 비싼 돈을 내고 찾아볼 정도로 열정적으로 좋아하지 않았던 것 같다. 학교에서 단체로 보러 가거나 친구들이 함께 보러 가자고 하면 흥미롭게 보는 정도였다. 예고나 예대를 가야겠다고 생각한 적도 없었고, 스스로 예술인이라고, 예술인이 되어야겠다고 생각한 적도 없었다. 그런 내가 '어쩌다 보니' 한예종에 입학했다. 대학 입시라는 거대한 괴물을 피해 살아남고자 발버둥 치다가 정신을 차려보니 운 좋게도 한예종에 입학해 있었다. 그래서 나의 예술인으로서의 자아는 모두 대학 입학 후에 만들어졌다고 할 수 있다. 평범하게 공부하던 학생은 어떻게 스스로를 예술인이라고 생각하게 되었을까?

열심히 방황하며 찾아가는 예술경영인의 길

한예종 홈페이지에는 예술경영을 '관객에 공감하고 예술가와 공생하며 예술 시장을 창조하는 예술경영인을 육성'하는 전공이라고 명시되어 있다. 예술과 경영의 합집합에 있는 모든 것을 다룬다고 해도 과언이 아닐 정도로 예술경영은 굉장히 광범위한 범위를 다룬다. 그렇기에 입학하고 나서 학생들은 자신들의 진로 선택지가 굉장히 넓다는 것을 알게 된다. 너무 많은 것을 배우기 때문에 조금 방황하게 될 수도 있다. 하지만 괜찮다. 그 과정을 통해 내가 무엇을 하고 싶은지 찾고 진정한 예술인이 될 수 있을 테니까. 입학 직후 들어간 수업에서 한 교수님이 하셨던 말씀을 기억한다. "4년 동안 열심히 방황하면서 네가 정말로 하고 싶은 일을 찾아라." 처음에는 그래도 되는지 의구심이 들었지만, 지금은 누구보다 그 말에 동의하는 바이다.

1학년 때 필수적으로 들어야 하는 대표적인 수업으로는 '공연 기획과 제작'과 '연극하기'가 있다. 먼저 '공연기획과 제작'은 예술 경영학과 안에 있는 많은 세부 항목들을 이해하고 자신만의 공연 기획서를 작성해 보는 수업이다. 교수님께서 현장에서 일하는 분들을 만나 뵐 수 있는 기회를 많이 만들어 주셨다. 국립현대무용단 마케팅팀, 서울문화재단 메세나팀 등에서 근무하는 분들께 직접 국립현대무용단이 어떻게 홍보 마케팅을 진행하고 있는지, 서울문화재단에서 어떻게 재원 조성을 해나가고 있는지 등에 대해 들으며 예술 경영의 각 분야의 이론을 넘어 실제 적용 사례들을 배울 수 있었다.

　'연극하기' 수업은 연극원의 모든 학생이 모여 한 편의 연극을 만드는 수업이다. 한 반에 모든 전공 학생이 고르게 배치되기 때문에 연극원 내 타과 학생들과 협업하면서 친해질 수 있는 기회이다. 공식적인 학내 공연을 제작할 때와는 다르게 극작과 학생이 연기를 하고 연기과 학생이 무대 제작을 맡는 등 자신의 전공과 다른 분야의 활동이 가능하다. 때문에 타 전공 학생들이 공연을 제작할 때 어떤 일을 맡는지 이해할 수 있는 기회이기도 하다.

　2학년 때는 예술 경영 수업의 꽃이라고 볼 수 있는 '공연 실습' 수업이 시작된다. 수업을 신청하고 학내 공연에 기획으로 참가해 여러 가지 과제를 완수하면 학점을 받을 수 있다. 졸업을 위해서는 공연 실습 수업을 3회 이상 필수적으로 이수해야 하기 때문에 대부분의 학생이 수강하게 되는 과목이다.

　내가 학교에 다니며 느낀 큰 장점은 학내 공연의 종류가 매우 다양하고, 그 공연들에 참여할 수 있는 기회가 열려 있다는 것이었다. 교수님들이 연출하는 레퍼토리 공연, 연출과 학생들이 연출하는 스튜디오 공연, 아동 청소년극 전공, 극작 전공, 음악극 창작 전공 학생들의 졸업 공연, 방학 때 진행되는 인큐베이팅, 야합 공연 등 연극원 내에서 공식적으로 진행되는 공연만 해도 그 가짓수가 굉장히 많다. 또 일반 학교가 아닌 예술 학교이기에 공연에 참여하는 학생 그리고 교수님들이 모두 전문적인 예술가이다. 따라서 미래에 일하게 될 현장과 유사한 상황을 미리 경험할 수 있다.

기획의 역할

학내 공연에서 기획은 예산서 작성, 정산, SNS 및 포스터를 통한 홍보, 관객 안내, 도큐멘테이션, 합평회 준비 등을 맡는다.

작은 공연의 경우 보통 혼자서 기획의 역할을 맡고, 예산이 1,000만 원이 넘는 큰 공연은 보통 2명이 함께 기획을 맡는다. 학내 공연은 연출과나 극작과의 졸업 공연이 대부분이며, 공연 성격에 따라 학교에서 예산을 정해준다. 따라서 이 같은 공연의 기획을 맡을 경우, 극이 진행되는데 필요한 제반 사항들을 체크하고 관리하는 데 집중하고, 공연에 대한 구상은 연출을 돕는 수준에서 그친다. 다만 학내 공연 중 교과 과정 밖에서 기획서 공모를 통해 진행되는 인큐베이팅, 야합 공연, 국가 지원 사업에 공모해 진행하는 학외 공연 등에서는 기획이 공연 구상 단계에서부터 중요한 포지션을 맡는 경우가 많다.

기획은 공연 준비가 시작되면 팀 내 연출, 디자이너 등이 참여하는 예산 회의를 통해 각 파트가 쓸 예산을 배분한다. 이를 토대로 세부 예산안을 작성하며, 공연 준비 기간 동안 예산이 잘 사용되고 있는지 검토하고, 공연이 끝나면 사용된 예산을 형식에 맞게 정리해 정산 자료를 제출한다. 예산은 학교 카드를 통해 정해진 액수를 사용할 수 있는데, 예산을 초과해서 사용하거나 정산 자료가 미흡하면 사비를 지출해야 할 수도 있어 주의해야 한다. 또한 기획은 홍보 마케팅 전략을 수립해 SNS에 어떤 게시물을 업로드해 관객들을 모집할지 결정하고, 회차당 몇 명의 관객을 받고 그중 초대 관객과 일반 관객의 비율을 어떻게 조정할지도 결정한다. 진행했던 홍보 마케팅 활동 중 학내 배리어 프리 공연에서 장애인을 대상으로 모객 활동을 한 것이 특히 기억에 남는다. 한국장애인문화예술원 홈페이지에 포스터를 등록하고, 학교 근처 장애 학생 지원 센터와 장애인 지원 기관들에 연락을 돌려 모객 활동과 장애인 대상 우선 예매를 진행하고, 수어 리플릿을 제작해 배포하는 등의 활동을 했다. 실제로 장애인분들이 공연을 보러 오시고, 공식적인 설문 조사에 긍정적인 평가를 남겨주셨을 뿐만 아니라 개인적으로도 고맙다는 말씀을 전해주셔서 뿌듯했던 기억이 있다.

공연 당일 관객에게 티켓을 배부하고, 극장 안내를 돕고 문의 사항을 받는 등의 하우스 업무도 기획의 일이다. 공연이 끝나면 관객에게 설문지를 돌려 조사하고 그 데이터를 정리하기도 한다. 관객 설문 결과는 합평회에서 활용된다. 합평회는 공연이 끝난 후 좋았던 점과 아쉬웠던 점, 발전하기 위해 노력해야 할 점 등을 프로덕션 내부에서 정리하는 자리이다. 관객 설문 결과뿐만 아니라 공연 준비 과정 및 공연 과정에서 있었던 모든 일이 합평의 대상이 된다. 기획은 이 합평회가 원활히 진행될 수 있도록 자료를 준비한다. 합평회가 끝나면 기획은 공연의 처음부터 끝까지 모두 정리해 기록하는 '도큐멘테이션'을 진행한다. 이 자료는 공연 영상과 함께 학교에 보관된다.

학생들은 2학년 때 이 모든 과정을 처음 겪으며 혼란에 빠지기도 한다. 작게는 몇백, 크게는 몇천만 원의 예산을 다루는 일이기에 무언가 체계적인 교육을 받고 진행될 것 같지만, 실제로는 한두 차례의 교육과 선배들이 만든 가이드라인만을 참고하며 해나가야 하기 때문이다. 만들어진 지 몇 년이 지난 자료라 틀린 부분도 많지만 이것조차 없다고 생각하면 정말 막막하다.

처음에는 이런 학교의 교육 과정에 불만을 가지기도 했다. 정산을 담당하는 기획의 위치상 누군가 실수한 것을 바로잡아야 할 때도 있는데, 내 일도 잘 모르는 상황에서 남의 실수도 수습하려니 죽을 맛이었다. 그런데 돌이켜 생각해 보니 그것이 가장 좋은 방법이 아니었나 싶다. 사실 기획이 해야 하는 일의 큰 틀은 정해져 있어도, 구체적인 방안은 프로덕션마다 굉장히 다르다. 학교 내부 공연인지, 외부 공연인지, 어떤 지원 사업에 선정된 공연인지, 어떤 극장에서 진행하는 공연인지, 누구를 대상으로 하는 공연인지 등 프로덕션이 처한 상황이 모두 다르기 때문이다. 그리고 그 과정에서 발생하는 돌발 상황도 저마다 다르다. 어떤 일을 해야 하는지 스스로 파악하고, 발생할 돌발 상황을 예측하고 통제하는 능력은 많은 공연과 프로덕션을 경험하며 발달시킬 수밖에 없다. 이런 점에서 우리 학교의 교육 방식은 조금 불친절하지만 효율적이라고 볼 수 있다.

새로운 경험으로의 확장

    2학년은 부전공 신청이 가능한 학년이기도 하다. 나는 조형예술을 부전공 중이고, 내 동기들도 방송영상, 영화, 디자인, 음악 등 다양한 부전공을 선택해 공부 중이다. 부전공 신청을 위해 필요한 조건은 해당 과마다 다르다. 포트폴리오 제출, 면접 등 과마다 요구하는 것이 있고, 승인을 받으면 부전공 선택이 가능하다. 물론 과마다 다르기는 하지만 입시와 비교하면 비교적 낮은 기준으로 다른 과의 전공 수업을 들을 수 있으니 굉장한 장점이다. 실제로 나도 고등학생 때까지 학교 미술 시간에만 그림을 그려본 학생이었는데, 현대 미술 전반을 다루는 조형예술을 부전공 하고 있다. 기획자를 꿈꾸는 학생이지만으로서, 부전공으로 실기 전공 학생들의 마음과 작품을 깊이 이해하는 데 도움을 받았다. 그리고 부전공을 통한 기회도 많이 생기는 편인데, 나의 경우 부전공을 진행하며 조형예술과 1학년 학생들의 과제전의 기획팀으로 활동하며 전시 기획을 경험해볼 수 있었다.

    2학년 때부터는 교환학생을 가는 것도 가능해진다. 이 역시 각자의 전공 그리고 대상 학교마다 요구하는 조건이 다르다. 보통 어학 성적, 학교 성적, 포트폴리오 등을 요구한다. 예술경영 전공으로 지원할 수 있는 학교가 많지는 않지만, 많은 동기들이 부전공을 활용해 교환학생 프로그램에 참여하고 있다.

　　3학년 생활은 2학년 생활의 연장선이라고 생각하면 된다. 연극원의 경우 학내 팀 작업이 굉장히 많은 편이기 때문에, 2학년 때 함께 작업했던 사람들 중 마음 맞았던 사람들과 또다시 작업하게 되는 경우가 많다. 나 또한 접근성 매니저로 활동했던 팀에서 다시 공연을 올릴 때, 조연출로 합류하면 어떻겠냐는 제안을 받았고, 이때 처음으로 조연출 업무를 경험해 보았다. 또 여기서 만난 인연이 이어져 다른 프로덕션의 무대 감독이나 기획 역할을 제안받기도 했다.

　　아직 경험해보지 않은 영역이지만 4학년 때는 졸업을 위한 인턴십을 경험하고, 졸업 논문을 작성해야 한다. 우리 과는 졸업을 위한 인턴십이 필수이기 때문에 3개월 이상 인턴십을 해야 한다. 인턴 자리를 구하지 못해 졸업하지 못했다는 사람은 아직까지 보진 못했지만, 산학 협력 등의 도움 없이 인턴 자리를 개인적으로 구해야 한다는 점은 좀 부담이 된다.

예술을 하면 먹고살기 힘들다?

　　이렇게 3년 정도의 시간 동안 학교를 다니며 느낀 한예종의 가장 큰 장점은 학교에 있는 동안은 내 주위가 모두 예술가로 채워진다는 점이다.

　　예술 경영인은 본질적으로 예술가와 관객, 행정가, 경영인 등 예술가가 아닌 사람 그 중간에서 그들을 이어주는 역할을 한다. 그 과정을 충실히 이행하려면 결국 그들의 관점을 누구보다 잘 이해하고 있어야 한다. 예술 실기를 전공한 적이 없는 사람이 예술가가 어떤 생각을 가지고 작업에 임하는지, 어떤 어려움을 겪는지 파악하는 것은 쉽지 않다. 솔직히 아직도 그들을 100% 이해했다고 단언할 수는 없다. 그러나 내가 조금이나마 그들을 이해할 수 있게 된 것은 아마도 그들 곁에서 동고동락하며 함께 보낸 시간 덕분일 것이다. 또한 내 주위에 있는 예술가들을 통해, 나도 예술을 계속해도 괜찮겠다는 용기를 얻을 수 있었다.

　　본격적으로 공연 팀에 합류하기 전인 1학년 때만 하더라도 진로에 대한 고민이 굉장히 많았다. 원래 예술을 하던 학생이 아니었기 때문에 예술을 하면 먹고살기 힘들다는 편견이 너무나도 두려웠다. 그런데 막상 학교에서 예술가들을 만나고 그들과 인간적으로 친해지다 보니 꼭 그렇지만은 않다는 것을 알게 되었다. 자신이 하고 싶은 예술을 하며 즐겁게 잘 살아가는 사람들을 많이 접하다 보니 예술계 바깥의 사람들이 하는 말에도 흔들리지 않게 되었다. 나만 잘하면 잘 살아갈 수 있겠다는 확신이 들었다. 아니, 내가 잘 사는 것을 넘어 내 주위의 예술가들도 잘 살 수 있도록 돕고 싶어졌다. 단순히 예술경영의 이론을 배우는 것을 넘어, 예술경영의 필요성에 깊이 공감하고 예술가들이 용감하게 자신의 길을 걸어가게 해주는 것. 그것이 한예종에서 예술경영을 배우는 장점이다.

현장 감각을 익히기 충분한 수업

한예종에서는 현장에서 활약하는 교수님들의 수업을 들을 수 있다. 전공 수업 중 하나인 '극장경영' 수업에서는 세종문화회관 사장이셨던 교수님의 생생한 경험담을 들을 수 있었다. 앞서 말한 국립현대무용단과 서울문화재단 실무자와의 미팅도 교수님의 인맥이 없었더라면 상상할 수 없는 일이다. 이 외에도 많은 교수님이 자신의 담당 분야에서 전문가로 활동하고 계시기에 현장과 동떨어지지 않은 교육을 받을 수 있다.

그뿐 아니라 소수 정원 수업이 많아 세밀한 지도를 받을 수 있다. 전공 수업의 경우 보통 10명 내외의 학생이 수업을 받고 대형 교양 수업의 경우에도 최대 40명 정도의 학생이 수업을 받는다. 나는 2:1 수업도 들어본 적이 있다. 일반적인 대학 수업과 비교하면 굉장히 적은 수다. 그리고 예술경영학과는 듣고 싶은 수업을 모두 들을 수 있다. 보통은 듣고 싶은 과목이 있더라도 수강 신청에 실패하면 그 과목을 듣지 못하고 졸업할 수도 있다. 하지만 우리 과는 수강 신청에 실패했더라도 최소한 전공 과목에서 만큼은 듣고 싶은 과목을 들을 수 있도록 정원을 늘려 준다.

또 전공 필수 과목이 별로 없고 전공 선택 과목이 많은 편이기에 자신이 원하는 분야를 자유롭게 탐색하고 그에 집중할 수 있는 환경이다. 타 원, 타 과에게 개방된 수업이 많은 편이라 학교를 다니며 다양한 예술 분야를 탐색할 수 있다. 나 또한 이러한 장점을 활용해 조명, 유리 공예, 목공예, 줄타기, 젬베 등 많은 것을 배웠다. 내가 살면서 언제 무형문화재 선생님께 창을 하며 줄 타는 법을 배울 수 있겠는가? 아는 만큼 보이고, 자신이 아는 것에서부터 기획을 해나갈 수 있기에 여러 분야를 경험할 수 있다는 것은 굉장한 장점이다.

예술인이 되고 싶다면

한예종 예술경영전공을 희망한다면, 글쓰기 능력과 영어 능력은 미리미리 준비하라고 당부해두고 싶다. 한예종 입시의 모든 기출문제는 학교 홈페이지에 공개되어 있다. 이를 한 번이라도 보았다면 알겠지만, 시험지에는 영어로 빽빽하게 채워진 페이지가 많다. 또한 연극원 1차 공통 시험인 언어 능력 평가 시험을 통과하려면 글쓰기 능력도 필수이다. 내가 짧은 기간 입시를 준비했음에도 합격할 수 있었던 것은 글쓰기와 영어 능력을 이미 갖추고 있어 다른 것에 집중할 수 있는 시간을 벌 수 있었기 때문이다. 단순히 입시를 넘어 학교생활을 하는 데도 이 두 능력은 필수적이다. 기획은 기획서, 홍보 문구 등 글 쓸 일이 굉장히 많고, 예술경영은 외국에서 시작된 학문이기에 영어로 된 자료가 많아 수업 시간에 영어 자료를 주시는 교수님도 계신다. 단기간에 개발할 수 있는 능력이 아니므로 미리 공부해두기 바란다.

한예종에 입학하지 않았더라면 아마 나는 평생 예술인으로 살 생각조차 하지 못했을 것이다. 생각을 했더라도 금방 포기했을 것이다. 하지만 이제 나는 스스로를 거리낌 없이 '예술인'으로 지칭할 수 있는 사람이 되었다. 만약 나처럼 예술을 좋아하기만 하는, 하지만 마음 한구석에 예술인이 되고 싶다는 소망을 작게라도 품고 있는 사람이라면, 무서워하지 말고, 할 수 있을지 의심하지 말고 도전해보라고 권하고 싶다. 한예종이 당신을 예술가로 성장시킬 것이다.

어떤 일을 해야 하는지
스스로 파악하고,
발생할 돌발 상황을
예측하고 통제하는 능력은
많은 공연과 프로덕션을
경험하며
발달시킬 수밖에 없다.

연극은
연출의 작품이 아닌,
출연진과 제작진
모두의 작품이다.

한예종인에게 물었다!

Q. 재수, 삼수를 해서 입학하는 사람이 많나요? 늦게 입학하면 적응이 힘들지 않을까요?

다른 일, 다른 전공을 하다가 예술에 꿈이 생겨 끊임없는 노력과 도전을 통해서 입학한 분들이 정말 많습니다. 너무나도 다양하고 재미있는 인생사들이 한예종에 모이는 것 같아요. 답변을 드리고 있는 저 또한 다른 일을 하다가 입학한 케이스입니다. 나이로 치면 4수 만에 입학한 셈이죠. 정확한 수치는 모르지만, 주관적인 경험을 토대로 답변할게요.

한예종에는 조기입학도, n수도, 30대의 만학도도 많습니다. 따라서 늦은 나이에 입학하더라도 전혀 지장이 없습니다. 한예종만의 조금은 특이한 문화가 있는데, 처음 만나 인사를 나눌 때 보통 학번만 물어보거나 학번과 나이를 따로따로 물어보는 것이 대부분입니다. 결론적으로 재수, 삼수는 전혀 문제가 없습니다. 걱정하지 말고 한예종으로 와서 본인의 꿈과 예술적 이상을 마음껏 이루시길 바랍니다.

≫ **연극원 연극학과 예술경영전공 23학번 정민철**

한예종의 특이한 점 중 하나는 상대방의 과, 학번, 얼굴, 심지어 누구와 말을 터놓고 친하게 지내는지까지 알고 있어도 상대방의 나이를 전혀 가늠할 수 없다는 점입니다. 그만큼 나이대가 다양하고, 나이에 관계없이 허물없이 지내는 사람들이 많기 때문이라고 생각해요. 저는 23살 때 학교에 들어왔고, 당시 저희 학번의 입학 인원은 7명이었습니다. 저보다 나이가 많은 동기가 셋, 어린 동기가 셋, 저는 딱 중간이었죠. 스펙트럼이 굉장히 넓어서 동기끼리 열 살씩 혹은 그 이상 차이가 나기도 한답니다.

물론 연기과처럼 현역의 비중이 높은 과들도 있으나, 그런 연기과 내에서도 20대 중후반에 입학을 하는 사람들의 수 또한 적지 않아요! 성인이 된 후 입시를 시작한 사람, 다른 학교를 졸업하고 또 대학에 들어온 사람, 기존에 다니던 학교를 자퇴하고 한예종에 들어온 사람, 한예종만 다섯 번 넘게 지원했던 사람 등. 입학이 늦어진 이유 또한 다양하답니다. 그러니 만학도라는 이유로 지원을 망설이거나 입학 후의 일들을 걱정하지는 않으셔도 됩니다. 저 또한 언젠가부터 학교 사람들의 정확한 나이를 기억하는 건 포기하고 저보다 많다, 적다 정도로만 기억하고 있거든요.

≫ **연극원 연출과 20학번 박준희**

SCENE
03

연극원에서 공부한다는 것

01

좋아하는 예술을 '재미있게' 지속하기 위해

김솔

연극원 연기과 19학번,
연극원 연극학과
예술경영전공(전과)

@ @loveusolmuch

부푼 기대를 안고 한예종에 입학했다. 1학년 1학기는 정말 행복한 시간이었다. 입시의 부담에서 벗어나 새로운 사람들과 환경 속에서 연기를 배운다는 사실에 설레었다. 또한, 입시 기간 동안 혼자서만 연습하던 독백 연기에서 벗어나, 학교에서는 2인극, 3인극과 같이 장면을 직접 만들어보는 색다른 경험을 할 수 있어 즐거웠다.

하지만 그것도 잠시, 1학년 1학기가 다 끝나갈 때쯤 나는 말로 표현할 수 없는 공허감을 마주했다. '내가 정말 원하는 것은 무엇일까? 좋은 대학에 오는 것이 목표였던 걸까? 연기는 왜 하는 걸까?'라는 생각들이 머릿속을 맴돌았다. 내가 연기를 하는 이유를 잃어버린 것 같은 느낌이 들었다. 하지만 섣부른 판단을 하고 싶지 않아 1학년 2학기까지는 쉬지 않고 학교를 다녀보기로 결정하였다.

1학년 2학기를 다니는 동안에도 고민은 크게 해결되지 않았다. 오히려 증폭되었던 것 같다. 재미를 잃어버리니 부담감만 남았다. 나는 현재의 상황을 보다 객관적으로 평가하고 올바른 결정을 하고자, 휴학을 결정했고 휴학 기간 동안 연기가 아닌 다른 분야에서 새로운 경험을 해보기로 했다. 그때 내 관심을 끈 것은 '운동'이었다. 학교 다니면서 꾸준히 필라테스 수업에 참여했었는데, 그 덕분에 몸이 건강해지는 느낌을 받았다. 당시 필라테스 선생님께서 지도자 과정에 참여해 자격증을 취득해보는 것을 제안해 주셨고, 나는 휴학 기간 동안 필라테스 지도자 자격증 취득에 도전하기로 결정했다.

　4개월 정도 정신없이 자격증 공부에 힘썼다. 처음에는 새로운 분야의 공부가 낯설고 어려웠지만, 시간이 지나니 즐기고 있는 나를 발견할 수 있었다. 자격증을 딴 뒤에는 필라테스 센터에서 강사로 일하며 본격적인 경험을 쌓았다. 이 시간은 나에게 큰 변화를 가져다주었다. 사실 중학생 때부터 연기만 해오다 보니 연기 이외의 것은 할 수 없을 것 같다는 생각을 은연중에 가지고 있었다. 그러나 휴학 기간 동안 다른 분야에 도전해 경제 활동까지 이어지는 경험을 하고 나니, 내가 연기 외에도 충분히 다른 일을 할 수 있는 사람이라는 자신감을 얻을 수 있었다. 자신감이 생기니 연기에 대한 부담이 줄어들었다. 그래서 휴학을 더 이상 연장하지 않고 복학하기로 결정했다.

복학 후 또 다른 방황

　복학 후 2학년이 된 나는, 20학번 학우들과 함께 연기 수업을 들었다. 새로운 사람들과 색다른 경험을 할 수 있겠다는 기대감도 잠시, 연기 실습 수업을 수강하면서 다시 연기를 마주했을 때 굉장히 당황스러웠다. 분명히 휴학 기간 동안 연기 이외의 다른 일을 통해 자신감을 얻었고, 그 덕분에 연기에 대한 부담이 줄어들었다고 생각했는데 막상 복학해서 연기를 다시 시작하니 너무나 부담스러웠다. 연기에 대한 본질적인 부담이 여전히 해결되지 않았다는 것을 깨닫고, 다시 원점으로 돌아왔다는 생각에 막막해졌다. 이때부터 나는 문제점을 정확하게 파악하고자 애쓰기 시작했다.

우선 내가 연기를 하면서 어떤 마음을 지니고 있었고 어떤 생각을 했었는지 살펴보기 위해서 입시 시절 내가 썼던 연습일지와 일기들을 보기 시작했다. 그리고 주변에 자문을 구할 수 있는 선생님들과 동기들, 선후배들과 대화를 하며 스스로 문제점을 파악하고자 힘썼다.

결론적으로 나는 '전공'이라는 타이틀이 무서웠던 것 같다. 고등학교와 대학교에서 모두 연기를 '전공'했기 때문에, 연기를 잘하는 것은 기본이고, 반드시 이 분야에서 성공해야 한다고 생각했던 것 같다. 남들 앞에서 연기를 할 때 조금이라도 실수할까 봐, 그리고 남들한테 비난받고 무시당할까봐 두려워했다. 오랫동안 연기만 해왔는데 그 정도밖에 못하냐는 말을 듣고 싶지 않았다. 그래서 항상 연기를 할 때 날이 서 있었고, 자유롭지 못했다. 결국 나를 가둔 건 나 자신이었다.

나는 개인적으로 느꼈던 무겁고 버거운 '전공'이라는 타이틀을 내려놓고 내가 좋아하는 예술을 '재미있게' 지속하기 위해 연기과에서 나오기로 결심했다. 한예종 연기과라는 타이틀을 내려놓는 것에 대해 말리는 사람들도 많았다. 하지만 연기과를 벗어나서도 연기는 꾸준히 할 수 있는 것이라 생각했고, 새로운 것을 배우며 길을 넓힐 수 있는 기회는 많을수록 좋다는 생각이 들었다. 무엇보다 스스로가 행복한 것이 가장 우선이라는 생각이 들어, 고민 끝에 연기과에서 나오기로 결정했다.

자퇴도 편입도 아닌 전과를 결심하다

나는 예술을 정말 사랑한다. 연기가 아니더라도 예술을 하며 살고 싶다는 생각은 확고했다. 그래서 학교를 적극적으로 이용하기로 했다. 한예종에는 다양한 학과가 존재하고, 그 학과들은 모두 예술을 기반으로 하고 있기 때문에 학교 내에서 나에게 맞는 과를 찾는다면 더할 나위 없이 좋을 것이라 생각했다. 학교 홈페이지를 방문하여 각 학과의 설명을 꼼꼼히 읽고 커리큘럼을 살펴보았다. 필요한 정보가 부족할 때는 다른 학과의 친구들에게 직접 물어보며 정보를 수집했다. 그러다 '예술경영'이라는 전공을 발견하게 되었다. 예술경영은 관객과 공감하고 예술가와 함께 작업하며 예술 시장을 만들어가는 '예술 경영자'를 양성한다는 비전 아래, 공연 기획과 제작, 극장 경영, 마케팅, 경영학, 재무와 회계 등 예술 경영과 관련된 다양한 분야를 학습하고, 공연 실습, 현장 실습, 인턴십 등을 통해 실제 경험을 쌓을 수 있는 광범위한 커리큘럼을 지니고 있었다. 새로운 분야에 대해 이론부터 실습까지 다양하게 경험해 볼 수 있다는 점이 좋았고, 예술을 주로 실연자의

새로운 분야에 대해 이론부터 실습까지
다양하게 경험해 볼 수 있다는 점이 좋았고,
예술을 주로 실연자의 관점에서 접해왔던
나에게 관객과 창작자 사이를 잇는 역할은
매력적으로 느껴졌다.

학적	재학	소속	연극원
학년	2	과정	예술사
이수학기	3학기	학과	연기
졸업/수료		전공	연기

유튜브 〈햇솔〉, 연기과를 떠나 예술경영전공으로 간 이유

전과 후 기획으로 공연에 참여하다.

관점에서 접해왔던 나에게 관객과 창작자 사이를 잇는 역할은 매력적으로 느껴졌다. 더불어 연기를 전공하며 쌓은 지식과 경험을 예술경영 분야에 활용할 수 있을 것 같다는 생각이 들어 예술경영전공에 지원하기로 결정했다.

전과 시험

전과를 하기 위해서는 우선 해당 학과에 TO가 있는지 확인해야 한다. 있다면 올라오는 공고를 보고 지원하면 된다. 내가 지원했을 당시에는 (연극원 예술경영 전공 기준) 1학년 과정 (35학점 이상)을 이수해야 했고, 신청 전 전체 교과목 성적 평균이 B0(3.0) 이상이어야 하며, 징계 받은 사실이 없는 사람만 지원이 가능했다.

1차 시험은 서류 전형으로 이루어진다. 전과/전공 변경 지원서, 전과/전공 변경 학점 인정표, 성적 증명서, 전과 사유서, 학업 계획서 등의 서류를 작성 후 현재 자신이 속해 있는 과의 학과장님께 승인을 받아 전과하고자 하는 학과의 조교실에 제출하는 방식이었다. 나의 경우 연기과 학과장님의 승인을 받아 예술경영전공 조교실에 직접 제출하였다. 이렇게 서류를 제출하고 나면 추후에 1차 서류 합격 여부를 문자로 알려주신다.

이후 2차 시험에서는 글쓰기와 구술 시험을 보았다. 시험 준비를 하면서 다시 입시생으로 돌아간 듯한 기분을 느꼈다. 글쓰기 시험을 대비하여 학교 홈페이지에서 제공하는 기출문제들을 다운로드해 여러 번 풀어보며 연습했고, 지금까지의 내 고민들을 글로 적어보면서 면접을 준비했다. 글쓰기 시험은 60분 동안 진행되었고 구술 시험(면접)은 글쓰기가 끝난 이후 바로 이어서 약 10분 정도 진행되었다. 이후 심사 결과를 바탕으로 연극학과 학과장 승인, 연극원 원장 승인, 총장 허가 등 여러 승인 절차를 걸쳐 전과가 이루어진다.

1차 지원부터 최종 심사 결과 통지까지는 총 3주의 시간이 소요되었다. 매우 빠르고 촉박한 일정이었기에, 서류 준비부터 글쓰기 및 면접 준비까지 모두 긴박하게 진행해야 했다. 비록 전과 시험에서 실패할 가능성도 있었지만, 나 자신에게 떳떳한 사람이 되기 위해 최선을 다해 시험을 준비했다.

전과 이후의 삶

결론부터 이야기하자면, 나는 전과를 한 것에 대해 굉장히 만족하고 있다. '예술경영'이라는 학문을 배우는 것이 즐겁고, 새로운 전공을 공부하며 지식을 넓히는 과정이 스스로에게 더 많은 기회를 열어주는 것이라 생각되어 뿌듯하기도 하다. 새로운 일에 도전해서 성취한 경험은 나에게 큰 용기를 가져다주었다. 이전에는 익숙한 것 외에 새로운 일을 시도하는 것이 두려웠지만, 지금은 전혀 두렵지 않다. 오히려 다양한 것들에 도전해 보고 싶다. 실제로 전과 이후 타 학교에 교류 수학을 가보기도 하고, 다양한 대외 활동에 참여해 보고, 마케팅 회사의 인턴으로 근무해 보고, 유튜브 채널도 운영하면서 새로운 경험에 대한 즐거움을 느끼고 있다.

　　더불어 연기에 대한 생각도 많이 달라졌다. 요즘 연기를 할 때면 부담이 없고 즐겁기만 하다. 전공이라는 타이틀을 내려놓고 나니 조금 더 자유로워진 기분이 든다. 아이러니하게도 여유가 생기니 다양한 작품에서 출연 제의를 받기도 한다. 실제로 학교에서도 기획자로서, 또 배우로서 다양한 작품을 만들어가고 있다. 지금의 이 삶이 너무나 즐겁고 행복하기에 전과하길 잘했다는 생각이 든다. 앞으로도 다양한 영역에 도전하며 즐겁게 살아가고 싶다.

더 넓게 꿈꾸기

　　나는 우물 안의 개구리처럼 '연기(배우)'라는 1가지 세상만 보고 살아왔다. 누군가는 이런 나를 보고 어렸을 때부터 하고 싶은 일이 뚜렷해 부럽다고 이야기하기도 한다. 물론 1가지에 집중하는 것이 나쁘다는 것은 아니다. 하지만 다양한 일을 경험하는 것도 삶을 살아가는 데에 있어 큰 도움이 된다고 생각한다. 세상에는 할 수 있는 일들이 너무 많다. 내가 하고자 하는 마음만 있다면 도전할 수 있는 일들은 생각보다 훨씬 더 많다. 그러니 하나만 바라보고 그것이 전부라고 생각하지 않았으면 좋겠다. 다양하게 꿈꾸면 이룰 수 있는 것들이 늘어난다.

또 입시를 준비하고 있다면 합격에 목숨을 걸지 말라고 얘기하고 싶다. 입시는 그저 과정일 뿐이다. 절대로 입시의 성공이 꿈의 종착점이 되면 안 된다. 그러니 입시에 실패했다고 해도 좌절할 필요는 없다. 과정에서의 작은 실수에 너무 매달리지 않기를 바란다. 그리고 꼭 무엇을 하든 '즐거움'을 놓치지 않았으면 좋겠다. 즐거움이라는 불씨가 사라진 열정은 결국 본인을 힘들게 만든다.

"내가 이 일을 사랑한다면, 즐겁게 할 수 있는 환경을 만들어주어야 해요. 여러분도 입시가 힘드시겠지만, 모든 과정이 고통과 좌절의 시간은 아니었으면 좋겠어요. 최선을 다하되, 마음속에 늘 '나는 이게 아니더라도 다른 걸 할 수 있는 무수한 잠재력을 가지고 있는 사람이다.'라는 말을 꼭 새기고 사셨으면 좋겠습니다. 그래야 어떤 일에 실패해도, 어떤 일이 힘들어도 툭툭 털고 일어날 수 있어요. 진심으로 여러분 모두를 응원합니다." ✚

✚유튜브 〈햇솔〉 '한예종 연기과를 두고 전과한 이유 : 좋아하는 일을 오래도록 곁에 두는 법, 선택의 갈림길에 서 있는 당신에게' 중에서.

2023 겨울 인큐베이팅 워크숍 〈부목한전: 다시, 봄〉

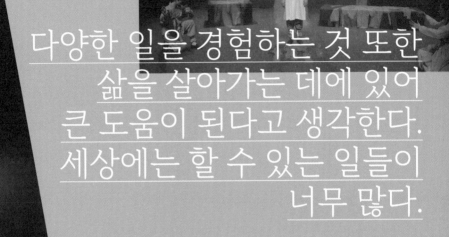

다양한 일을 경험하는 것 또한
삶을 살아가는 데에 있어
큰 도움이 된다고 생각한다.
세상에는 할 수 있는 일들이
너무 많다.

02

연극학 전공, 부전공은 연출

이여원

연극원 연극학과
연극학전공 20학번
(연출과 부전공)

@4.8___y

나는 한예종 연극원 연극학과 소속이다. 연극학과는 '예술경영전공'과 '연극학전공'으로 나뉜다. 그러나 예술경영과 연극학은 전혀 다른 전공이고, 지금은 커리큘럼도 달라서 접점이 거의 없다고 보면 된다. 간혹 이를 헷갈려 하는 사람들이 있다. 만약 공연 기획을 꿈꾼다면 예술경영전공으로 입학해야 한다. 타 대학교 연극영화과에 소속된 연극전공 전체를 아울러 '연극학부', '연극학과' 등으로 통칭하는 경우가 많은데, 한예종의 연극학과는 조금 다르다. 학교 공식 페이지의 설명을 빌리면 다음과 같다.

예술적 통찰력과 인문학적 감수성을 지닌 평론가, 이론과 실제를 창조적으로 접목시키는 드라마터그➕, 체계적인 지식과 다양한 방법론으로 연극의 가치를 연구하고 실천하는 연극학 인재를 육성한다. 연극 및 공연 예술에 대한 정확한 분석과 진단을 바탕으로 한국 연극이 나아갈 방향을 제시하고 세계 연극을 주도할 연극인을 교육한다.

➕ dramaturg: 극작술 연구를 뜻하는 독일어. 극단에 상주하는 비평가로서 희곡의 창작과정에서부터 프로그램의 제작·캐스팅·리허설·공연 후 평가에 이르기까지 공연의 전 과정에 관여한다. 영국에서 문예 감독으로 불리는 이 역할은 오늘날의 유럽 극단에서는 보편화되어 있으며, 때로는 연출가 이상의 권한을 가지기도 한다.

연극학은 이름 그대로 연극에 대한 '학문'이다. 그러니까 연극학전공은 연극학, 즉 연극에 대한 이론적인 공부를 하는 곳이다. 더 자세하게 커리큘럼에 대해 설명하자면, 먼저 위의 설명처럼 평론가를 육성하기 위한 '비평 워크숍' 수업이 있다. 매주 공연을 한 편씩 보고 비평을 쓰고 피드백을 받는다. 그리고 '드라마터지'✚라는 수업도 있다. 가상 드라마터지 수업을 통해 드라마터그가 프로덕션 내에서 해야 할 일들을 익히고, 연극원 공연에 직접 투입되어 드라마터그가 되는 수업이다. 그 외에도 고전부터 현대, 전 세계의 다양한 희곡을 읽고 분석하고 공부하는 이론 수업들이 있다.

연극학과가 이론과라고 해서 이론 수업만 듣느냐 하면 그렇지 않다. 연극학과는 연극원 소속이기 때문에 공통 필수 과목인 '연극하기', '극장 실습', '전통 연희의 무대적 수용' 등 다양한 연극 실기 수업들을 필수로 들어야 한다. 이때 연극원의 타 학과 사람들과 교류하며 공연을 만들어 발표하기도 하고, 직접 무대를 제작하기도 한다. 이처럼 실기 수업이 없지는 않지만, 전공 수업 중에는 직접 공연에 참여해야 하는 '드라마터지2' 수업을 제외하면 실기 수업이 없다고 봐야 한다. 따라서 만약 본인이 확실히 이론보다 실기에 더 관심이 있다면 연극학과에 오는 것을 추천하지 않는다. 위에서 언급한 전공 수업들은 발로 뛰고 움직이는 무언가를 만들거나 창작하는 것보다는 학문적인 공부에 가깝다. 수업의 대부분은 글쓰기, 발제, 토론

✚ dramaturgy: 원래는 희곡 작법이라는 뜻이었으나 일반적으로 연극 이론, 희곡 연출법을 뜻한다.

으로 이루어져 있다. 무엇보다 졸업을 하려면 1년에 걸쳐 졸업 논문을 써야 한다.

그렇다면 어떤 사람에게 연극학과가 잘 맞을까? 당연히 비평가, 드라마터그, 연극학자를 꿈꾸는 사람에게 잘 맞을 것이다. 또 연극에 대한 이론을 먼저 다진 뒤, 그 이후에 연출, 작가, 기획 등 세부적인 진로를 정하려는 사람에게 추천한다. 실제로 졸업생 중에는 연출가, 기획자, 비평가, 드라마터그, 작가 등 다양한 분야에서 활동하는 분들이 많다. 연극 및 공연에 관련된 일을 하고 싶지만, 연출, 드라마터그, 작가 등 구체적으로 그 안에서 어떤 역할이 나와 잘 맞는지 모르겠다면, 이론적 기반을 다지고 다양한 진로를 꿈꿔볼 수 있는 연극학과를 추천한다. 실제로 외국 대학에서는 연극을 배울 때 연극학을 먼저 공부하고 나서 연출을 하는 경우가 많다고 한다.

한예종 연극학과에 오기까지

내가 초등학생 때, 집 근처에 성남아트센터가 생겼다. 그래서 크고 작은 공연들을 쉽게 접할 수 있었다. 온 가족이 뮤지컬 〈아이다〉를 보러 갔던 기억이 생생하다. '공연을 보는 것은 꿈같고 행복한 일이구나.' 초등학생이던 나에게 공연은 그런 것이었다. 그러다 중3 때 단체로 세종문화회관 대

극장에 뮤지컬 〈모차르트!〉를 관람하러 갔는데, 대극장을 가득 채우는 압도적인 스케일에 완전히 빠져버렸다. 그리고 저런 공연을 만드는 사람이 되고 싶어졌다.

그렇게 마음속으로는 진로를 일찍이 정했지만, 바로 한예종에 입학한 것은 아니었다. 고등학교 때는 부모님의 의견에 맞춰서 이과를 가고, 고등학교 졸업 후에는 다른 대학교로 진학했다. 그곳에서 극예술연구회 활동을 하다 마음속에 품어왔던 연극, 뮤지컬에 대한 꿈이 더욱 커졌다. 그러나 나에게는 온 인생을 걸어야 성공할까 말까 하는, 소위 말하는 '배고픈 예술가'가 될 자신이 없었다. 그러다 한예종 연극학과와 드라마터그에 대해 알게 되었다. '예술'과 '일'의 경계에 있는 드라마터그라는 직업이 매우 매력적으로 느껴졌고, 다양한 진로로 뻗어나갈 수 있는 연극학과에서 공부하고 싶어졌다. 당시 국립 극단의 공연을 매우 좋아했는데, 그곳의 작품 개발실에서 일하고 싶다는 생각을 하기도 했다. 마음 한편에는 여전히 연출에 대한 꿈도 있었기 때문에, 공부를 하다가 확신이 생기면 부전공을 하겠다는 생각을 가지고 연극학과에 진학했다.

연극원에서 부전공하기

학교를 다니면서 연출에 대한 꿈이 커져서 연극원 연출과 부전공을 하고 있다. 개인적인 경험을 이야기하자면, 사실 연극학과는 나 같은 경우를 적극적으로 권장하는 분위기는 아니었다. 어느 선생님이 그렇지 않겠냐마는, 연극학과 선생님들은 학생들이 전공 공부를 열심히 하길 바라신다. 전공만 해도 과제나 공부해야 할 양이 적지 않다. 두 학기에 걸쳐서 논문지도를 받으며 논문을 써야 하기도 하고. 따라서 부전공을 하거나 전공 외적으로도 다양한 경험을 쌓고 싶다면 당연한 말이지만 각오를 해야 한다.

부전공과 전과에 대해 궁금한 독자들을 위해 더 구체적으로 이야기해 보겠다. 부전공 선택을 위해서 각 과에서 요구하는 포트폴리오나 시험, 면접이 모두 다르다. 예를 들면 연기과에서는 오디션을 보고, 이론과에서는 학업 계획서를 요구한다. 이론과 2개를 (ex. 연극학과+한국예술학과) 부전공하는 경우도 있고, 나처럼 이론과에서 실기를 부전공하는 경우도 있다. 연출과를 부전공하기 위해서는 자기소개서가 필요하다.

한예종에는 부전공을 하는 학생들이 정말 많고, 전공이 아니라 부전공으로 진로를 결정하는 경우도 많다. 한예종 안에 다양한 예술 전공이 있기 때문에 선택의 폭이 넓고, 부전공이 전공과 맞물려 시너지 효과를 기대해 볼 수도 있다. 중간에 부전공이 맞지 않는 것 같으면 부전공 수업을 그만들으면 된다. 다만 복수 전공이 없고 1가지 부전공밖에 할 수 없다는 것을 참고하면 좋겠다. 그러나 전과는 전공생이 자퇴를 해서 TO가 있어야 가능하기 때문에 부전공에 비해 비교적 어렵다.

꼭 연극학과가 아니더라도 한예종에 입학한다면, 부전공을 하는 것을 추천한다. 타 원 부전공을 한다면 인접 예술과 자신의 전공을 접목할 수도 있고 다양한 사람들을 만나기 때문에 시야도 넓어진다. 무엇보다 한예종은 자신의 전공에 거의 전부를 바치다시피 해야 하므로 부전공을 하면 심적으로 환기가 된다. 부전공으로나마 국내 최고의 예술 대학인 한예종에서 또 다른 예술 분야를 배우고 경험해볼 수 있다는 점은 큰 메리트이다.

한예종의 분위기, 그리고 연극학과를 다니며 만나는 고민들

나는 일반 대학교와 한예종을 모두 다녀봤기에 확실히 말할 수 있다. 완전히 다르다고. 한예종의 분위기는 대학교라기보다는 예술 아카데미(학원)에 가깝다. 고등학교를 졸업하자마자 입학한 현역도 많지만 다른 대학을 다니다가 온 경우는 물론, 직장을 다니다 온 경우도 꽤 있다. 이처럼 다양한 사람들이 있기 때문에 일반 대학교의 분위기와는 사뭇 다르다. 우선 대학 생활 하면 떠오르는 것들, 대학 축제, 체육 대회, 과 생활 등이 한예종에는 없다. 일단 학생 수가 매우 적고 대부분 개인적인 성향이 강하다. 각자가 에너지를 학교 생활보다는 전공 공부나 작업에 쏟는 경향이 크다. 대신에 최근 전통예술원 학생들이 풍물놀이와 디제잉을 접목한 파티를 여는 등 타 대학에서는 볼 수 없는 각자의 작업을 접목시킨 한예종만의 예술 문화 행사들이 있다.

특히 나는 코로나의 영향을 받은 학번이라 한예종의 이러한 분위기를 더 절실히 느꼈던 것 같다. 일반 대학교는 신입생을 하나부터 열까지 이끌어주는 반면, 한예종은 입학하자마자 '알아서 하는' 분위기가 강했다. 예를 들면 공연에 배정되기보다는, 알아서 참여하고 싶은 공연의 연출에게 연락해 참여하고, 알아서 팀을 만드는 식이다. 연극학과는 물론이고, 연극원의 전체적인 분위기가 수평적이다. 예체능, 연극 영화과 하면 떠오르는 특유의 결속력이나 규율들이 거의 없는 편이다. 타 대학교 연극 영화과 친구들 중에서는 이런 자율적인 분위기를 부러워하는 경우도 보았다.

반면, 연극원 친구들 중 타 대학교의 결속력 있는 분위기가 때로는 필요하다고 생각하는 경우도 있다. 한예종은 특히 자율적인 분위기가 뚜렷하니 학교를 선택할 때 참고하면 좋겠다.

연극학과는 한예종에만 있기 때문에 때로는 막막함이 찾아왔다. 특히 한 학번에 5~6명, 전체 학년을 통틀어도 30명도 되지 않는다. 그만큼 동기끼리는 끈끈하지만 같은 공감대를 가지고 같은 고민을 나눌 수 있는 학생 수 자체가 적다. 학교 안에서도 연극학과는 타 전공에 비해 낯설고 인지도가 낮기 때문에 끊임없이 설명해야 한다. 아마 입학하면 가장 많이 듣게 될 말은 연극학과는 뭐 하는 곳이냐는 질문일 것이다. 학교 밖은 말할 것도 없다. 가끔 당혹스럽기도 하겠지만 연극학과 학생들 모두가 겪는 일이니 흔들리지 말자.

　　이러한 자율적인 분위기 속에서 나는 망망대해에 놓여있는 듯한 기분을 느꼈다. 그래서 조연출을 하고 연극원 학생끼리 자체적으로 만든 공동 창작 스터디에 참여하기도 했다. 학교 커뮤니티 어플 '에브리타임'에서 보았던 인상적인 글이 있다. 졸업을 앞둔 학생이 쓴 글이었는데 거기에 '물에 뜬 기름 같은 기분을 지울 수 없다.'는 문장이 있었다. 서로의 개성과 다양성을 존중하고 자율적인 분위기 아래에서 자유롭게 예술 활동과 공부를 할 수 있지만, 특유의 느슨한 소속감 안에서 느끼는 외로움이 있다. 또한 직접 발로 뛰며 스스로의 작업과 커리어를 만들어 나가기 때문에 끊임없이 동기, 선후배와 나를 비교하게 된다. 나를 증명할 수 있는, 눈에 보이는 결과물을 끊임없이 만들어야 한다는 조급함과, 때로는 밀려오는 자괴감과 싸워야 한다.

좋아하는 일을 계속하는 법

　　주변에 번아웃이 되는 동료들이 많았다. 그럴 때 휴학을 하거나 아예 전공을 떠나 새로운 일을 찾는 경우도 많다. 한예종이 아닌 어디서든 예술을 전공하게 된다면 직면하게 될 문제일지도 모른다. 대학교에 입학하는 것은 시작일 뿐이다. 이후에 내가 사랑했던 전공을 계속해서 사랑하고, 전공과 관련된 작업을 갖는 것은 자신에게 달려있다.

앞에서도 언급했지만, 나는 입학하기 전에 '온 인생을 걸어야 성공할까 말까 한' 예술을 내가 하는 것이 맞을까 고민했다. 인생을 걸어도 될까 말까 하다면, 굳이 그래야 할 필요가 없을 것도 같았다. 그리고 에너지는 한정적이므로 평생 모든 것을 쏟아 넣는 것은 불가능하다. 학교를 다니는 4년 동안만 예술을 할 게 아니니까.

학교는 예술가가 되기 위한 기반을 다지고 공부를 하는 곳이다. 훌륭한 선생님과 멋진 동료들 사이에서 좋은 자극을 받으며 나만의 방향과 속도를 찾는 것이 중요하다. 하지만 무시무시한 천재들만 가득할 것 같은 한예종에 와서 막상 내가 만난 것은, 그저 습관처럼 예술을 하는 사람들이었다. 물론 천재적인 재능을 가진 사람들도 많았다. 노력도 재능이라고, 엄청난 에너지를 지닌 무서운 사람들도 있었다. 문제는 그런 사람들은 소수이고, 나 또한 다수에 속하는 평범한 사람이라는 것이다. 다행히 나는 여러 고민들로 힘들 때, 존경하는 정수진 선생님을 만났다. 그분이 내게 해주신 말씀을 덧붙이고 싶다.

"이상적인 무엇에 도달하지 않더라도 괜찮다. 어차피 예술, 하루 이틀 하고 말 것이 아니니까."

　　이 글을 쓰는 현재, 나는 4학년 1학기로 졸업 논문 심사를 앞두고 있다. 그리고 작년부터 '음악극 창작 교실' 수업과 한예종 연계 대학생 뮤지컬 창작 워크숍을 들으면서 뮤지컬에 대한 꿈을 다시 되찾고 있다. 또 지금으로부터 2달 전에는 첫 뮤지컬 작연출로 공연을 올리기도 했다. 선생님들이 나를 합격시킬 때 기대하셨던 모습은 아닐 것이다. 하지만 나는 학교를 다니면서 직접 글을 쓰고 프로덕션 현장에서 사람들과 열렬히 소통할 때 성취감을 느낀다는 사실을 깨달았다. 또한 이따금씩 학교에서 만난 동료들이 하는 연극 프로덕션에서 드라마터그 작업도 하고 있다. 내가 좋아하는 뮤지컬을 하기 위해서 지향성과 생각하는 방법이 비슷한 프로덕션에 속해서 '일'하는 것이 나의 환기 방법이다.

　　학교를 졸업하고서는 무엇보다 뮤지컬 작연출을 열심히 하고 싶다. 그래서 장르에 국한되지 않고 무엇이든 쓰고 연출하는 유연한 태도로 예술 작업을 지속할 수 있는 방법이 무엇인지 찾고자 노력하고 있다. 실패와 성공을 반복하더라도, 계속해서 나만의 방법을 찾을 것이다.

고작 4년 정도 예술 학교를 다니고 예술이 어떤 것인지 이야기하는 게 어불성설 같지만, 내가 생각하는 예술은 '습관'이다. 창작자의 입장에서도 그렇고 관객의 입장에서도 그러하다. 습관은 일상과 맞닿아 있다. 나는 예술의 창작자이면서 때로는 향유자이다. 향유자의 입장에서는 일상을 지속할 수 있게 해주는 예술의 가치를, 창작자의 입장에서는 예술을 지속할 수 있는 일상의 중요성을 생각한다.

반복적이고 때로는 막막한 일상에 지칠 때 만난 희곡의 문장 하나가 마음을 울린다. 무심코 들은 음악 덕분에 하루의 기분이 달라지고, 극장에 앉아서 본 연극 한 편으로 내일을 살아갈 힘을 얻는다. 이처럼 습관적으로 일상에서 예술을 만나는 것, 그리고 습관적으로 예술을 하는 것. 나는 여전히 그것을 꿈꾼다.

03

나의 때를
기다리기

interview

육현주

연극원 연기과 19학번
(극작과 부전공)

@ @sixooj

작품을 분석하며 성장하다 _____

'연기'는 결코 혼자 할 수 있는 예술이 아니다. 공연을 하든 촬영을 하든 많은 사람과 협업해야 하므로 상대방과의 상호 작용이 중요하다. 그런 점에서 연기 공부는 꿈을 향해 나아가는 발판이 되어주는 동시에 사회성을 증진시키는 데에도 큰 도움을 주었다. 나는 예술고등학교를 다녔기 때문에 이 사실을 일찍 경험으로 깨달을 수 있었다.

연기를 배우다 보면, 특히 입시를 준비하다 보면 굉장히 심오한 작품들을 만나는 경우가 많다. 하지만 배우로서 인물을 연기하기 위해서는 아무리 어려운 작품이라도 하나하나 세세하게 분석하고 이해해야 한다. 그러려면 배경이 되는 시대와 문화를 이해해야 한다. 그 토대 위에서 연기할 인물의 삶을 들여다보면 자연히 삶과 사람을 이해하고, 세상을 더 넓게 바라볼 수 있게 되는 것 같다.

내가 분석한 작품들 중 가장 인상 깊었던 것은 안톤 체호프의 4대 장막이라고 불리는 〈벚꽃동산〉이다. 이 작품을 처음 읽은 건 고1 때였는데, 그때는 재미없는 작품이라고 생각했다. 그런데 졸업을 앞둔 고3 때, 마지막 전공 시험에서 이 작품의 독백을 연기해야 했다. 전공 선생님께서는 이 독백을 졸업 시험 과제로 내시면서 등장인물 로빠힌이 '제가 샀습니다.'라는 말을 꺼내기까지 어떤 시간을 겪었는지 깊게 생각해 봐야 한다고 말씀하셨다.

로빠힌은 과거 농노였지만 산업 혁명 이후 상인이 되어 부를 얻은 후, 자신이 농노로 있던 라네프스까야 소유의 저택을 사게 된다. 그리고 '제가 샀습니다.'라는 독백은 로빠힌이 저택을 산 직후에 내뱉는 말이다. 간략히 말하자면, 로빠힌에게는 벅차오르는 순간에 뱉은 말인 것이다.

당시 나는 졸업 독백을 위해 이 작품을 분석하면서, 시대가 바뀌는 순간을 맞이하면 나도 로빠힌처럼 새로움을 거부하지 않고 받아들이는 태도를 가져야겠다고 생각했다.

공부의 중요성

예고를 다니면서 실기에 투자하는 시간이 많아졌고, 공부를 점점 멀리하게 되었다. 사실 나는 공부가 인생에서 그렇게 중요하지 않다고 생각했었다. '돈 계산 잘 할 줄 아는데 수학이 꼭 필요할까? 타인과의 커뮤니케이션이 가능한데 언어를 공부하는 것이 필수적인가?' 하는 생각도 했다.

하지만 막상 대학교를 와보니 그렇지가 않았다. 전공만 잘하면 될 거라는 생각은 큰 오산이었다. 더 넓은 세상으로 나와 사람들과 대화를 해보니 나의 지적 수준이 부족하다는 것을 느꼈고, 자존심이 상했다. 연기에 관련된 공부는 열심히 했지만 일반 과목 공부에 시간을 더 쏟지 않았던 점이 대학교에 와서 민망하게 느껴졌다. 연기 하나만 해서는 안 된다는 것을, 많이 알수록 내가 이해할 수 있는 것들이 많아진다는 사실을 깨달았다. 거기다 2학년을 마친 어느 날, 같은 수업을 듣는 한 친구의 제안으로 독서 모임을 시작하게 되면서 나의 부족함을 더욱 체감하게 되었다.

독서 모임

나는 고등학교 시절 희곡은 좋아했지만, 다른 책은 좋아하지 않았다. 그런데 대학에 와서 가벼운 수다를 즐길 때 희곡을 제외한 다른 분야의 이야기가 나오면 알아듣지 못하는 일이 많았다. 그래서 나는 독서 모임에서 다양한 책을 열심히 읽었다.

독서 모임은 4명이 각각 2권씩 추천한 8권의 책 중에서 투표를 통해 모두가 읽고 싶은 책 4권을 선정했다. 그리고 사다리타기로 순서를 정하고 격주로 월요일 밤 9시에 1시간 동안 화상으로 독서 모임을 했다.

모임 하루 전쯤 선정된 책을 추천했던 사람이 함께 이야기 나누고 싶은 질문, 토론 내용을 단체 카톡방에 공유하고 다른 사람들은 월요일 밤 9시 전까지 생각을 정리해 모임 때 이야기하는 방식이다.

이후 모임 시간에는 자유롭게 소감을 나누고 질문과 토론을 한 뒤 스크린샷으로 기록을 남긴다. 처음 독서 모임을 시작했을 때는 100페이지 넘

무대 위에서 배우로서 받는 피드백을
'나'라는 사람에 대한 피드백으로 받아들이면
상처받기 쉽다. 그저 업무에 대한 피드백이라고
생각하자. 스스로를 못난 사람이라고 낙인찍지
않는 것이 이 일을 오래 할 수 있는
강인함을 만들어줄 것이다.

<미키7> 질문

1.책읽은 소감

2.<미키7>은 <작별인사>와 비슷한 키워드가 있습니다.
: 현재, 전세계 과학적 발전이 정신의 데이터화를 향해 발전 해야 한다고 생각하나요? 아니면 그렇게 생각하지 않나요?

3.만약 인스펜더블의 기회가 주어진다면(방사능 실험 따위는 하지 않는 일상생활만 하는) 불멸의 삶을 살고 싶은가요?

4.이 작품은 영화로 제작중입니다. 자신이 이작품에서 연기를 한다면 어떤 역할(성별상관 없이)을 연기해 보고 싶은가요? 그이유도 말해주세요

독서 모임에서 《미키7》을 함께 읽기 위한 질문들

는 책은 읽는 데 2주나 걸렸다. 2년간 꾸준히 해온 결과, 지금은 수월하게 200페이지까지 읽을 수 있게 되었다. 이 독서 훈련이 대본이나 시나리오를 읽을 때 정말 많은 도움이 되고 있다.

책을 읽고서 토론하는 시간에는 굉장히 예민할 수 있는 이야기도 나누는데, 나와 다른 사람들의 의견이 완전히 다를 때도 있다. 그런 경험을 하면서 '왜 상대방은 나와 상반된 생각을 하고 있을까?' 하는 질문을 던지며 타인을 이해해 보는 노력을 하게 되었다. 이것이 확장되어 연기를 할 때도 큰 도움이 된다. 가끔 어려운 배역을 맡았을 때, 다른 시각으로 인물을 바라보고 해석할 수 있게 되었다.

학교로 돌아오다

내가 다녔던 예고는 외부 활동이 금지되어 있었다. 운명의 장난처럼 한예종 연기과 또한 2학년을 마치기 전까지 외부 활동이 불가능했다. 빨리 활동을 하고 싶었는데, 학교 규정에 의해 기회를 놓치는 것은 아닌지 걱정되기도 했다. 하지만 나는 그토록 원하던 사회에 나왔을 때 큰 충격에 빠졌다. 대학교에 입학해 내가 가진 지식이 부족하다는 생각이 들었던 것과는 차원이 다른 충격이었다.

3학년을 앞둔 1월, 나는 내가 지원할 수 있는 모든 오디션에 지원했다.

단편, 장편, 웹 드라마, 모델, 뮤직비디오 등 분야를 가리지 않고 프로필을 넣었고, 어렵게 한 뮤직 비디오를 찍게 되었다.

　　오디션을 본 PD가 촬영할 뮤직비디오의 콘티를 보여주며 노래를 들려줬는데 가수의 노래 실력이 엉망이었다. 가수가 누구인지 물었지만 PD는 끝까지 비밀에 부쳤다. 대외비라고 하니 그런가 보다 하며 촬영장에 갔는데, 스태프들이 나를 보자마자 남자 주인공을 확인했느냐고 물었다. 알고 보니 오디션을 본 PD라는 사람이 가수이자 남자 주인공이었던 것이다. 촬영 당일에 내가 하지 않겠다고 하면 그곳에 온 많은 스태프들이 돈을 못 받게 되는 상황이니 눈 딱 감고 촬영했던 기억이 있다.

　　막상 사회에 나가보니 나는 현장 경험이 전혀 없는 아마추어, 초보에 불과했다. 내가 아무것도 준비되어 있지 않은 것 같다는 생각이 들어 허망했다. 그동안 많은 시간을 연기에 투자했음에도 불구하고 아무도 나를 인정해 주지 않는 것 같아 괴로웠다. 이때 처음으로 연기가 하기 싫어졌다.

　　이후 외부 활동을 중단하고 다시 학교로 돌아왔고, 마음이 너무 편안하고 행복해졌다. 처음으로 학교가 안전한 곳이라는 생각이 들었다. 누구보다 빨리 외부로 나가고 싶어 했던 내가 이런 생각을 가지게 된 것이 스스로도 신기했다. 조급함을 내려놓고 부족한 부분들을 채워 준비된 사람이 되어야겠다고 다짐했다.

사업을 시작하다

생계를 유지하기 위해 아르바이트를 하면서 오디션을 보고, 촬영이 잡히면 사장님께 양해를 구하고 일을 빠졌다. 나는 그렇게 생활하는 내가 싫었다. 조금이라도 여윳돈을 마련하려면 최저 시급이라도 받으며 상당 시간 아르바이트를 해야 하는데, 그마저도 촬영이나 오디션이 잡혔을 경우 포기해야 한다는 게. 촬영 등으로 일하는 시간이 줄면 수입이 줄어들어 생활이 힘들어졌다. 나는 돈에 대한 부담을 조금 내려놓고 좋아하는 일을 즐기며 지속하기 위해서는 연기 이외의 다른 직업이 필요하다고 생각했다. 그리고 스스로 자본을 만들 수 있는 수단을 구축해야겠다고 마음먹었다. 스케줄을 마음대로 조정할 수 있고, 작품이 끝나도 안정적으로 돌아와 일을 할 수 있는 공간이 필요했고 그러려면 직원이 아닌 '사장'이 되어야 했다. 현재는 베이커리를 운영하며 경제 활동을 하고 있고, 덕분에 유동적으로 스케줄을 관리할 수 있게 되어 오디션과 작품 활동을 전보다 자유롭게 할 수 있다.

나를 달래기

　말했듯이 나는 누구보다 빨리 활동을 시작하고 싶었던 사람이었다. 마음에 조급함이 가득했었다. 하지만 나의 때를 기다리는 것이 정말 중요하다는 것을 여러 경험을 통해 깨닫게 되었다. 주변 사람들의 속도를 보며 마음 졸일 필요가 없는 것 같다. 나 또한 나에게 들어온 기회들을 무작정 다 잡으려고 노력했었다. 이제는 마음이 여유로워야 올바른 선택을 할 수 있다는 걸 알기에, 무작정 계약하거나 아무 작품에나 출연하지 않는다.

　사실 이 직업과 전공은 '운'도 중요하다. 그리고 그 운은 열심히 준비하고 기다리는 사람들에게 누구나 한 번씩은 온다고 생각한다. 그 기간이 길어질 수도, 혹은 빠를 수도 있지만. 그러니 마음을 조금 더 여유롭게 먹고 기다리기를 바란다.

　또 일을 하면서 듣는 평가들에 상처받지 않았으면 좋겠다. 배우는 어쩔 수 없이 평생 평가를 받게 된다. 당연하고 어쩔 수 없는 일이므로 상처받지 않도록 스스로를 잘 케어해야 한다. 무대 위에서 배우로서 받는 피드백을 '나'라는 사람에 대한 피드백으로 받아들이면 상처받기 쉽다. 그저 업무에 대한 피드백이라고 생각하자. 스스로를 못난 사람이라고 낙인찍지 않는 것이 이 일을 오래 할 수 있는 강인함을 만들어줄 것이다.

예술은 '기술의 끝'이라고 생각한다. 재능, 노력, 실력, 외면, 내면, 지식, 트렌드 등 다양한 것들이 모여 예술을 만들어낸다는 생각이 든다. 특히 요즘 아이돌들을 보면 '와, 예술이다.'라는 생각을 많이 하게 된다. 춤, 노래, 외모, 예능감 등 다양한 부분을 발전시키기 위해 얼마나 많은 노력을 했을지 상상할 수 없다. 3~4분짜리 무대를 완성하기 위해 얼마나 많은 시간 기술을 익히고 연습했을까? 물론 무슨 일을 하든 타고난 재능을 가지고 있는 사람들도 분명히 존재한다. 하지만 재능이 있어도 지속적으로 기술을 갈고 닦지 않으면 오래 살아남지 못한다.

우리는 예술적인 일이 아니더라도 한 분야의 장인이 되어 결과물을 냈을 때 그 결과물을 보고 '예술'이라고 한다. 이는 꼭 음악, 미술, 무용 등 예술적인 분야에서만 사용되는 말이 아니다. 단순히 김밥을 마는 등의 행위에서도 어떤 경지에 다다르면 예술이 될 수 있다.

고등학생 때까지만 해도 나는 감각적으로 연기를 대해야 한다고 생각했다. 순발력과 센스가 중요하다고 생각했기 때문이다. 물론 이러한 요소도 연기를 함에 있어 배놓을 수 없는 부분이다. 하지만 학교생활과 외부 활동을 하면서 느낀 점은 연기에는 '정확성'이 꼭 필요하다는 것이다. 치밀하고 완벽하게 준비해야 예술적으로 보일 수 있다. 애매하게 준비하면 반드시 들통난다. 물론 타고난 재치와 센스로 연습하지 않아도 완벽하게 해내는 사람도 있지만, 매우 드물다. 그렇기 때문에 기술을 연마하는 장인 정신으로 꾸준히 연습하고 개발해야 한다.

남다르다고 생각했던 친구들이 본인의 재능을 믿고 열심히 하지 않다가 연기를 그만두는 모습을 많이 보았다. 더 잘할 수 있었음에도 타고난 재능만 믿고 열심히 하지 않으면 그 재능은 퇴화한다. 그렇기에 현실에 안주하지 말고, 지속적으로 나아가야 한다.

졸업 후 계획

현재 극작과 부전공을 하고 있는데, 글쓰기에 조금 더 흥미가 생긴다면 극작전공으로 한예종 전문사에 도전해 보고 싶다. 또 예술인들의 저작권이나 라이선스 체결을 돕고, 작품과 실연자 사이를 연결 지어줄 수 있는 사이트를 만들어 공모전에 출품할 계획이다. 이후 이 사이트를 발전시켜 사업자를 내고, 앱도 만들어서 조금 더 많은 예술가들이 쉽게 작품과 연결될 수 있도록 만들고 싶다.

배우라는 직업에 있어서는 오히려 마음을 더 편하게 먹으려고 한다. 너무 조급해하면 스스로 힘들고 지쳐서 이 일을 오래 지속할 수 없겠다는 생각이 들었기 때문이다. 행복하고 즐거워서 시작한 연기를 오래도록 하기 위해 꼭 필요한 마음이다. 그리고 꾸준히 연기를 하되 경제적으로 지장이 없도록 다른 일도 열심히 할 것이다. 나는 누구에게나 자신만의 때가 있다는 말을 굳게 믿는다.

04

과정을
    즐기는
예술

interview

장지영

연극원 극작과 19학번

고등학생 때부터 방송부 활동을 했다. 나는 작가로서 책의 짧은 구절을 인용해 나의 생각을 덧대어 학생들에게 들려주는 역할을 맡았다. 방송부 활동을 하면서 자연스럽게 글에 대한 흥미가 생겼고, 계속해서 글을 쓰고 싶다는 생각이 들어 극작과에 지원했다.

작가로서 내가 써 내려가는 글들이 텍스트로서의 가능성과 가치를 지니는 것도 좋지만, 실제로 학교를 다녀보니 내가 쓰는 글이 공연 예술의 재료로 쓰이는 경험을 할 수 있는 것도 충분한 가치가 있다고 느꼈다. 더불어 가만히 앉아서 글만 쓰는 것이 아니라 연극원 내 타과생들과 교류하고 서로의 생각을 나눌 수 있다는 것도 한예종의 큰 장점이다.

하지만 극작과는 공연이나 공모전 등의 프로젝트나, 과제를 위해 쏟아부어야 하는 시간이 상당하다. 글을 써 내려가는 과정이 즐거울 때도 많지만, 쉼이 부족할 때에는 소진되는 느낌도 받는다. 물론 나중에는 그 과정에도 익숙해지고, 스스로 성장하는 것을 느껴 성취감이 크다.

가끔 이 일이 "멋있어서 하고 싶다."라고 하는 극작과 지망생을 만날 때가 있다. 매체에서 접하는 극작가들이 대개는 큰 작업을 완성한 분들이다 보니 어쩌면 자연스러운 생각일 수도 있지만, 성공을 위한 지난한 과정은 보지 못하는 것 같아 아쉽다.

어떤 일을 하든 과정은 분명히 존재하고, 그 과정은 평탄하지만은 않다. 글을 쓴다는 것은 참 어려운 일이다. 결코 쏟아붓는 데서 끝나지 않는다. 잘 써 내려가다가도 다시 원점으로 돌아오게 되고 계속해서 아이디어를 떠올려야 하고, 하고 싶은 말들을 글의 구조에 맞게 배치하는 과정이 필요하기 때문이다.

또 입시 작품을 쓸 때는 3,000자 정도의 단편을 쓰는 것이 보편적인데, 학교에 들어오고 나면 몇만 자, 혹은 몇십만 자가 되는 글을 쓰게 된다. 그렇게 긴 글을 쓰다 보면 길을 잃는 느낌도 받는다. 그러니 단순히 멋있다는 이유로 전공을 선택하기 보다는 글을 쓰고 완성시키는 과정 중에 느끼는 어려움도 함께 고려하면 좋겠다.

대학 합격을 예술가로서의 최종 단계에 도달하는 것이라 생각하면 학교생활 자체가 힘들어진다. 학교는 배우러 오는 곳이기 때문에 분명히 실패하고 좌절하는 순간이 생긴다. 그 실패와 좌절까지도 나의 전공인 것처럼 여길 줄 알아야 한다.

이 일을 계속 할 수 있을까

학교를 다니며 내가 마주한 가장 큰 고민은 '이 일을 계속할 수 있을까' 하는 것이었다. 나는 어릴 때부터 글 쓰는 것 자체를 즐기고 좋아하는 사람은 아니었다. 글을 쓰고 나서 받는 칭찬과 사회적인 인정이 좋았던 것 같다. 열아홉 살의 패기였겠지만, 입시를 할 때부터 대학에 입학한 직후까지는 20대 초반에 내가 무조건 성공할 것이라 생각했다. 한예종에 현역으로 합격도 했고 성공이 눈앞에 있는 것 같았다. 하지만 실제로 대학에 입학하고 나니 글을 잘 쓰는 사람이 너무 많았다. 그때 깨달았다. '이제 시작이구나!' 하고.

고등학교 때 친구들이 취업을 하기 시작하고, 본인이 설정한 진로에 한 단계씩 가까워지는 것을 보며 미래에 대한 고민도 깊어졌다. 예술을 하면서 가장 답답한 부분은 명확한 정답과 기준점이 없다는 점이다. 내가 가고 있는 길의 다음 단계는 어디인지 스스로 설정하고 부여하지 않는 한, 단계를 넘어갔다고 쉽게 말할 수 없다. 공연을 하고, 글을 쓰면서 스스로 발전하고 있다고 느끼기도 하지만, 사회적으로 인정받는 자격증이나 레벨이 있는 것이 아니기 때문에 막막할 때가 많았다.

부정적인 생각에서 벗어나는 법

그런 순간에 방황을 하지 않는 명확한 방법은 없지만, 최소한 내가 이때까지 뭘 해왔는지를 복기하면 방황하는 시간을 줄일 수 있는 것 같다. 우리는 항상 뭔가에 착수하고, 그 일이 끝나면 다음 일에 착수하는 삶을 반복하다 보니 내가 뭘 해왔는지 자꾸 잊어버리게 된다. 내가 해왔던 것들을 의식적으로 기억하지 않으면 시간이 지나서 아무것도 하지 않았다고 느낄 수 있다. 그러므로 스스로 별것 아니라고 생각하는 일이라도 자신이 해온 일들을 되돌아보고 기억할 수 있는 기록 등의 장치를 해놓을 것도 좋은 방법이다. 자신이 걸어온 길을 돌아보면 이따금 막막할 때 다시 자신감을 가질 수 있고, 방황을 멈추고 다시 앞으로 나아가는 데도 큰 도움이 된다.

살다 보면 내가 생각하는 성공의 개념이 계속해서 달라지고 디테일해진다. 내가 배우고 경험하는 것들이 많아지면 많아질수록 해보고 싶은 것들이 늘어나고, 그에 따라 목표도 다양해진다고 생각한다. 그렇기에 가끔은 조급한 마음도 들고 성공이 멀리 있는 것처럼 느껴진다. 그럴 때마다 쉬면서 잠시 과거의 나를 돌아보자. 그러면 다시 달릴 수 있는 힘이 생길 것이다.

벨기에에서 배우다

대학에 들어오기 전부터 교환학생에 대한 로망이 있었다. 다른 나라에 가서 학생 비자로 살 수 있는 기회는 흔치 않기 때문이다. 학교라는 울타리 안에서 개인이 아닌 단체로서 보호받으며 색다른 경험을 할 수 있는 기회를 놓치고 싶지 않았다.

한예종에서 교환학생에 지원할 때는 총 3개의 학교를 지망할 수 있다. 내가 가고 싶은 지역과 학교에 나의 전공이 없다면 부전공으로 지원하거나 관련 전공으로 지원할 수 있다. 아예 다른 과를 지원하는 것도 불가능한 일은 아니다. 하지만 본인의 전공이 아닐 경우 합격 가능성이 낮아진다.

교환학생에 지원하기 위해 필요한 것이 크게 3가지가 있다. 우선 1번째는 학점이고, 2번째는 어학 성적이다. 어학 성적은 영어 성적과 현지어 성적, 이렇게 2가지로 나뉜다. 여기까지는 본국 증명, 즉 내가 다니고 있는 학교에 내야 하는 서류들이다. 3번째로 필요한 것은 자소서와 CV(이력서)다. 3번째 과정을 따로 이야기 한 이유는, 우선적으로 학점과 어학 성적에서 통과가 되어야만 3번째 서류를 낼 수 있는 기회가 주어지기 때문이다. 이 서류들은 내가 가고자 하는 교환 학교에 제출해야 한다.

내가 다녀온 학교는 벨기에에 위치한 LUCA School of Arts BElGIUM이라는 학교다. 벨기에에서는 4개 국어를 사용한다. 사실 나는 그 4가지의 언어 중 어느 것도 할 줄 몰랐다. 그래서 최대한 토플 성적을 높여야겠다고 생각해 열심히 준비했다. 다행히 120점 만점에 100점 이상 받을 수 있었다. 또 기존 학점을 보완하기 위해 조금이라도 성적을 높일 수 있는 과목들을 재수강했다. 결과적으로 교환학생 심사에 합격해 더 넓은 세상을 경험하고 올 수 있었다.

교환학생에 지원한 것은 견문을 넓히는 게 목적이었기에 연극에 관해서 배움을 얻으리라고는 예상하지 못했다. 그런데 글도 쓰고 연기도 하며

8/5 WED
14:00 / 19:00

9/5 THUR
19:00

MAYBE I SHOULD'VE
ENTERTAINED YOU MORE

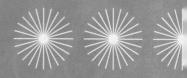

예술과 배설의 경계는 어쩌면
'연결'에 있는 게 아닐까 싶다.
개인의 응어리를 푸는 데서
그치지 않고 다른 사람들과
연결될 수 있는 지점을 찾아
풀어내는 것이 예술인 것 같다.

교환교의 커리큘럼을 따라가다 보니 한국과는 환경이나 시스템이 달라서 배운 점이 많다. 그곳은 비관료적이다. 유럽의 느린 행정 시스템이 답답하게 느껴질 때도 많았지만(비자를 받는 데도, 교통카드 발급에도 한 세월이 걸린다), 드라마스쿨에서만큼은 느리고 비관료적인 면이 좋게 느껴졌다. 내가 무언가를 하고자 하면 제약이 별로 없었다. 예를 들어 나는 라이팅(Writing) 트랙에 있었지만 연기를 해보라고 제안받기도 하고, 수업 시간에 친구들의 캐리커처를 끄적이는 내게 조교님이 그림 실력을 살려 포스터를 만들어보라고 한다든지 하는 식이다. 일단 하겠다고 나서면 아무도 막는 사람이 없었다. 한예종에서는 전공이 세세하게 구분되어 있는데, 교환교에서는 단 두 트랙, 라이팅(Writing) 과 액팅(Acting)만이 있었다. 그리고 학생 모두가 연출을 복수 전공해야만 했기에 과를 기준으로 어떤 일의 적임자를 나누지 않았다. 누군가 사진을 잘 찍는다고 알려지면 그가 포토콜 사진사가 됐다.

한 번은 조를 짜서 팟캐스트를 만드는 수업이 있었는데, 기술적인 도움이나 진도에 대한 체크는 해주면서도 주제에 대한 크리틱(비평 혹은 비판)은 적었고, 웬만하면 내가 하고 싶은 방향으로 해나가라고 했다. 물론 학기가 끝날 때는 교수의 의견이 들어간 성적을 받는다. 학년말에 유급도 있고, 1학년 말에 성과를 보여주지 못할 시 강제 퇴학도 있다. 무서운 구석이 있는 시스템이지만 아무튼 능력과 열정만 있다면 하고 싶은 건 다 할 수 있다.

2023년 2월, 4학년 1학기 때 처음으로 사기업 공모전에 나갔다. 로레알 파리 화장품 글로벌 그룹에서 하는 마케팅 아이디어 공모전에서 국내 2등이라는 성과를 거두게 된 것이었다. 채용 전환형 인턴에 지원할 시 서류 심사 없이 최종 면접으로 갈 수 있는 혜택도 주어졌다. 당시 공모전 주제는 Web 3.0으로 AI, AR, VR, 게임 등 기술을 접목하여 사용자 경험을 풍부하게 만드는 것이 포인트였다. 우리 팀 구성원은 디자이너, 개발자 그리고 극작 전공인 나였다. 우리 팀은 스킨케어 브랜드인 라로슈포제를 타기팅해 사용자의 얼굴을 주재료로 하는 게임 프로포절(제안서)을 만들었다. 내용을 자세히 설명할 수는 없지만, 사용자가 앱에서 피부 진단을 받거나 스킨케어 제품의 할인 쿠폰을 얻는 일련의 경험을 유쾌하게 만들자는 취지로 AI, AR, 게임 기술을 활용한 것이었다. 사기업 공모전을 통해 잠시나마 IT, 마케팅 분야를 접하게 되어 신기했다. 좋은 경험이었다.

공모전에 입상했으니 인턴 면접에 임할 수 있는 자격이 주어졌고, 계속해서 담당자님께 연락을 받았다. 1년이 지나면 그 혜택은 사용할 수 없으니 이번에 면접을 보라는 것이었다. 학교를 다니고 있는 중이었기 때문에 고민을 많이 했다. 다니고 있는 학교를 마무리하고 싶다는 마음도 있었고, 회사에 들어가게 되면 취업 시장에 계속 머물 것 같다는 생각이 들어 결국에는 거절했다. 그 후로 졸업 후 1년 동안은 여러 공모전에 나가야겠다고 생각했다.

극작과라고 해서 꼭 공연 대본을 만들거나 전시 텍스트를 써야 하는 것은 아니다. 나 또한 언제 취향이 바뀔지는 모르겠지만, 현재는 영상 매체가 좋으니 졸업 이후에 영상 매체에 관련된 여러 공모전에 도전해 볼 생각이다.

누구나 예술을 만들어낼 수 있는 시대

극작 시장이 굉장히 넓어졌고 프로에 진출하는 것이 예전에 비해 쉬워졌다. 웹 소설과 웹툰이 늘어나기 시작했고 IP 사업 시장도 활발해졌다. 전에는 주류라고 보기 어려운 형태의 작품들도 이제는 주류에 편입되어 큰 성공을 얻기도 한다.

학교 내에서의 추세도 바뀌고 있다. 기존에는 극작과나 서사창작과 사람들은 주로 순문학 계에서 인정받는 일이 중요했기에 신춘문예 당선, 문학상 수상을 목표로 하는 사람들이 많았다. 희곡도 텍스트로서 가치가 있는 희곡을 쓰려고 하는 사람이 많았다. 하지만 요즘은 트렌드가 많이 바뀌어 사람들의 흥미를 이끌어낼 수 있는 대중적인 작업이 인기가 많아지고 있다. 희곡 또한 순문학의 형태보다는 서브컬처 느낌이 나는 작품도 많이 나오고 있다. 기존의 예술에 대한 고고한 이미지가 다소 희미해졌고 누구나 예술을 만들어낼 수 있는 시대가 온 것 같다.

　우리는 여전히 누군가의 예술을 보고 배설이라고 말하기도 한다. 주로 감정을 해소하기 위해 속풀이하듯 쓴 글을 그렇게 치부하는 듯하다. 예술과 배설의 경계는 어쩌면 '연결'에 있는 게 아닐까 싶다. 개인의 응어리를 푸는 데서 그치지 않고 다른 사람들과 연결될 수 있는 지점을 찾아 풀어내는 것이 예술인 것 같다. 물론 나도 여전히 배우고 성장하는 과정 속에 있다. 극작과를 희망하는 친구들이 있다면, 입시를 준비하면서부터 자신만의 생각에 갇히지 말고 다양한 사람과 연결되려는 노력을 했으면 좋겠다. 그것이야말로 예술을 하려는 사람에게 가장 필요한 자세라고 생각한다.

05

다양한 장르에 녹아들 수 있는 무대미술

interview

조은들

연극원 무대미술과 19학번

@ @lullabyirang

무대미술, 그리고 그래픽

중학생 시절, 혜화에서 처음 연극을 보았다. 그때 배우들이 밟고 다니는 무대가 재미있게 느껴졌다. 하수와 상수✚의 분위기 차이, 무대 장치와 조명에 따라 장소와 시간이 달라지는 느낌과 다양한 시각적 장치가 눈길을 사로잡았다. 연극을 처음 접한 이후, 공연이라는 것은 무대도 함께 어우러져야 완성되는 것임을 느꼈고 무대 자체에 관심을 가지게 되어 무대미술을 전공으로 선택했고 다양한 공연에서 그래픽 디자이너로 활동하고 있다.

하지만 무대미술에 관심을 두고 학교에 들어왔기 때문에 처음부터 그래픽을 하고 싶다는 생각은 없었다. 학교에서 재밌는 작품을 발견했는데, 마침 그 공연에서 그래픽 디자이너를 구한다는 것을 알게 되었다. 무대를 통해 관객들과 소통하는 것이 아닌 포스터를 통해 공연에 대한 첫인상을 심어주는 것이 재밌는 작업이 될 것 같다는 생각이 들어 그래픽 디자인에 도전하게 되었다. 무대 미술과에도 컴퓨터를 이용해 디자인하는 것을 배우는 수업은 있지만, 미술원 디자인과와 다르게 포토샵이나 일러스트를 직접적으로 다루는 수업은 없기 때문에 스스로 툴을 다루는 방식을 찾아보고 공부하며 익혔다. 처음 해보는 작업인데도 불구하고 관객들에게 포스터를 통해 공연에 대한 어떤 호기심을 불어넣어 줄 수 있을지 고민하는 시간이 즐거웠고, 결과물이 나왔을 때의 만족감도 높아서 계속 그래픽 작업을 하고 있다.

✚ 무대에서 객석을 바라봤을 때 왼쪽 방향을 '상수', 오른쪽 방향을 '하수'라고 한다.

학교에서 무대미술을 직접 공부해 보니 '무대미술과'라고 해서 무대미술만 할 수 있는 것이 아닌, 생각보다 다양한 진로가 있다는 사실을 알게 되었다. 무대를 포함해 조명, 의상 등 세부 전공을 통해 다양한 디자인을 경험할 수 있고, 그래픽과 음향, 영상 등 미디어와 관련된 부분으로도 길이 열려 있다는 것이 무대미술과의 큰 장점이다.

반면 공연을 올릴 때 교수님들의 피드백이 적다는 점이 좀 아쉽다. 한예종은 교수님이 연출하는 레퍼토리 공연보다는 학생이 연출까지 맡는 스튜디오 공연이 대부분이다. 그리고 프로덕션을 구성하는 인원 또한 모두 학생으로 구성되어 있기 때문에 교수님들의 피드백을 얻기가 쉽지 않다. 자유로운 환경에서 다양한 시도를 해보며 디자이너로서 공연을 해볼 수 있다는 것은 큰 이점이지만, 공연이 끝난 이후 각 전공별로 교수님들의 피드백을 자세하게 들어볼 수 없다는 점은 다소 아쉽다. 관객들의 설문 조사를 통해 공연에 대한 피드백을 얻는 것도 큰 도움이 되지만, 각 분야의 전문가이신 교수님들의 피드백을 들을 수 있었다면 더 좋았을 듯하다.

내향인의 무대 만들기

학교를 다니며 가장 도움이 되는 부분은 다양한 포지션에서 공연을 많이 경험해 볼 수 있다는 점이다. 수업을 아무리 열심히 들어도 실습을 하다 보면 실수가 나오기 마련이다. 공연을 많이 경험하면서 이러한 실수를 줄이고, 다양한 사람들과 함께 작업하며 나만의 경험치를 늘려갈 수 있다는 것이 한예종의 큰 장점이라고 생각한다. 타 학교에 비해 한예종의 공연 준비 기간은 현저히 짧은 편이다. 학생들의 입장에서는 버겁다고 느껴질 수 있지만, 외부 공연팀에서 일하게 되면 셋업 기간은 늘 촉박한 편이기 때문에 이에 대한 적응력도 확실하게 키울 수 있다.

나는 내성적인 사람이라, 과연 내가 학교에서 연극을 만들 수 있을지 걱정했다. 하고 싶은 것과 별개로 나의 성향이 작업에 방해가 될까 고민을 한 것이다. 하지만 그 고민이 쓸데없는 걱정이었다는 것을 깨닫게 되었다. 함께 작업하며 서로를 이끌어주는 분위기가 강해서 걱정 없이 공연을 만들어나갈 수 있었다. 또 공연에서 만난 사람들과 또 다른 작업으로 연결되는 일이 많다. 일시적인 관계가 아닌 꾸준히 함께 작업할 수 있는 관계를 구축할 수 있다는 점도 한예종을 다니며 좋다고 생각한 부분이다.

코로나 때문에 연극이 사라질 것 같은 위기감을 느꼈지만, 교수님들께서 연극을 영상이나 증강 현실과 결합시키거나, 이머시브 연극 등으로 시대의 변화에 맞게 바꿔나가면 된다고 말씀해 주셨다. 이 말을 듣고 난 뒤, 시대가 바뀌고 트렌드가 바뀌면 그에 따라 변형시킬 수 있는 힘을 무대미술과가 지니고 있다는 생각이 들었다. 요즘은 AR이나 영상 같은 것도 무대미술과에서 다루고 있다. 그 밖에도 AI, 매핑 등 시대의 흐름에 맞춰 학교 내에서도 배우는 것들이 늘어나고 있어서 좋다.

전공을 어떻게 살릴까?

　　한예종 무대미술과의 경우 세부 전공 하나를 선택해 해당 전공의 커리큘럼을 모두 이수해야 졸업이 가능하다. 그래서 세부 전공 선택에 대한 고민이 크다. 선택한 세부 전공을 즐겁게 할 수 있을 것 같다는 생각이 들면서도, 무대미술이라는 장르가 안정적인 회사에 취업할 수 있는 전공은 아니기 때문에 오랜 기간 지속적으로 이 일을 할 수 있을까에 대한 고민이 졸업을 앞두고 커지는 것 같다. 졸업을 한 후에 내가 공부한 전공을 어떻게 살릴 수 있을 것인지에 대한 고민도 생긴다. 나도 요즘 돈벌이와는 별개로 지금까지 배웠던 것들을 어떻게 활용할 수 있을지에 대해 많이 생각하고 있다.

　　무대미술과 1학년 때는 무대에 관한 기초적인 것들을 배우고, 2학년이 되면 조명을, 3학년이 되면 의상을, 4학년이 되면 프로덕션이라는 영화미술에 관련된 수업을 들을 수 있게 된다.

　　나는 처음 입학했을 때부터 4학년이 되어야만 배울 수 있는 '프로덕션 수업'에 관심이 많았다. 프로덕션 수업의 장점은 연극이 아닌 영화를 배울 수 있다는 것이다. 연극원에서 영화를 배운다는 것 자체가 굉장히 의외라고 생각될 수 있지만, 이 점은 한예종 무대미술과가 가지고 있는 메리트라고 생각한다.

　　영화는 연극에 비해 현실적이고 디테일한 묘사가 필요한 장르다. 연극을 하다가 영화 수업을 들어보니 처음에는 과제를 하나 완성하는 것도 번거롭게 느껴졌다. 디테일 하나하나를 전부 신경 써야 하고, 장면별로 배경의 색감이나 구도 등 신경 써야 할 것들이 연극에 비해 많다고 느껴졌다. 연극의 경우 무대가 정해져 있기 때문에 객석에서 보이는 부분만 신경 쓰면 되지만, 영화의 경우 여러 방향에서 카메라를 비추기 때문에 모든 디테일을 생각해야 한다는 점이 어려웠다. 하지만 수업을 듣고 과제를 꾸준히 해나가는 과정을 통해 평소에 내가 생각하지 못했던 부분들까지 고민하게 되었고, 시야도 넓힐 수 있게 되었다. 영화 미술을 배우는 것이 꼭 영화에만 적용되는 것이 아닌, 연극을 만드는 것에 있어서도 큰 도움이 될 수 있을 것이라 생각한다.

넓은 진로 스펙트럼

무대미술, 디자인이라는 전공 자체가 프리랜서의 성향이 강하다 보니, 1~2년 정도는 프리랜서로 활동하며 그래픽부터 무대 디자인 작업까지 다양한 분야의 디자인을 병행하려고 한다. 무대미술 디자이너로서, 그리고 그래픽 디자이너로서 다양한 경력을 쌓아가고 싶다.

사실 무대미술과를 졸업한 선배들만 보아도 진로 스펙트럼이 정말 넓다. 연극을 하지 않더라도 학교에서 배웠던 것들을 응용해 다양한 작업을 할 수 있다. 그래서 나도 학교에서 배웠던 것들을 바탕으로 다른 디자인 분야에 도전해 보고 싶은 생각도 있다. 현재는 게임 원화, 모션 그래픽 공간 디자인 등에 관심을 갖고 있다.

　　무대미술은 아무것도 없는 백지에 선을 하나둘씩 그어나가는 것, 이야기를 시각화시키는 것이라 생각한다. 실제 공연을 준비할 때도 텅 빈 무대에서부터 이야기가 채워지듯 이야기를 전개하는 것은 배우와 연출의 영역이지만, 이야기의 배경을 채워주는 것은 디자이너의 몫이다. 대본 없이도 공간 자체만으로 인물의 서사와 메시지를 전할 수 있고, 아무것도 없는 공간을 이야기가 가득한 공간으로 만든다는 것이 늘 설렌다.

대본 없이도
공간 자체만으로
인물의 서사와 메시지를
전할 수 있고,
아무것도 없는 공간을
이야기가 가득한 공간으로
만든다는 것이
늘 설렌다.

06

연출,
일단은 계속해
보겠습니다

박지원

연극원 연출과 21학번

@zee._.won_

　　한 치의 오차도 없이 돌아가는 무대 위 세계를 동경했다. 삶에서 내가 통제할 수 있는 것이 터무니없이 적었던 열일곱 살 때에는 더 그랬다. 연극 무대는 꼭 자그마한 세상 같아서, 한 편의 작품을 만든다는 것은 내가 어떤 세상을 완벽하게 조율하고 제어하는 일과 같다고 생각했다. 무엇이든 직접 결정하는 삶을 살고 싶다는 욕망은 곧 공연 예술, 그중에서도 연출에 대한 열정으로 이어졌다. 고등학교 연극 동아리에서 청소년 극단으로, 또 인문대 극회를 거쳐 연극을 전공으로 선택하기까지 내 삶은 꼭 각본이 있는 작품처럼 흘렀다. 그리고 나는 지금 여기에 있다.

　　한예종에 입학해 연극 연출을 전공하고 있는 나에게 질문을 던져본다. 나는 여전히 내가 결정하고 통제하는 세계를 사랑하는가?

　　고백하자면 그렇지 않다. 애초에 질문부터 틀렸다. 오직 내 결정만으로는 연극의 무대를 결코 통제할 수 없다. 학교에 들어와 선배들과 함께 몇 편의 작품을 만들면서 깨달은 사실이다. 완벽에 가까워 보이는 무대, 그 절제된 세계 뒤에는 또 다른 면이 있었다.

완벽에 가까워 보이는 무대,
그 절제된 세계 뒤에는
또 다른 면이 있었다.

연극원의 공연은 각각의 역할이 단단한 톱니바퀴처럼 맞물려 돌며 만들어진다. 연출과 학생들은 졸업하기 위해 2편의 연출작을 올려야 하고, 타 과 학생들도 학점 혹은 졸업 요건을 충족시키려면 이 공연들에 참여해야만 한다.

함께 할 팀원들을 모으고 계획을 수립하는 '프리 프로덕션(pre-production)' 기간부터 실질적인 공연 준비가 시작된다. 작품의 기획서를 연극원 학생들 앞에서 발표하는 피칭이나 공연을 함께 하고 싶은 사람들에게 개별적으로 연락하는 자발적 홍보 과정을 거쳐야 팀원들을 모집할 수 있다. 내가 모은 사람들의 색깔이 잘 맞는지, 추구하는 방향이 비슷한지 고민해 보는 시간은 필수다.

팀원들이 얼추 모이면 본격적인 '프로덕션(production)' 과정에 들어간다. 공연을 올리기까지 2달가량 팀원들이 모여 연습하는 단계이다. 다 함께 작품을 개발하고 분석하는 '테이블 작업'부터 시작한다. 날것의 대본을 완전히 우리 팀의 것으로 체화하는 과정이다. 환경에 대한 연극을 할 때에는 환경 오염에 관련된 책과 발제문을 읽고 대화 나누는 스터디를 진행했고, 소설을 각색한 연극을 할 때에는 원작을 읽고 그것이 쓰인 시대적 배경과 작가의 생애 등을 공부했다.

어느 정도 극에 대한 이해도가 깊어지면 장면을 만든다. 이후 동선과 액팅을 만들고, 무대를 구상하고, 조명에 대한 아이디어 회의를 하고, 필요한 소품을 정리하고, 음악 레퍼런스를 전달하고, 기획 회의를 하다보면 어느새 시간은 빠르게 흘러 프로덕션 막바지에 다다른다. 이때는 수많은 조율과 회의를 거쳐 모든 파트의 최종 작업물이 나온 상태여야 한다. 이렇게 완성된 것들을 가지고 처음부터 끝까지 실제 공연처럼 연습해 보는 '런 스루 (run through)'를 진행한다.

런 스루는 연습실을 벗어나 극장에서 진행된다. 무대를 세우고 조명을 설치한 후 기술적인 리허설과 의상 리허설을 진행한다. 공연까지 4일가량의 시간이 주어지는데, 아무리 꼼꼼하게 극장 일정표를 짜두어도 일정이 지연되고 미뤄지기 십상이다. 이상한 나라의 앨리스처럼 극장에만 들어가면 시간이 빠르게 흐른다는 우스갯소리가 있을 정도로 이 시간은 늘 부족하다. 극장은 늘 예상치 못한 사고가 생길 수 있는 위험한 공간이라 언제나 신경을 곤두세우고 있어야 한다.

팽팽한 긴장감 속에서 모든 셋업 과정을 마치고 공연이 시작되면 그때부터 작품은 연출의 손을 완전히 떠난다. 그저 배우들이 너무 긴장하지는 않기를, 관객들의 반응이 좋기를, 무엇보다도 아무런 사고 없이 공연이 무사히 끝나기를 바랄 뿐이다.

지루한 반복의 연속이 만들어내는 공연

공연이 모두 끝난 후 짧게는 며칠, 길게는 몇 주의 휴식기를 가진 후에 합평회를 진행한다. 관객들의 평가를 함께 읽으며 우리 팀이 잘 해낸 것, 공연의 한계점 등을 분석하고, 팀원들이 앞으로 더 좋은 작업을 할 수 있도록 돕는다. 이처럼 한 편의 연극을 잘 정리하여 보내주는 과정을 일컬어 '포스트 프로덕션(Post-Production)'이라고 부른다. 공연 사진과 영상을 편집하고 잘 정리해놓는 것, 사용한 예산을 정산하는 것 또한 이 과정에 속한다.

한 편의 공연을 만드는 과정은 지난한 항해와 같다. 이 긴 과정 속에서 연출은 수많은 퍼즐 조각을 맞추어 나가는 역할을 수행한다. 각 파트의 작업물들이 전체 그림에 어울리는지, 실수로 빠뜨리고 있는 요소는 없는지 등을 체크해야 한다. 각 학과별 작업 방식은 다를 수밖에 없다. 그러다 보니 서로 사용하는 표현 방식도 다르고, 서로의 역할에 대해 깊게 이해하고 있지 못할 시 오해를 빚기도 한다. 누군가의 말이나 행동이 다른 팀원에게 상처가 되지는 않을지 고려하고 관계를 조율하는 역할도 연출이 겸한다.

이쯤 되면 예상할 수 있겠지만, 이 모든 과정에서 내 마음대로 굴러가는 것은 정말이지 하나도 없다. 고려하고 조율해야 할 사항들은 짧은 기간 내에도 끊임없이 생겨난다. 이를테면 내가 첫 연출작을 올렸을 때, 무대 디자이너를 살짝 늦게 구했을 뿐인데 모든 일정이 틀어져 버린 적이 있다. 무대의 대략적인 스케치가 나와야 조명의 규모를 파악할 수 있으므로 조명 디자인도 밀리고, 무대 위에 어떤 도구가 있을지 명확한 그림이 그려지지 않으니 배우들의 연기 동선을 만들기도 힘들었다. 구매해야 하는 품목을 결정할 수 없으니 예산 사용에도 어려움을 겪었다. 내가 생각한 완벽한 무대는 그런 게 아니었는데! 미숙한 방식으로 일련의 과정들을 견디며 많이도 고통스러웠다.

반짝하고 사라지는 공연 예술의 순간성에 반해서 이 학과에 들어온다면 막막한 순간이 더 자주 찾아올 수도 있다. 우리에게 연극 무대는 특별한 사건이라거나 이벤트가 아니라 지루하리만큼 반복되는 일상이기 때문이다. 처음의 설렘은 어느새 흐려지고 관성적으로 공연을 지켜보는 내 모습을 발견할 때면 씁쓸한 기분이 드는 것도 사실이다. 몇 달간 공들인 무대를 철거하고 뒤돌아 사람들을 매혹시켰던 화려함이 사라진 텅 빈 무대를 바라볼 때면 공허한 감정이 들기도 한다. 이 모든 과정에서 나는 무대 위의 완전성보다 무대 뒤의 불완전성을 훨씬 자주 접할 수밖에 없었다.

하지만 그럼에도 연극의 길을 걷고 싶은 친구들에게, 통제되지 않기 때문에 더 아름다운 순간들이 분명 있다고 말해주고 싶다. 내가 생각했던 것만큼 수월하고 즐겁기만 한 과정은 아니지만, 공연이 올라가기 전의 노고를 알기에 더 아름답게 보이는 것들이 있다. 그리고 그 과정을 통해 배우게 되는 것도 분명 많다.

공연 과정에서 더 능숙하게 연출하기 위해서는 각 파트에 대해 정확하게 이해하고 있어야 한다. 배우들만큼 연기를 잘 해야 하고, 무대 설계 도면을 직접 그려야 한다는 이야기는 아니다. 적어도 그들이 어떤 방식으로 일하는지, 어떤 과정을 중시하고 얼마나 시간을 들여 작업하는지 경험을 통해 알고 있어야 한다는 뜻이다. 그래서 연출과의 전공 수업에서는 거의 모든 과를 체험해 볼 수 있다.

연출과 수업

1학년 때에는 장구와 한국 무용을 배웠다. 연기할 때 주로 사용하는 리듬 개념에 대해 이해하고 몸을 움직이는 법을 세세히 배울 수 있었다. 글쓰기 수업을 통해 중단편 소설과 희곡 등을 완성해 보기도, 연기 수업을 통해 몇 가지 희곡을 직접 연기해 보기도 했다. 2학년 때는 조명과 음향 기술의 기본기를 닦고 실습해 보는 수업을 들었다. 조명을 디자인하여 짧은 장면을 발표하고, 음향을 믹싱하고 직접 목소리를 녹음하여 오디오 드라마도 만들었다.

이처럼 다양한 방식으로 진행되는 수업들 속에서 디자이너, 배우, 그리고 작가들이 사용하는 언어라든지 기술들을 면밀히 배울 수 있어 좋았다. 내가 잘 해내지 못한 수업이 있더라도 오히려 그 역할에 대한 존경심을 키울 수 있다는 점에서 큰 도움이 되었다.

나는 음향 디자인을 배우며 큰 흥미를 느껴 이후에 뮤지컬에서 음향 작업도 도맡아 하고, 내가 연출하는 작품에서도 간단한 수준의 음향을 만들어냈다. 반면 높은 곳에 올라가야 하는 조명 작업은 고소 공포증이 있기 때문에 늘 힘들었다. 하지만 조명 행잉을 도맡아주는 크루들에 대한 큰 감사함을 지닌 채 공연할 수 있게 되었다. 경험해 본 사람만이 그 일의 고됨을 안다.

가장 마음에 드는 점은 이 모든 수업이 소수 정예로 진행된다는 점이다. 연출과는 1년에 들어오는 인원이 최대 8명으로 적은 편이다. 우리 학번은 총 7명인데, 부전공생이나 청강생을 합쳐도 그리 많지 않아서 실습에 용이하다. 토론을 하거나 의견을 나눌 때에도 더 편하고 느긋하게 시간을 사용할 수 있어서 좋다.

또한 아무런 준비도 없이 2번의 졸업 공연에 내던져지는 것은 아니다. 작가 혹은 디자이너들과 협업하여 짧은 단막극을 만드는 '창작 콜라보레이션', '연출과 디자이너의 콜라보레이션' 같은 수업도 있다. 수업 중에 우리는 더 많은 동료 창작자들과 만나 팀을 이룰 수도 있고, 여러 시행착오를 거치며 서로의 영역과 작업을 존중할 수 있게 된다.

이처럼 졸업 작품은 1학년 때부터 준비를 하는 셈이다. 수많은 사람의 노고가 들어간 공연을 보고 있자면 다양한 악기 소리를 차곡차곡 겹쳐 올려 만든 훌륭한 교향곡 같아서 참 아름답게 느껴진다. 바쁘게 돌아가는 연습 일정에 질려 슬럼프가 오더라도, 우리가 함께 만든 결과물을 보고 있노라면 다시금 사랑에 빠질 수밖에 없다. 그야말로 번아웃과 회복의 반복이다.

지치지 않고 지속하기 위해

사랑하는 일을 지치지 않고 계속하기 위해 나는 다양한 수단을 동원했다. 무언가를 얼마나 좋아하는지 알려면 우선 그것에서 조금 떨어져 있어야 한다는 친구의 이야기를 새겨듣고, 공연 예술 바깥의 세계도 주의 깊게 살펴보려 노력했다.

작년에는 부전공을 신청해서 영상원 방송영상과의 수업들을 들었다. '다큐멘터리 실습'이나 '참여 관찰 방법론' 같은 수업들이 주변 사회와 문화에 대한 나의 관찰력을 높여줄 수 있을 것이라는 기대 때문이었다. 학업 계획서와 학점 평균을 제출하면 심사를 통해 부전공 합격 여부를 알려준다. 오전 10시부터 오후 6시까지 내리 수업을 듣고, 오후 7시부터 밤 11시까지 다시 공연 연습을 진행해야 하는 빽빽한 시간표가 뒤따르긴 하지만, 새롭게 배우는 것들이 마냥 즐겁고 유익했다. 아직은 기획안을 작성하는 수업이나 영상 이론에 관련된 수업을 듣고 있지만, 다음 학기에 촬영을 배우게 된다면 연극 실황을 찍어보고 싶다는 작은 꿈도 생겼다.

1학년 때는 희곡을 함께 공부하기 위해 작은 소모임을 만들기도 했다. 진로도 학과도 서로 다르지만 창작에 대한 열정만은 비슷한 친구들과 이야기하는 시간이 즐겁고 유용했다. 이 스터디는 1년 6개월 이상 지속되었으며 우리는 매주 고전과 현대 작품을 넘나들며 수많은 작품을 읽고 토론했다. 거기에서 멈추지 않고 우리는 팀을 나누어 희곡을 공동 창작한 후 피드백을 주고받는 활동도 진행했다. 여기서 함께 쓴 희곡은 교내 인큐베이팅 사업에 선정되어 1년 후 정식 공연으로 올라가기도 했다.

이처럼 한예종에서는 마음 맞는 사람들을 모아 공동 작업을 할 수 있는 기회가 무궁무진하다. 크고 작은 소모임이나 스터디그룹도 아주 많고, 마음만 먹으면 직접 팀원들을 모을 수도 있다. 서로에게 끊임없이 동기 부여를 해주며 함께 작업할 수 있는 동료가 생긴다는 것은 생각보다 더 어마어마한 도움이 된다. 나 또한 이 소모임의 친구들과 팀을 이루어 여러 번 함께 작업했다.

비슷한 맥락에서, 의지만 있다면 수많은 공연에 참여할 수 있다는 것 또한 한예종의 큰 이점이다. 2학년 때는 1년 동안 10편가량의 작품에 크고 작은 역할로 이름을 올렸다. 이전 작품에서 알게 된 동료들에게 계속해서 일을 소개받을 수 있을 뿐더러, 다양한 인큐베이팅 사업과 교내 공모전이 끊임없이 열리기 때문에 가능한 일이었다. 수많은 공연을 올리며 어떤 작업이 나에게 잘 맞고 또 어떤 작업이 힘들게 느껴지는지 파악할 수 있었다. 졸업 후 본격적으로 사회에 나가기 전에 나 자신의 특성과 선호에 대해 파악할 수 있다는 점은 아주 큰 혜택같이 느껴진다.

　몇 번의 도전과 실패와 또 작은 성공들 끝에, 내가 아동 혹은 청소년을 대상으로 공연할 때 가장 즐겁고 보람을 느낀다는 것을 알게 되었다. 내가 언제까지 연극을 하며 살지 확실히 장담할 수는 없지만, 우선은 나의 즐거움을 착실히 따라가볼 생각이다. 매 공연마다 새로운 것을 배우고 또 색다른 즐거움을 느끼고 있다. 이 모든 것들에서 나는 계속할 수 있는 힘을 얻는다.

　톨스토이는 우리에게 묻는다.

"예술이란 아주 중요한 것이라고 한다. 하지만 예술이란 과연 많은 사람들의 희생을 강요해도 좋을 만큼 중요한 것인가?"

　대학에 들어온 후 어느 순간부터 톨스토이의 이 문장이 내 마음에 깊게 남아서 이 질문에 대한 답을 찾기 위해 노력해왔다. 하지만 세상에서 일어나는 잔혹하고 끔찍한 일들에 비해 예술은 너무도 무력하게 느껴졌다. 어느 때는 연극이 한가로운 신선놀음처럼 느껴지다가도 다른 순간에는 왜 이렇게 많은 사람들이 피로와 고통을 떠안고 공연을 해야만 하는지 화가 날 때도 있었다. 나는 여전히 이 난제의 답을 찾아가는 과정에 있지만, 사실 톨스토이는 자신의 질문에 곧바로 답을 내렸다.

그에 의하면, 의심할 여지없이 예술은 아주 중요하다. 단지 쾌락과 아름다움을 추구하는 것만이 아니라 사람과 사람 사이의 소통을 가능하게 해주기 때문이다.

"예술은 우리의 삶을 표현하고 우리가 느끼는 것을 서로 공유하게 한다. 우리는 그로 인해 타인의 세계에 소속될 수 있다. 예술을 통해 연합하고 연대하며 공동체를 형성할 수 있는 것이다."

나는 위 문장들을 되새기며 지속할 수 있는 힘을 얻는다. 이제는 내가 한 세계를 완전히 통제하지 못하더라도 괜찮다. 연극을 통해 내 동료들의 고유한 세상에 잠시나마 머무를 수 있으니까. 그렇게 우리는 우리를 조금씩 알아가게 될 테니까. 나는 앞으로도 이 통제할 수 없는, 불완전한 세계를 점점 더 사랑하게 될 것 같다.

반짝하고 사라지는
공연 예술의 순간성에 반해서
이 학과에 들어온다면
막막한 순간이 더 자주 찾아올
수도 있다. 우리에게
연극 무대는 특별한
사건이라거나 이벤트가 아니라
지루하리만큼 반복되는
일상이기 때문이다.

07

늘
예술 언저리에
사는 사람이
되기 위해

박차리

연극원 연극학과
예술경영전공 21학번

@ @charrr_bleee_

학교를 휴학하고 방송작가로 일하고 있는 지금도 누군가 나에게 앞으로의 진로를 물어보면 이렇게 답하곤 한다. "예술 언저리의 일을 하고 싶어요." 나는 어쩌다 예술 언저리로 오게 되었을까? 예고 연극영화과에서 영화를 전공하고, 현재는 한예종 연극원에서 예술경영을 전공하게 된 과정을 되짚어 보려 한다.

초등학생, 중학생 때는 내가 예체능 관련 전공을 하게 될 것이라고는 전혀 생각하지 못했다. 유치원 때부터 초등학교 때까지 발레를 배웠지만 전공생 수준은 아니었고, 거기다 수줍음이 많은 아이였다. 그러니 주변에서도 내가 예술계 학교에 진학할 것이라고 생각하지 못했을 것이다.

중학생 때는 내내 학생회 활동을 했다. 우리 동기들은 유독 특목고 진학률이 높았고 가깝게 지내던 학생회 친구들 대부분이 특목고, 특성화고 진학을 희망했다. 나는 그때 진로를 정하지 못한 상태였다. 학교에서 두 선생님과 진로 상담을 각각 한 차례씩 진행했다. 한 번은 2학년 때, 한 번은 3학년 고입 입시 직전이었다. 두 선생님 모두 나에게 교사라는 직업을 추천하셨다. 2학년 때 상담에서는 웃으면서 교사가 되고 싶지 않다고 말했고, 3학년 때 상담에서는 교사는 하고 싶지 않다고 말하며 눈물까지 흘렸다. 이렇게 교사가 되기 싫었던 것은 3학년 때 학생들을 외모, 성적, 가정 형편 등으로 차별하는 담임 선생님을 만난 것도 한몫했다. 이런 사람들과 동료가 되고 싶지 않았고 또 매일 같은 장소에서 같은 일을 하는 게 나와는 맞지 않다고 생각했다. 무엇보다 가치관이 제대로 형성되기 전인 학생들에게 가르침을 주며 지도해야 하는 자리라는 것도 부담스러웠다.

중학교 3학년 때의 나는 '환기'가 필요한 시점이라고 생각했다. 주변 친구들이 모두 멀리 떠날 채비를 하고 있어서 이 동네에 머무르면 뒤처질 것만 같았다. 그래서 그리 깊게 고민하지는 않고 중학생 때 관심이 있었던 연출을 배우겠다고 생각했다. 그러나 방송연출, 무대연출전공이 있는 고등학교는 거의 없었다. 대부분의 예술고등학교 연극영화과에는 영화연출전공이 있었으므로, 그쪽으로 진학하기로 마음먹었다.

연극영화과 영화전공이 있는 예고 중에서 연극영화과 전통이 가장 길다고 알려져 있는 A예고에 지원했다. 당시 평가 기준은 면접, 중학교 내신 성적, 실기 평가 성적으로 총 3가지였다. 세부 전형으로는 실기 반영 전형과 실기 미반영 전형이 있었다. 나는 실기 평가를 치르지 않고 내신 성적과 면접으로만 평가되는 실기 미반영 전형을 선택했다. 해당 학교 반영 비율 기준으로 200점 만점에 180점 후반대의 점수가 나왔다. 면접 때에는 영화 상식에 대한 질문보다는 자기소개서를 기반으로 한 간단한 질문을 받았다.

그곳에서 나는 약 80명의 동기들과 3년 내내 동고동락했다. 영화전공 외에도 연기전공, 뮤지컬전공 친구들과 같은 반이 되었다. 연극영화과는 두 반으로 나뉘어 한 반에 영화전공은 많아도 6명이었다. 연기전공, 뮤지컬전공 친구들과 같은 반에 있으니 더 비교가 되었다. 철저한 커리큘럼에, 1년에도 공연을 두어 번은 하는 친구들과 달리, 영화전공은 개인 영화가 완성되지 않으면 영화제를 할 수 없었다.

영화를 촬영하는 모든 비용은 학생 개인이 부담해야 했다. 입학한 뒤 얼마 지나지 않아, 카메라를 1대씩 구입하는 것이 좋겠다고 전공 교사가 권유했다. 고등학생에게는 부담스러운 가격의 카메라를 구입했다. 하지만 바로 윗기수 선배들은 완성된 영화가 거의 없다는 이유로, 우리 기수는 코로나가 시작되었다는 이유로 영화제를 하지 못했다. 결국 나는 고등학교를 다니는 내내 영화제를 한 번도 경험하지 못하고 졸업했다.

게다가 영화 연출은 방송 연출, 극 연출이나 콘서트 연출과도 거리가 멀었다. 동기들이 좋아하는 영화를 찾아갈 동안, 나는 영화에 대한 반감만 늘어갔다. 그나마 좋아하던 글쓰기도 하기 싫어졌다. 내가 쓴 글을 빔 프로젝터로 벽에 비춰 함께 보면서, 선생님 포함 12명이 내 글에 대해 '고칠 점'만을 이야기하는 수업이 특히 괴로웠다. 급기야 평가받기가 무서워서 글을 써가지 않게 되었고, 왜 글을 써오지 않았냐는 질문에 어떤 말도 하지 못하고 눈물만 뚝뚝 흘린 적도 있었다.

기획에 눈 뜨다

　　동기 친구들과 함께 영화 작업을 하면서는 친구들이 맡기는 포지션에 따라 임해야 했다. 나는 주로 PD를 담당했고 현장에서의 일은 생각보다 즐거웠다. PD는 예산, 일정 관리, 현장 진행 등을 도맡는다. 이것이 계기가 되어 예술 작품의 기획과 제작 전반에 관심이 생겼다. 학생회 활동을 하면서는 여러 과의 융합과 교류를 도모하는 프로그램을 진행했다. 예술가들을 잇는 일, 어떠한 프로그램에 어울리는 예술가, 기획자들을 초청하는 일에 관심을 갖게 되었다.

　　그러나 기획에 관심을 갖게 된 후 곧바로 예술경영전공으로 대학에 진학하기를 희망한 것은 아니었다. 고등학교 3학년 때, 철학 과목 수업이 있었다. 나는 그 수업을 좋아했다. 영상을 보고 토론하기도 하고, 여러 철학자들의 생각도 배울 수 있었다. 그래서 한동안은 철학과에 진학하고 싶었다. 실제로 수시 때에는 지원한 6개 학교 중 5개가 철학과였다. 한예종은 고등학교 3년 내내 1지망이었던 적이 없었다. 한예종에 진학한 선배들은 전공이나 학교생활 측면에서 무엇이라도 눈에 띄는 것이 있던 사람들이었지만, 나는 영화에 별로 열성적이지 않았고, 학교생활도 그 선배들에 비하면 평범하다고 생각했기 때문이었다. 3년 내내 한예종을 1지망으로 생각했던 동기들은 간절하고 치열하게 한예종 입시를 준비했다. 친구들이 준비하는 모습을 보면서 더 마음을 내려놓게 되었다. 준비를 더 오래, 성실히 한 사람들에게 기회가 주어지는 것이라 생각했다.

그러다 고등학교 3학년 입시를 시작할 무렵에 한예종에 예술경영전공이 있다는 사실을 알게 되었다. 영화과에 가지 않기로 마음먹었기 때문에 예술 대학교에는 지원할 일이 없다고 생각했다. 그러나 예술경영전공은 내가 관심을 가졌던 예술 기획을 배울 수 있는 전공이었다. 그렇기에 한예종 연극원 예술경영전공에 지원했다.

1차는 언어 능력 평가였다. 주로 예술과 관련된 문학, 비문학 지문이 나왔다. 이전에도 나는 국어를 좋아하는 편이었지만, 문제 푸는 속도가 느려 고민이었다. 내가 시험을 치렀던 21학년도는 코로나가 한창일 때라, 시험에도 여러 변경 사항이 있었다. 그 해에는 시험 시간은 기존과 동일했지만, 문항 수가 열 문항 적어졌다. 정확도보다 속도가 고민이었던 나에게는 행운이었다. 문제를 다 풀고도 시간이 남아 몇 번 문제를 다시 살펴볼 시간이 있었다. 운 좋게 1차 시험에 합격했다.

입시에 큰 도움이 된 글쓰기라는 취미

1차 시험에 붙었다고 해서 마냥 기쁘지는 않았다. 다른 지원자들에 비해 준비한 기간이 길지 않아 자신이 없었던 탓이다. 2차 평가는 자기소개서와 논술형 평가를 기반으로 한 면접이었다. 급하게 과외도 구해보고, 전문 입시 학원에도 가봤지만, 누군가 나의 '콘셉트'을 정해주는 것이 부자연스럽게 느껴져 길게 배울 수 없었다. 예술경영전공 입시 시험은 전공 상식이나 지식을 전문가 수준으로 알고 있는 것보다도, 본인이 어떤 예술에 관심이 있는지, 본인 스스로가 어떤 사람인지 등을 아는 것이 중요하다고 생각했다.

입시를 치를 당시에는 자존감이 낮아져 있는 상태라, 이미 한예종에 진학한 선배들과 나를 비교하며 '나는 안될 거야.'라고 생각했다. 주변의 한예종에 지원하는 친구들이 성실히 준비하는 것을 보고 주눅이 들기도 했다.

그러나 지금 돌이켜보면 나는 예술경영과 결이 잘 맞는 사람이었던 것 같다. 나는 고등학생 때부터 블로그에 글을 꾸준히 써 왔다. 현재까지 총 포스트가 700개 정도 된다. 주로 스스로에 대한 생각, 나를 둘러싼 주변 세계에 대한 고민을 적어 올렸다. 예술경영 입시 문제는 예술 작품이나 사회적인 이슈를 보여주고, 그것에 대한 지원자의 생각을 묻는 것이 대다수였다. 입시 문제를 많이 연습하고 풀어보지 못했지만, 이미 블로그를 하면서 그러한 사고를 하고 있었기 때문에 시험을 볼 때에도 큰 어려움 없이 문제를 풀어나갈 수 있었다.

그리고 이 이야기는 조금 부끄럽지만, 또 하나 더 나의 입시에 도움을 주었던 중요한 일을 이야기 해야겠다. 나는 고등학교 3학년 때 한창 글을 쓰기 싫어했다. 한 시간 반 거리를 통학하다 보니, 수면이 턱없이 부족했다. 글이 눈에 잘 들어오지 않았고, 글을 쓰고 읽을 시간도 부족했다. 무엇보다 만족스럽지 않은 글을 보여주기가 부끄러웠다. 구체적으로 말하자면, 장면은 잘 상상되는데 늘 글의 결말이 약했다. 잘 매듭짓는 게 어려웠다. 그러던 중 굳이 매듭을 짓지 않아도 되고, 교훈이나 메시지를 전달하지 않아도 되는 장르를 발견했다. 팬픽이었다. 그렇게 나는 고등학교 3학년 때 팬픽을 써서 돈을 벌어본 경험을 하게 되었다. 그때의 경험은 나를 성장시켰다. 글을 써서 타인에게 보여주는 일은 내 글을 수정하는 데 도움이 된다는 사실을 알게 된 것이다. 그리고 팬픽을 원하는 사람들이 결제해서 읽고, 마음에 든다면 응원하는 댓글을 달아주기도 했기 때문에 힘이 나는 듯했다. 그러면서 다시 글을 쓰는 일이 즐거워졌다. 그 후부터는 어떤 글도 자신감 있게 쓸 수 있게 되었다.

내가 느껴지는 글 쓰기

인문계 고등학교 지원용 자소서를 쓰고 나서는 여러 선생님들, 친구들에게 조언을 구했었다. 그런데 가장 먼저 들은 이야기는 "이 자기소개서에서는 네가 느껴지지 않는다. 그냥 모범생의 자기소개서 같다."라는 말이었다. '잘 보이고 싶은' 마음으로 쓴 글은 매력적이지 않았던 것이다. 게다가 많은 사람들의 피드백을 듣고 반영하다 보니, 이도저도 아니게 된 글이 되었다. 그래서 한예종 자기소개서를 쓸 때에는 한예종 방송영상과에 재학 중인 친한 선배에게 자기소개서를 보여 달라고 부탁했었다. 선배는 흔쾌히 자기소개서를 보내줬고, 나는 그것을 보고 용기를 얻었다. 선배의 자기소개서가 형식적으로 자신의 좋은 점, 잘한 학교생활 관련해서만 쓴 것이 아니었기 때문이다. 진솔하게 자신의 내면을 담은 글이었다. 얼마 후, 내가 쓴 자기소개서를 선생님께 보여드리고 들은 말은 "너는 왜 자기소개서를 도전장처럼 썼니?"였다. 조금 더 부드럽게 고치라는 말씀이셨지만, 나는 그 말을 듣고 나서 오히려 그대로 내는 것이 좋겠다고 생각하게 되었다. 그리고 합격을 했으니 틀린 선택은 아닌 셈이다.

자기소개서 문항은 지원 동기, 예술경영에 적합한 나의 장점 3가지와 단점 1가지, 그리고 지금까지 삶에서 가장 힘들었던 경험까지 총 4문항이었다. 지원 동기에는 예술경영전공 자체에 대한 이야기를 하기보다는 내가 생각하는 예술의 가치를 담았다. 예술이 가진 힘을 인식한 첫 기억을 쓴 것이다. 중학생 때 장애인 극단의 연극을 본 일이었다. 그 공연이 굳어 있었던 인식을 부드럽게 바꾸었다는 것, 모든 이야기에는 갈등이 필수 요소라고 생각했지만 생각이 바뀌었다는 점, 작품에서의 혐오 표현이 누군가에게는 폭력이 될 수 있음을 인식했다는 내용들도 썼다. 중학교를 졸업한 지 10년이 다 되어가는 지금도 그 공연은 생생히 기억에 남아 있다. 부끄럽지만 당시에는 장애인이 창작한 작품에 편견이 있었다. '비장애인의 공연보다 수준이 낮을 것'이라는 생각을 했었다.

예술의 힘은 이런 데에 있다고 생각한다. 개개인의 닫힌 마음과 생각을 부드럽고 자연스러운 방식으로 열어주는 힘이 예술이 지닌 가장 큰 가치라고 느꼈다.

예술경영전공에 적합한 나의 장점 3가지와 단점 1가지를 쓰는 부분에서는 우선 나의 본질이 무엇인지 생각해 보았다. 예술경영전공에 적합한 특성을 골라내어 끼워 맞추고 싶지는 않았다. 정말 나를 이루고 있는 커다란 특성을 찾아 적고 싶었다. 그리고 대부분의 그러한 특성들은 양면성을 지니기 때문에 좋은 점과 곤란한 점이 모두 있을 거라고 생각했다. 그러다 늘 고민이었던 '예민함'이라는 특성에 대해 써보기로 했다. 사실 예민함이라고 하면, 부정적인 이미지를 떠올릴 수도 있다. 그러나 그 점은 나를 관통하는 특성이었고, 예민함 덕분에 예술을 더 다채롭게 감각할 수 있었을지도 모른다. 이처럼 본인의 특성, 타고난 것과 발달시켜온 것에 대해 고민하는 시간을 가지는 것을 추천하고 싶다. 이는 입시뿐만 아니라, 삶의 방향을 정하는 데 있어서도 분명 중요한 절차일 것이다.

그렇게 다시 전공을 정한 지금은 전공이 더 이상 나를 얽매는 울타리처럼 느껴지지 않는다. 오히려 한 번 전공을 바꿔 본 경험이 있기 때문에, 언제라도 내가 새로운 것을 하고 싶어진다면 마음을 열고 배울 준비가 되어 있다. 글을 쓰는 것을 싫어했던 나는 팬픽을 써서 돈을 벌어보았고 지금은 휴학 후 방송작가 일을 하고 있다. 스스로 특별하다거나 예술적인 사람이라고 생각하지는 않는다. 그러나 이제는 예술 언저리에서 살기 위해 노력하는 사람이 되어가고 있다.

　내가 생각하는 예술은 마음을 써서 무언가를 드러내는 일이다. 마음을 쓴다는 것은 나에게 있어 사랑에 가깝다. 이전까지는 주로 '나'를 표현하는 데에 글이라는 수단을 썼었다. 나를 알아가고 사랑하는 데에 시간과 노력을 많이 들이고 싶었기 때문이다. 앞으로는 좀 더 관계에 대한 이야기를 해보고 싶다. 요즘은 나의 반려견 '별'과 반려묘 '꼬똥'에 대한 이야기를 쓴다.

　이 글을 읽는 분들도 예술과 사랑이 맞닿아 있다는 나의 생각에 공감한다면, 예술 학교에 진학하기에 앞서 자신이 사랑하는 것이 무엇인지 생각해 보길 바란다.

스스로 특별하다거나
예술적인 사람이라고
생각하지는 않는다.
그러나 이제는 예술 언저리에서
살기 위해 노력하는 사람이
되어가고 있다.

08

탄탄한 커리큘럼 속에서 발견한 아쉬움

interview

김가림

연극원 연기과 20학번

@ @ringa_01ivine

나는 글을 써서 다른 사람들에게 메시지를 주고 싶다는 목표가 있었다. 그래서 처음에는 신문방송학과를 가야겠다고 생각했다. 하지만 어느 날 내가 글을 쓰는 것보다 말하는 것을 더 좋아하고, 사람들을 만나는 것을 좋아한다는 사실을 발견했다.

그렇게 진로에 대한 여러 고민을 하던 중 처음으로 '공연'을 보게 되었다. 그 공연이 나에게 큰 자극이 되었다. 내가 하고 싶은 말을 예술적으로 풀어낼 수 있는 직업을 갖고 싶었다. 작품을 통해 관객들에게 메시지를 줄 수 있는 사람, 연출가가 되어도 좋을 것 같았다. 나는 곧바로 공연예술을 배울 수 있는 학원에 다니기 시작했다. 어느 날 학원에서 올리는 공연에 배우가 필요해 내가 배우로 무대에 올라가게 되었는데, 이 우연한 경험이 나의 진로를 완전히 뒤바꿔 놓았다. 무대에 서보는 경험을 통해 내가 몸을 사용하는 것과 사람과의 직접적인 소통을 좋아한다는 것을 깨닫게 되었다. 여태까지 고민했었던 것들이 명확하게 한 지점으로 모이는 듯한 기분이 들었다. 나는 그렇게 본격적으로 연기를 시작하게 되었다.

나는 입시를 준비한 기간이 6개월 정도로 상당히 짧았다. 그래서인지 무조건 커리큘럼이 좋은 학교에 가고 싶다는 생각이 강했다. 연기를 오랜 기간 배운 것이 아니어서 많은 지식을 얻을 수 있는 학교에 가고 싶다는 생각이 간절했기 때문이다. 나를 자유롭게 풀어주기보다는 체계적인 커리큘럼으로 철저하게 교육해 줄 학교를 원했다. 처음에는 무작정 여러 학교 사이트들을 다 뒤져보기 시작했다. 각 학교가 지닌 커리큘럼과 프로그램, 교수님들의 경력 등 학교에 대한 정보를 찾아보았다. 다양한 학교들 중에서 한예종이 가장 눈에 들어왔다. 해외 교류 사업도 활발하고, 무엇보다 4학년 졸업반까지 커리큘럼이 잘 잡혀 있는 학교라는 생각이 들어서 큰 고민하지 않고 지원했다.

연기를 전공한다는 것의 명암

정신적인 부분과 신체적인 부분을 고루 배울 수 있는 학문은 많지 않은데, 연기는 이 2가지를 모두 충족시킨다. 더불어 전공을 배우는 과정 속에서 생활에 도움이 되는 지점들이 굉장히 많다고 생각한다. 바른 자세와 긴장 완화, 커뮤니케이션 방법 등 모든 것이 삶과 밀접한 관계를 맺고 있다. 그래서 처음 보는 사람과 대면하는 상황에서도 상대방이 불편하지 않도록 대화의 흐름을 이끌어나갈 수 있고, 새로운 장소에 갔을 때 위축되거나 긴장하지 않고 편안하게 나로서 존재할 수 있게 되었다. 이렇듯 학교에서 배운 것들이 그저 연기 실력 향상에만 그치는 것이 아닌 사회생활 전반에 큰 도움이 되어 전공에 굉장히 만족한다.

반면 연기를 배우기 전에는 작품을 볼 때 오로지 관객으로서 즐길 수 있었지만, 이제는 불가능하다는 점이 아쉽다. 연기를 시작하기 전에는 정말 즐겁게 작품을 관람했었는데, 이제는 연극, 뮤지컬, 영화, 드라마 등 무엇을 보든 배우의 연기를 분석하게 된다.

나는 공연에서 활동적인 역할에 주로 캐스팅이 되는데, 그렇다 보니 특히 작품 내에서 느리고 차분한 캐릭터들에게 눈이 많이 간다. 배우들이 어떻게 신체를 쓰고 있고 숨을 쉬는지 정말 집중해서 관찰하며 작품을 보게 된다. 이렇게 온전히 관객으로서 작품을 즐길 수 없게 되었다는 점이 다소 아쉽지만, 앞으로 계속 업으로 삼아야 하는 분야이기 때문에 연기를 관찰하는 것 자체를 즐기려고 노력한다.

예술을 벗어나지 않는 수업들

학교를 다니면서 불확실한 미래에 대한 불안함이 있었다. 졸업 후에 어떻게 살아야 할지 학년이 올라갈수록 고민이 되었다. 어쩌면 이 부분은 무엇을 전공하든 졸업을 앞둔 대학생이라면 모두 하는 고민이 아닐까 싶다.

연기를 배우다가 다른 것들이 하고 싶어질 경우에 대한 고민도 생겨났다. 종합 대학의 경우 본인의 전공이 아니더라도 다양한 경험할 수 있는 루트가 많다. 하지만 한예종은 애초에 '예술 학교'라는 큰 타이틀이 있다 보니 '예술'을 벗어나기가 쉽지 않다. 일반 대학에서는 흔하게 볼 수 있는 자격증 동아리, 스터디조차 없다. 심지어 동아리마저 예술 활동에 관련된 동아리들이 주를 이루기 때문에 아쉬움이 크다. 교양 수업 또한 예술을 떼어놓고 진행되는 수업이 없어 아쉽다.

나는 중고등학생 시절부터 다양한 학문을 배우고 나의 시야를 넓히고자 하는 바람이 있었는데, 대학이 이것을 충족시켜줄 수 있을 거라고 생각했다. 종합 대학의 경우, 본인의 전공이 아니더라도 다른 학과 수업을 청강할 수 있고 일반 교양 수업 또한 굉장히 다양하다. 그런데 한예종에는 일반적인 인문학 교양 및 이과 계열의 학문, sf 수업 등 다양한 수업이 없고 '예술과 정치', '예술적 글쓰기' 등 예술을 기반으로 한 교양 수업이 대부분이다. 그래서 한예종 사람들은 배우고 싶고 알고 싶은 분야가 생겼을 때는 따로 아카데미를 다니거나 타 대학교와 함께하는 연합 동아리에 들어가는 방법으로 갈증을 해소하는 편이다.

예술을 하려면 전공 지식뿐만 아니라 인문학적 소양도 필요하고, 다양한 분야에 대해 알면 알수록 견문이 넓으면 넓을수록 도움이 된다. 전공 교수님들께서도 인문학적 소양을 키우고, 견문을 넓혀야 한다는 점을 강조하시는데, 막상 학교 내에서 이런 부분을 채워줄 수업이나 동아리 활동이 부족하다 보니 아쉬움이 큰 것 같다. 전공을 체계적으로 배워나갈 수 있다는 점은 한예종의 큰 장점이지만, 본인의 전공과 예술 이외의 것들을 배우기에는 어려움이 있다.

최근 기술의 발전으로 인해 AI와 버추얼 캐릭터 등 많은 것이 개발되고 있다. 이 때문에 기존에 있던 예술에 대한 수요가 줄어들 것이라는 우려도 있다. 하지만 개인적으로는 완전히 대체될 수는 없다고 생각한다. 특히 연극을 토대로 하는 교육이나 치료 등 심리와 관련된 영역은 AI가 대체할 수 없을 것 같다. 현재 초등학교에서도 드라마 수업이 굉장히 활성화되고 있고, 연극 교육과 연극 치료가 많이 늘어나고 있는 것으로 보아 '연기'를 통한 교육과 치료에 대한 분야는 오히려 확장될 수 있다고 생각한다.

그리고 연기를 전공했다고 해서 꼭 배우가 되어야 하는 것은 아니라는 말도 해주고 싶다. 하나에 갇히기보다 더 넓게 바라보는 시야가 필요하다. 나의 경우에도 학교에 들어와 '연극 치유', '연극 놀이', '청소년 연극' 등 문화 예술 교육에 관련된 다양한 수업 들을 들으며 연극이 가지고 있는 힘을 크게 느껴서, 이를 교육으로 승화시키면 좋을 것 같다는 생각을 했다. 처음부터 교육 분야로 나아가야겠다는 마음은 없었으니 생각이 확장된 셈이다.

현재는 학교에서 진행되는 예술 교육 지도자 프로그램을 마친 상태로, 졸업을 하면 국가 자격증이 발급된다. 학교에서 하는 사업 중 초등학교 드라마 선생님으로 아이들과 수업하는 사업이 있는데, 2024년 초에는 이 사업에 도전해 볼 생각이다. 또 다양한 오디션을 통해 배우로서의 경력도 쌓고자 한다.

사실 처음에 연기과를 선택했을 때 '배우'로 성공해서 먹고살아야 한다는 생각을 가지고 시작한 것은 아니었다. 그저 중고등학교 시절과는 달리 대학에서는 내가 원하는 것을 선택해서 배우고 싶었다. 사람은 추억으로 살아가는 동물이라고, 내가 원하고 좋아하는 일을 배우면 추후에 내가 어떤 일을 하며 살아가든 큰 힘이 되어줄 것이라 생각했다. 이러한 마인드 때문인지 아직도 연기를 하는 것이 즐겁고 행복하다. 앞으로도 즐겁게 이 일을 지속하고 싶다.

정신적인 부분과
신체적인 부분을 고루
배울 수 있는 학문은
많지 않은데,
연기는 이 두 가지를
모두 충족시킨다.

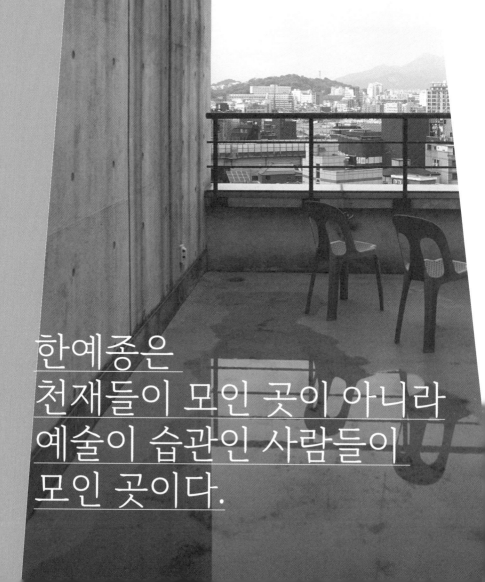

한예종은
천재들이 모인 곳이 아니라
예술이 습관인 사람들이
모인 곳이다.

한예종인에게 물었다!

Q. 과제가 다른 학교에 비해 많나요? 과제 하느라 대학 생활을 전혀 즐기지 못하는 건 아닐까요?

주어지는 과제의 양 자체가 많다기보다는 창작 과제 특성상 많이 고민해야 하고, 여러 번 수정 과정을 거쳐야 하다 보니 과제에 오랜 시간을 들여야 해서 과제가 많다고 느껴지는 것 같습니다. 연출과의 경우 제가 입학을 당시에는 작품을 읽고 2차 창작을 하거나 소설이나 희곡을 창작하는 과제가 많았습니다. 매주 희곡 한 편, 비평문 한 편, 2차 창작물 한 편이 과제로 나온 학기가 있었는데, 바쁜 와중에도 대학 생활을 즐겼습니다. 다만, 기말에는 과제와 더불어 분량이 제법 되는 작품을 완성해야 하므로 정말 바빠지지만, 이건 타 대학들도 크게 다르지 않은 것 같습니다.

> **≫ 연극원 연출과 22학번 김성윤**

시간을 쪼개고 쪼개도 부족할 만큼 과제가 많은 전공이 있는가 하면, 부담이 훨씬 적은 과도 있는 것 같아요. 다만 한예종은 타 대학과 다르게 시험의 형식이나 기간이 정해져 있지 않은 경우가 많죠. 그래서 매일이 시험 기간이고, 그것이 절대 끝나지 않는다고들 표현하더군요! 이런 방식을 선호하는 학우들도 많지만, 다른 학교와 같이 시험 범위와 날짜가 확실했으면 하는 학우들도 있는 것 같아요. 하지만 과제와 시험 때문에

대학생활을 못 즐기는 건 절대 아니에요! 우리도 여느 20대와 같이 캠퍼스 라이프를 즐길 수 있어요. 무엇이든 너무 겁 먹을 필요는 없는 것 같아요. 계획만 잘 세운다면, 취미도 가지고 충분히 쉬는 시간을 누릴 수 있습니다.

> **≫ 연극원 연극학과 예술경영전공 22학번 강채희**

하하하! 네! 과제가 많은 편입니다. 진짜 문제는 과제가 밀린 다음부터예요. 밀리면 답도 없더라고요. 제때 하면 그나마 괜찮습니다. 사람마다 대학생활의 기준이 다르겠지만 저는 과제 덕분에 생긴 추억이 많은 편입니다. 저는 20학번, 즉 코로나 학번에 한예종에 입학했습니다. 비대면이라 그랬던 건지 과제가 유독 많게 느껴졌어요. 연기과의 경우 매 수업이 진행될 때마다 '수업일지'를 작성하는 과제가 있어요. 1학년 때 일주일에 써야 하는 수업일지만 총 9개였어요(연기실습x2, 즉흥연기x2, 움직임x2, 호흡과 발성x2, 관찰일지). 종강 전, 일지를 제출해야 하는데 거의 한 달 치가 밀린 거예요. 큰일 난 거죠. 하지만 외롭지 않았어요. 동지 같은 동기들이 있었기 때문이죠. 매일 밤마다 카톡으로 생존 신고를 하며 일지를 쓰곤 했어요. 한번은 동기 4명이 자취방에 모여 맛있는 음식을 시켜놓고 에세이만 8편을 쓰기도 했어요. 이게 뭐가 자랑이라고, 생생하게 기억이 나네요. 그땐 몰랐죠. 과제의 늪에서 나오면 무시무시한 연습의 늪, 2학년이 기다리고 있다는 것을….

> **≫ 연극원 연기과 20학번 민하늘**

SCENE
04

졸업 준비
그리고
이후의 삶

01

더 깊은
이야기의
세계로

홍경민

연출과 18학번,
웹소설 PD

@gyom_nya

나는 입시를 준비할 때 매일같이 한예종을 다니는 내 모습을 상상했다. 그때는 공연 때문에 밤을 새도 좋을 것 같았고, 하루 종일 햇빛도 들지 않는 극장에 처박혀 있어도 좋을 것 같았다. 나중에 졸업 공연으로 무엇을 하고 싶은지, 내가 연출을 맡아 처음부터 끝까지 온전히 만들어 낼 수 있는 공연에서 무슨 이야기를 하고 싶은지 미리 그려 보면서 김칫국을 몇 번이나 마셨다.

그 시절 나는 '헨릭 입센'에 빠져 있었고, 나중에 직접 연출하게 되면 꼭 〈헤다 가블러〉를 공연하고 싶었다. 이전까지 내가 보아 왔던 세계 명작 고전 속 여성들과는 다른, 충격적인 여성상이었기 때문이다. 그리고 연출과는 졸업 전에 2번의 기회가 있기에, 나머지 한 공연은 〈폭풍의 언덕〉을 직접 각색하여 공연해야겠다고 생각했다.

그렇게 한예종 입학을 꿈꾸던 20대 초반의 나는 세계 문학을 좋아하는, 대한민국의 정규 교육 과정을 충실히 수행한 학생이었기 때문에 막연히 내가 아는 세계 내에서 내가 좋아하는 것들을 공연하고 싶었다.

그러나 학교에 들어가서 내가 만든 공연은 내 희망과는 달랐다. 하나는 전시와 퍼포먼스, 관객 참여형 이벤트가 결합된 연극이라고 하기 애매한 무언가였다. 또 다른 하나는 극작과 학우가 직접 쓴 희곡을 공연한 것이었다. 실험적인 공연과 창작 초연 공연 모두 내가 학교에 입학하기 전에 꿈꿨던 것과는 조금 거리가 있었다.

입시 때 그렸던 미래가 그대로 이루어지지 않았지만, 괜찮았다. 한예종을 다니며 내가 얻은 가장 큰 자산이 바로 이것이다. 나의 세계가 넓어졌다는 것. 물론 입시생 때 품었던 희망도 나름의 이유는 있었지만, 지금에 비하면 세계가 좁았다. 하지만 학교에 들어와서 내가 알지 못하는 세계에 대해서도 매력을 느끼게 되었기 때문에, 입시생 때 꿈꾸었던 공연을 하지 못한 것이 아쉽지 않다. 나와는 또 다른 세계를 가지고 있는 사람들과 교류하면서 더 넓은 세계를 경험했다.

나는 5년여의 한예종 연극원 생활을 통해 기승전결의 완결된 서사가 존재하지 않는 연극의 재미와, 몸과 말을 이용하는 순간들의 아름다움을 조금이나마 배울 수 있었다. 그 덕에 몇 년 전의 나였다면 상상도 하지 못했을 공연들을 만들어 낼 수 있었다.

한예종을 다니며 내가 얻은
가장 큰 자산이 바로 이것이다.
나의 세계가 넓어졌다는 것.

〈클라리사, 댈러웨이, 부인〉 공연

〈플라스틱 별〉 공연

〈플라스틱 별〉 공연 포스터

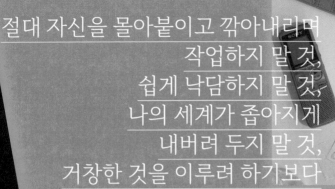

절대 자신을 몰아붙이고 깎아내리며
작업하지 말 것,
쉽게 낙담하지 말 것,
나의 세계가 좁아지게
내버려 두지 말 것,
거창한 것을 이루려 하기보다
내 마음에 더
귀 기울일 것.

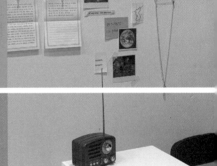

전공은 '나 자신'을 탐구하는 것

나는 한예종에 입학하기 전 1년 동안 이화여자내학교에서 뇌인지과학을 공부했다. 덕분에 한예종이 일반 대학과 비교해 어떤 특수성과 장점이 있는지 더욱 잘 느낄 수 있었다.

한예종의 가장 큰 특징은 '나'에 대해 탐구할 기회를 아주 많이 제공한다는 것이다. 일반 대학에서의 수학은 학문적인 부분에 집중되어 있지만, 한예종에서는 '무엇을' 배우는지 보다 무엇을 배워서 '내가 어떻게 변화하는가', 그리고 배운 것을 '내가 어떻게 생각하는가'를 훨씬 중요하게 다룬다. 이처럼 '나'가 주체가 되어 배우고 경험하면서 나 자신에 대해 더 깊이 알게 된다. 학문적 지식을 쌓는 것도 물론 중요하지만, 나 자신을 탐구하는 게 미래의 나에게 더 도움이 되는 것 같다.

또 다른 한예종의 장점은 실기를 경험할 수 있다는 것이다. 학교에서 여러 연극 작업에 참여하며 사람들과 함께 일하는 법을 배웠다. 극내향인이었던 내가 새로운 사람을 알아가는 재미를 느끼고, 서로의 이야기를 듣는 기쁨을 알게 되었다.

여러 사람을 만나고 알아가다 보면, 나 자신에 대해서도 잘 알게 된다. 타인에게 내 모습이 거울처럼 비쳐 보이기 때문이다. 나도 연극이라는 협업을 통해 남과 나의 다른 점을 발견하고 존중하는 법을 배웠다. 동시에 타인들 속에서 균형을 잡는 법도 배웠다.

특히 나는 졸업 공연을 준비하면서 연출에 대한 애정을 크게 느꼈다. 극작과 학우들이 쓴 기상천외한 희곡들을 접하며, 입학 전에는 관심이 없었던 창작극에 매력을 느끼게 되었고, 전문사 선배들이 연출한 관객 참여형 공연에 스태프로 참여하며 정형화되지 않은 서사를 사랑하게 되었다. 기존의 취향과 세계관이 흔들리는 경험을 한 것이다.

우리는 어쩔 수 없이 사회가 요구하는 길, 혹은 나이대에 맞는 길을 걷게 된다. 고등학교를 졸업하면 당연히 대학에 입학해야 하고, 졸업 후엔 괜찮은 직장에 다녀야 하고, 20대 후반이 되면 결혼을 고려해야 한다는 그런 것들. 나 역시도 그런 흐름에 휩쓸렸기 때문에 고등학교 3년 내내 열심히 성적을 챙겼고, 하고 싶은 일이 있음에도 일반 대학에 입학했다.

조금 돌아왔지만 한예종에 와서 다행이라는 생각이 든다. 한예종의 수업은 '내가 어떻게 생각하는지, 무슨 이야기를 하고 싶은지'에 중점을 두기 때문에 사회에 휩쓸리지 않고 나에게 집중하는 법을 배울 수 있다.

어떤 일을 하든 결국 그것을 하는 주체는 나 자신이다. 하기 싫은 일을 하더라도 그 속에서 나와 맞닿을 수 있는 부분을 찾아내어 즐길 수 있다면 이 세상을 살아가는 데 도움이 될 것이다. 어쩌면 언젠가 또 방황하는 날이 올지도 모른다. 하지만 한예종에서 배운 것들 덕분에 기꺼이 그 순간을 즐기며 헤쳐나갈 수 있을 것 같다.

현실의 작은 씨앗에서 시작하는 예술

      이 책의 독자들은 예술가가 되고 싶어 한예종에 관심을 가지는 분들이리라 생각된다. 예술가를 꿈꾸는 독자들에게 이런 말을 해도 될까 싶지만, 나는 예술이 전에 없던 거창한 어떤 것이라 생각하지 않는다. 현실의 작은 부분에서 건져올리는 것이라고 생각한다.

      SF 장르를 생각해보면 쉽게 이해가 될 것이다. SF는 현실의 조건을 조금 바꾸어 가상의 세계를 상정하고, 그 세계 속에서 우리가 처한 현실의 문제를 꼬집고 비판한다. 예를 들면 영화 〈설국열차〉가 계급을 묘사하는 방식이 그렇다.

      물론 이런 것만이 예술이라고 말하는 것은 아니다. 더 크고 멋진 무엇을 구상할 수도 있을 것이다. 그러나 예술가라면 자신이 무엇을 만들어 내는지, 그것이 현실에서 어떻게 소비될지를 생각해야 된다는 말을 하고 싶다.

      이런 사실을 나도 한예종에 다니면서 알게 되었다. 각자의 예술 세계를 가진 사람들과 교류하면서, 이야기를 나누고 공연을 만들면서, 즐거움과 힘듦을 나누면서 예술이 이렇듯 간단한 것에서 시작된다는 사실을 알게 된 것이다.

      연극을 하지 않았다면, 한예종에 오지 않았다면 나는 내가 어떤 사람인지 알지 못했을 것 같다. 예술적 취향의 변화나 성장이 있었던 것도 그렇고, 내향적이었던 내가 사람들과의 교류를 즐기고, 시끌벅적한 뒤풀이도 즐기는 사람이 될 줄은 정말 몰랐다. 나중에 알게 된다 해도 한참 더 나이를 먹은 다음이었을 것이다. 거창하지 않더라도 내가 하고 싶은 일은 한다는 것, 그것이 얼마나 소중한지를 한예종을 다니며 깊이 느꼈다.

나의 현재, 그리고 미래의 후배들에게

입시를 경험하고 나면 아무리 힘든 일이 닥쳐도 어떻게든 해낼 수 있다는 낙천적인 확신이 생기는 것 같다.

학교를 다니는 동안 내가 가는 길에 의심이 드는 순간이 많았다. 그러나 나만의 속도를 찾고, 그 속도에 확신을 가지기 위해 노력했다. 그리고 공연에 들어갈 때마다 스스로에게 약속한 것이 있다. 절대 자신을 몰아붙이고 깎아내리며 작업하지 말 것, 쉽게 낙담하지 말 것, 나의 세계가 좁아지게 내버려 두지 말 것, 거창한 것을 이루려 하기보다 내 마음에 더 귀 기울일 것.

연극원 연출과를 졸업한 후, 현재 나는 연극과는 다소 동떨어진 웹소설 PD로 일하고 있다. 물론 이야기를 다룬다는 점에서는 전공과 관계가 있긴 하다. 요즘은 웹소설이 '원천 IP'라고 해서, 여러 창작물들의 원형이 될 수 있는 콘텐츠로 각광받고 있지만, 처음부터 이 일이 끌렸던 건 아니다.

졸업을 앞두고 있던 때에는 매일 미래를 고민했다. 당시 나에게 중요한 기준은 2가지였다. 첫째, 재미있는 일을 하고 싶다. 둘째, 규칙적인 수입을 얻고 싶다. 그래서 졸업 후 만약 연극을 쉬게 되더라도 내가 좋아하는 '이야기'를 다룰 수 있는 일을 경험해 보고 싶었다. 그리고 그 경험이 나중에 연극으로 다시 돌아갈 때에 분명 도움이 되리라 생각했다.

입시 때 그렸던 미래가 실현되지 않아도 괜찮다는 것을 깨닫지 못했다면, 새로운 분야에서 일을 할 엄두를 내지 못했을 것이다. 그렇게 나는 과거의 내가 상상했던 것과는 전혀 다른 일을 하고 있다. 그리고 현재의 삶이 생각보다 나쁘지 않다.

아직 입시를 준비하는 입장에 있을 독자들에게는 졸업 후의 이야기를 하는 것이 너무 먼 미래처럼 느껴질지도 모르겠다. 그러나 나는 입시를 준비할 때부터 자신의 미래를 그려보는 게 좋다고 생각한다.

한예종의 다른 전공들도 그렇지만, 연극원 연출과를 졸업하는 일은 쉽지 않다. 빡빡한 일정과 필수 과목들을 이수하는 것 외에도 학교 공연에 스태프로 3번 이상 참여해야 하고, 본인이 직접 기획한 공연의 연출도 2번 해야 한다. 그러니 여러 상황에 흔들리지 않게, 자신만의 세계를 굳건히 만들고 확장하는 데 미리미리 힘썼으면 좋겠다. 그래야 무사히 졸업도 하고 예술에 대한 사랑을 유지할 수 있다. 사랑을 유지하기 위해서는 사랑을 시작할 때만큼이나 많은 노력이 필요하다.

부디 입학해서 여러분이 하고 싶은 이야기를 만들고, 예상하지 못하게 찾아오는 상황을 마음껏 즐기면서 지내길 바란다. 행운이 따르기를!

02

뮤지컬,
나를 가슴 뛰게
만드는   일

interview

장현
연극원 연기과 20학번
@ @_quokka__spaniel_

중학생 때 우연히 유튜브로 뮤지컬 〈헤드윅〉 영상을 본 후, 뮤지컬 배우를 꿈꾸게 되었다. 특히 'The Origin Of Love'라는 곡이 들려주는 사랑에 관한 이야기에 깊게 매료되었다. 그 아름다움에 빠져 정신없이 달려가다 보니 어느새 나는 뮤지컬 배우로 가는 길 위에 있었다.

학교를 휴학하고 사회에 나가 배우로 활동해 보니 학교생활과는 다른 점들이 많았다. 사실 '학교'라는 공간은 가르침을 받고 공부하는 곳이기 때문에 교수님들은 부족한 부분을 짚어주시고, 보완할 수 있는 방법도 알려주시며 개개인의 성장을 기다려주신다.

하지만 사회는 기다려주지 않는다. 무언가 디렉팅이 주어졌을 때 해내지 못하면 다른 배우로 교체되는 경우도 허다하다. 프로의 세계이므로 당연한 일이기도 하다. 그래서 나는 이 세계에서 살아남기 위해 훈련을 더 철저히 하고 늘 준비된 상태가 되려고 노력했다. 누군가를 기다리게 만드는 배우가 아닌, 준비된 배우가 되어야겠다고 다짐했다. 두려움 없이 도전하기 위해 긍정적인 마인드를 유지하고, 공연하면서 알게 된 선배들에게 피드백을 부탁하기도 한다. 지금은 수업에 충실히 하며 기본 역량을 키우려고 노력 중이다.

외부 오디션 경험을 통해 성장하고 싶어 2학년 2학기를 마치고 휴학을 한 후, 오디션 준비를 열심히 했다. 감사하게도 뮤지컬 〈베토벤〉에 앙상

블로 합격했고, 긴 시간 연습 후 공연을 잘 마쳤다. 연습 초반에는 화음을 익히거나 새로 나온 안무나 동선을 개인적으로 연습하고, 중반부터는 연습실에서 단체 연습을 한다. 집중 연습이 필요하거나 수정이 필요한 부분을 체크해 그 부분만 따로 연습하기도 한다.

〈베토벤〉 오디션 과정

뮤지컬 공개 오디션 정보는 대부분 'OTR(Our Theatre Review)' 사이트에서 확인할 수 있다. 가끔 컴퍼니 자체 홈페이지에도 올라오곤 하는데 비공개 오디션의 경우에는 컴퍼니 또는 연결된 스태프나 배우들을 통해 전달받기도 한다.

컴퍼니마다 오디션 과정이 다르지만, 내가 봤던 〈베토벤〉 오디션은 1차 서류 심사, 2차 자유곡 심사, 3차 당일 지정 안무 심사, 4차 최종 심사(자유곡, 지정곡, 지정 연기)로 진행되었다. 2차부터는 결과가 당일에 나오기 때문에 바로 그다음 날 오디션을 보러 갔다. 쉴 틈 없이 오디션을 매일 보면서 체력과 정신력의 중요성을 체감했다.

자유곡

자유곡의 경우, 지원하는 작품의 노래 장르를 먼저 파악한 후, 되도록 다른 사람들이 많이 택하지 않을 것 같은 넘버를 선정했다.

지정곡

재연인 작품에서의 지정곡은 그 작품에 있는 노래가 나오거나 같은 작곡가의 노래가 나오는 경우가 많다. 그래서 미리 예상 노래들을 익혀둘 수 있다. 하지만 초연인 작품은 아예 모르는 곡이 나오기 때문에 악보를 받자마자 피아노로 연주해 보거나 악보를 읽어주는 앱으로 멜로디를 익혀야 한다. 가이드라인 음원을 주는 곳도 있다.

지정 안무, 자유 안무

지정 안무는 오디션 보는 형식이 작품마다 다르다. 오디션을 보기 전에 미리 안무 영상을 보내주는 곳도 있고, 당일에 현장에 가서 30분에서 1시간 안에 안무를 배우는 경우도 있고, 오디션 전날 밤에 보내주는 곳도 있다. 이렇듯 어떻게 지정 안무가 주어질지 모르기 때문에 평소에 안무를 카피해 보는 연습을 통해 안무 습득력을 높이면 조금 더 수월하게 오디션을 볼 수 있다.

자유 안무는 자유곡처럼 되도록 작품의 장르와 비슷한 것을 들고 가는 것이 일반적이다.

지정 연기, 자유 연기

지정 연기는 주최 측에서 정해준 연기를 실연하는 것이다. 나는 화자와 청자는 누구인지, 어떤 상황인지, 화자가 가장 하고 싶은 말은 무엇인지, 화자의 목표는 무엇인지 등 먼저 할 수 있는 분석을 철저히 진행한 후 연기에 반영하는 편이다.

자유 연기는 내가 지원한 배역의 성격과 비슷한 면을 보여줄 수 있는 대사를 선정해서 준비해 간다.

외적인 준비

작품의 분위기에 따라서 의상, 헤어, 메이크업을 고민하고 최대한 극에서 원하는 인물들의 모습으로 준비해 간다. 클래식한 작품이거나 딱히 큰 특성이 있는 작품이 아니라면 단정한 원피스나 정장으로 입고 가는 편이다.

참고로 나는 〈베르나르다 알바〉 오디션에는 강력한 탱고 느낌이 중시되는 안무가 있어서 붉은 언밸런스 스커트에 검정색 레이스 레오타드를 입고 갔고, 〈베토벤〉 오디션에는 깔끔한 검은 정장에 검정색 힐을 신고 갔다.

 오디션을 준비할 때 학교에서 배운 것들이 많은 도움이 되었다. 〈베토벤〉 오디션 당시 '앙상블' 배역에 지원했음에도 긴 대사가 주어졌는데, 평소 학교에서 스스로 대본을 분석하고, 캐릭터를 창조하고 표현하는 훈련을 많이 했기 때문에 당황하지 않을 수 있었다. 그리고 전공 수업 때 보통 10~15분 정도 되는 장면을 연기하는데, 이때 연기 파트너와 굉장히 많은 소통을 했던 것이 공연 연습을 할 때 도움이 되었다. 이렇듯 나의 배역만 생각하고 움직이는 것이 아닌 다른 사람과 맞춰가는 연습을 학교에서부터 경험하는 것은 중요하다.

또한 학교 수업 때마다 다른 친구들의 연기를 보고, 피드백하는 과정을 겪었기 때문에 다른 배우들의 연기를 감상하는 데에 그치지 않고 분석적인 시선으로 바라볼 수 있었다. 다른 배우들의 훌륭한 연기를 눈앞에서 보는 경험은 스스로에게 좋은 자극제가 되었다. 공연을 연습하고 직접 무대에 서는 과정 전체를 통해, 쉽게 얻을 수 없는 값진 것들을 배울 수 있었다.

오디션에 떨어졌을 때 극복 방법

처음 오디션에 떨어졌을 때는 합격한 사람들과 나를 하나하나 비교하고, 스스로의 단점만 보면서 자책을 많이 했다. 사실 오디션에서 떨어진 이유를 명확하게 알 수 없다 보니 자꾸만 곱씹게 되고 무엇이 문제인지 찾으려고 할 수밖에 없다. 그리고 때로는 노력이나 실력이 부족했을 수도 있지만, 그 오디션을 큰 문제없이 치뤘음에도 불합격 통보를 받으면 상실감이 생긴다. 그건 외면한다고 해결되는 감정이 아니기 때문에 충분히 느끼고 끝맺어야 한다고 생각한다. 괜찮지 않은데 억지로 괜찮은 척하는 것은 오히려 무기력한 기간만 늘린다.

많은 오디션을 겪으면서 오랜 기간 우울감을 붙잡고 있는 것이 나에게 오히려 해가 된다는 것을 깨달았다. 그래서 어느 순간부터는 '오늘 하루만 슬퍼하자'라고 마음을 먹게 되었다. 이제는 떨어진 후의 상실감을 하루

안에 다 해소하게 되었다. 이날은 울기도 하고, 가만히 쉬기도 한다. 우울하고 힘든 감정들을 느끼는 것이 당연하다고 생각하는 것만으로도 큰 힘이 되고, 회복에 힘쓰고 싶은 마음도 생긴다.

나의 회복 방법은 간단하다. 맛있는 음식 먹기, 자전거 타기, 사람들과 이야기하기, 운동하기. 사실 제일 추천하고 싶은 것은 운동이다. 운동을 하고 나면 거짓말처럼 내 머릿속에서 긍정적인 생각들이 피어난다. 건강한 신체에 건강한 정신이 깃든다.

그리고 단순히 오디션 합격 여부에만 집중하지 말고 내가 잘하지 못하는 부분을 계속해서 개발했으면 좋겠다. 물론 자신만의 색깔로 배우 생활을 이어가는 분들도 계시지만, 나처럼 막 사회에 뛰어든 지 얼마 안 된 배우의 경우 다양한 역할을 소화할 수 있는 능력과, 한국 무용, 탭 댄스, 아크로바틱, 악기 연주 등 다양한 재능을 보여줄 수 있으면 좋다.

내 경우에는 감독님과 연출님에게 매번 비슷한 이미지와 넘버들만 보여주는 게 싫어서 한번은 링귀걸이에 블랙 스키니 진, 물결 파마머리, 진한 스모키 화장을 하고, 아직 한국에 들어오지 않은 록 분위기의 뮤지컬 넘버를 혼자 번안해 가져간 적이 있다.

혹시 오디션 불합격에 지치는 순간이 온다면, 막연히 낙담하지 말고 위의 방법들을 사용해 대체되지 않는 존재가 되는 데 힘썼으면 좋겠다.

'누군가 내 공연을 보고 살아갈 힘을 얻고 행복을 경험했으면 좋겠다. 그러면 난 만족한다.' 뮤지컬 〈베토벤〉을 하면서 내가 무수히 곱씹었던 말이다. 세종문화회관에서 공연할 당시 교복 입은 아이들이 단체 관람을 왔던 날이 있었다. 무대에서 객석을 바라보니 같은 교복으로 극장이 꽉 차 있었다. 그날은 나에게 있어 가장 보람찬 공연 회차였다. '저 중에서 분명 한 명 쯤은 이 공연을 보고 뮤지컬을 사랑하게 되지 않을까?, 누군가는 뮤지컬 배우를 혹은 스태프를 꿈꿀 수도 있지 않을까?' 이런 생각이 들었다. 이 책을 읽는 분들 중에도 어떤 공연을 보고 배우를 꿈꾸게 된 경우가 있을 것이다. 입시라는 과정이 순탄하지만은 않을 것이다. 힘들겠지만 즐기면서 준비하다 보면 좋은 결과가 있을 거라 생각한다. 타인과 사회를 바라볼 때 다각도로 바라보면서, 연기를 즐기고 사랑하다 보면 한예종에 입학하지 못하더라도 얻는 것들이 분명히 있을 것이다.

나는 학교에 다닐 때 부끄러움 때문에 과감한 도전을 많이 해보지 못했다. 이것저것 더 도전해 보았다면 내가 아직 발견하지 못한 나의 또 다른 모습들을 발견할 수 있지 않았을까? 조금 아쉬움이 남는다. 사회는 학교와는 달라서 나에게 주어진 일을 '잘' 해내야 하기 때문에, 실패를 전제로 도전하기가 어렵다. 그러니 입시를 준비할 때부터 다양한 것에 도전하면서 실패를 즐겼으면 좋겠다. 건투를 빈다.

03

연극,
삶을
이야기하다

interview

남영주

연극원 무대미술과 19학번,
프리랜서 디자이너

@ @flos_rubeo

다양한 길로 갈 수 있는 무대미술 전공

나는 2023년 2월에 졸업한 후, 미술 학원에서 한예종 무대미술과를 지원하고자 하는 친구들을 대상으로 입시 수업을 진행하고 있다. 가끔 학교 공연에도 참여하는데, 최근에는 일본과 중국에서 열리는 연극제에 나가기 위한 준비를 함께했다.

무대미술을 공부하면 꼭 공연 분야가 아니더라도 '디자인'이라는 범주 내에서 다양한 일들을 할 수 있다. 방송 쪽 디자인 프리랜서로 취업하기도 하고, 광고 디자인으로 회사에 취업하기도 한다. 의상을 주전공으로 삼았던 학생들은 영화나 드라마 의상 디자이너로 참여하기도 한다. 한국 민속촌에서 '귀신의 집'의 콘셉트와 디자인에 참여하는 경우도 보았다. 꼭 물리적인 공간이 아니더라도 온라인 내 공간을 디자인하는 경우도 많고, 공연예술계에서 무대디자인, 조명디자인 등 다양한 디자인 파트를 맡기도 한다.

이렇듯 꼭 무대미술을 전공했다고 해서 연극의 무대를 만드는 일만 할 수 있는 것은 아니고, 학교에서 배운 것들을 바탕으로 다양한 분야로 진출이 가능하다.

학교를 다니는 동안 대부분의 시간을 작품과 공연에 몰두하며 보냈다. 졸업을 한 뒤에는 산책하는 취미를 가지게 되었는데, 평소에는 바빠서 보지 못했던 것들을 감상하며 흘러가는 시간을 더 자세히 관찰하고 있다. 들꽃과 구름 등 평소에 시간을 들여 바라보지 못했던 것들을 관찰하니 마음에 여유가 생겼다. 불안하거나 부정적인 감정에서 벗어나 훨씬 여유롭고 세상을 더 넓게 바라볼 수도 있게 되었다. 학교생활을 열정적으로 했던 것에 후회는 없지만, 전공에 모든 것을 쏟아붓느라 주위를 둘러볼 여유조차 놓치고 살았음을 졸업 후 가장 먼저 깨닫게 되었다.

대부분이 그렇듯, 나 또한 초등학교와 중고등학교, 그리고 대학까지 16년 정도의 시간 동안 해야 할 일이 정해져 있는 삶을 살아왔다. 내가 정하지 않아도 시간이 흐름에 따라 학년이 올라가고, 그에 따라 배우고 공부해야 하는 것들이 주어지기 때문에 다른 것들을 바라보고 생각할 수 있는 시간이 비교적 적었다. 하지만 이 모든 과정을 마친 후 졸업을 하고 나니 그동안 보지 못했던 것들을 바라볼 수 있게 되었고, 삶에서 놓치고 있던 여유를 되찾은 기분이 든다. 여유가 생기니 스트레스도 현저하게 줄어들었고 일에도 즐겁게 임할 수 있게 된 것 같다.

학교와 외부 작업의 차이

학교에서 작업할 때는 실험적인 도전을 계속 해볼 수 있었다. 함께 배우는 과정이지만 새로운 것을 시도하는 사람이 많아서 아이디어 내는 과정이 더 편하다고 느낀다. 그리고 같은 환경에서 지내다 보면 알게 모르게 사용하는 언어들이 비슷해지는데, 그런 지점이 목표에 도달하기 수월하게 만들어주었다.

반면 외부에서 작업할 때는 같은 것을 두고도 각자 다른 단어로 표현할 때가 많다 보니, 좀 더 '일' 같은 느낌이 강했다. 각자의 분야를 알아서 잘 해내야 한다는 책임감을 더 많이 느꼈다. 졸업한 선배들에게 사회로 나가면 처음부터 다시 배워야 한다는 말을 들어 걱정을 많이 했는데, 프로덕션마다 일하는 방식이 달라서 결국 그곳에 맞춰 새롭게 적응해야 하는 건 졸업 전과 별로 다르지 않아 다행이었다. 그리고 졸업과 동시에 학교 작업과 멀어지는 것이 아니라 이미 알고 있는 인연들과 작업을 같이 하게 되는 경우가 많다. 올해는 전남 구례, 강원도 화천, 용인 민속촌 등 다른 지역으로도 작업을 많이 갔는데, 모두 학교 다닐 때 알던 지인들로부터 연결된 일이었다.

무대미술 하길 잘했다

　　나는 드라마나 영화 쪽 미술을 생각하고 무대미술과를 지원한 케이스다. 하지만 학교에 들어와 여러 공연을 접하며 삶을 이야기하는 '연극'이 좋아졌다. 다양한 작업을 통해 나를 되돌아보기도 하고, 텍스트 속 인물을 통해 타인을 생각해 보기도 했다. 〈햄릿〉과 〈맥베스〉처럼 누구나 가지고 있을 법한 감정이 어떻게 발현되는가에 따라 스토리는 달라진다. 작품을 볼 때에는 같은 감정을 느낀 적 있는 경험을 떠올리며 공감하기도 하고, 내 생각과는 다른 행동으로 표출되는 것을 보고 의문을 가지기도 했다. 내가 그 인물이라면 어떻게 행동했을까 상상해 보거나, 그 인물들이 그런 행동을 하게 된 이유를 찾기도 했다. 그러면서 나 자신뿐만 아니라 현실의 주변 사람들을 많이 이해할 수 있었다.

　　결국 연극은 삶을 이야기하는 예술이다. 텍스트가 말하고 싶은 본질에 대해 고민하면서 끊임없이 나 스스로에게도 질문하게 된다. 무대미술을 전공하지 않았더라면 생각해 보지 못할 것들이었다. '나'라는 사람과 타인, 그리고 삶에 대해 다양한 시각을 가질 수 있었기 때문에 무대미술과를 선택한 것에 만족한다.

　　아무래도 무대미술과는 무언가를 '디자인'하고 '만들어내는' 학과이기 때문에, 학교에서 배운 기술적인 부분이 큰 도움이 되었다. 학교를 다니며 무대를 포함해 조명, 의상 그리고 그래픽까지 다양한 디자인을 배우고 경험한 덕분에 내가 할 수 있는 일의 폭이 넓어졌다. 특히 한예종 교수님들은 개인의 디자인을 존중해 주시기 때문에 조금 더 자유로운 시도를 해볼 수 있어서 좋았다. 자신이 디자인한 것을 가지고 회의를 하고 다른 이들에게 자신의 의견을 설득하고 조율하면서 아이디어를 실체화하게 되는데, 이 과정에서 많은 것들을 배울 수 있었다.

　　또 학교에서 공연을 하거나 졸업 전시를 준비하다 보면 자연스럽게 타인과 함께 작업할 때 소통하는 법을 익히게 된다. 사회에 나가서는 혼자서 할 수 있는 일이 많이 없고, 팀으로 움직이는 경우가 많기 때문에 특히 더 협업 능력이 중요하게 여겨진다. 그런데 학교에서 공연을 경험하며 다른 파트에 있는 스태프들과 소통하고, 예산에 맞춰 무대나 의상을 만들고, 무대 크루와 조명 크루 등 메인 디자이너를 도와 디자인을 완성시키는 등의 협업을 통해 미리 사회에서 필요한 소양을 기를 수 있다. 더불어 다양한 사람들과의 소통을 통해 작업을 할 때 내가 나와 잘 맞는 사람은 어떤 유형의 사람인지, 반대로 어떤 사람과 함께 일하면 내가 심적으로 육체적으로 피로도가 높아지는지 등 사회에 나가서 직접 부딪혀보며 배워야 알 수 있는 부분들을 학교에서 미리 경험할 수 있었던 것이 큰 도움이 되었다. 또 사회에 나가기 전부터 좋은 동료를 얻을 수 있다는 점도 큰 장점이다.

한예종 무대미술과의 특징

다른 학교에서 무대미술을 전공하는 친구들의 이야기를 들어보면 실무적인 것을 중점적으로 배운다고 한다. 그에 비해 한예종의 경우 '디자인'이 더 중요하게 여겨진다. 다양한 공간 미술에 관심을 두고 아이디어와 디자인을 펼치고 싶다면 한예종에서 무대미술을 전공하는 것이 좋을 것 같다.

특히 공연을 할 때 한예종의 경우 교수님들이 작품 창작에 개입하시지 않기 때문에 조금 더 자유롭게 자신이 하고 싶은 것들을 녹여낼 수 있다. 정해진 무대를 만들어내기 위해 노동을 하는 것이 아닌, 스스로 디자인하고, 동료들과 회의하고, 재료를 구매하고, 실제 공연의 무대를 만들어내는 경험을 수없이 할 수 있기 때문에 자신의 머릿속에 있는 다양한 구상과 디자인을 실현하고 싶은 생각이 강하다면 한예종 무대미술과와 맞을 듯하다. 또 한 학기당 올라오는 공연의 수도 굉장히 많은 편이므로 다양한 공연을 관람하며 가까운 곳에서 인사이트를 얻기도 쉽고, 여러 공연에 참여해 볼 수 있다는 것도 큰 장점이다. 그리고 지원 사업 등 학교 내에 구축되어 있는 프로그램도 많아서 경험의 폭을 넓히기 좋다.

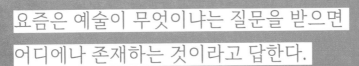

요즘은 예술이 무엇이냐는 질문을 받으면
어디에나 존재하는 것이라고 답한다.

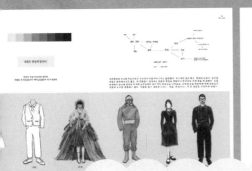

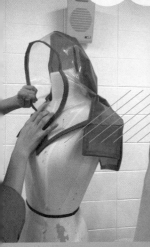

〈대머리 여가수〉 공연 준비와 무대 모습

어떻게 바라보느냐에 따라
정의가 달라진다는 점이
예술을 더욱 재미있게
만들어주는 포인트다.

포트폴리오

거기다 작업을 하다 보면 밤을 새는 경우가 허다한데, 한예종의 경우 24시간 학교가 개방되어 있기 때문에 원하는 시간대에 학교에서 작업을 진행할 수 있다. 더불어 아직 현역에서 활동하시는 교수님들께서 직접 수업을 하시기 때문에 현장에 대한 생생한 이야기도 들을 수 있다.

어디에나 존재하는 예술

입학하기 전에는 예술이란 누군가에게 감정을 불러일으키고, 다채로운 경험을 선사하는 것이라고 생각했다. 요즘은 예술이 무엇이냐는 질문을 받으면 어디에나 존재하는 것이라고 답한다. 연극 자체가 결국 인생을 다루는 이야기들이다 보니 우리의 삶과 밀접하게 연관되어 있다고 생각했기 때문이다. 또한 연극을 할 때 사용되는 오브제를 두고 사람마다 다르게 해석하는 것을 보고, 개개인의 시선이 중요하다는 사실도 깨달았다. 길가에 있는 가로등만 하더라도 기다림을 표현하는 오브제가 될 수도, 그 공간의 세월을 느끼게 할 수도 있는 것이다. 그래서인지 예술이 멀게 느껴지지 않고 삶 속 어디에나 존재한다는 생각이 든다. 이처럼 어떻게 바라보느냐에 따라 정의가 달라진다는 점이 예술을 더욱 재미있게 만드는 포인트다.

입시생으로 돌아간다면 _____

입시생으로 돌아간다면, 최대한 풍부한 경험을 하고 싶다. 학교를 다닐 때 교수님들께서 "예술은 자기 자신에서부터 시작되는 것이 많다."라고 말씀하신 것이 생각난다. 이 말은 개인의 경험이 중요하다는 뜻인데, 사실상 우리는 대한민국 입시 체제 속에서 1가지 목표만을 향해 달려오면서 매일 반복되는 삶을 살다 보니 경험이라고 할 만한 것들이 많이 없다.

1학년 때 조형 수업에서 자신에게 인상 깊었던 10가지 일을 그려서 내는 과제를 받은 적이 있다. 하지만 반복된 일상을 살았던 나에게는 10가지 일을 떠올리는 것 자체도 어려웠다. 남들과 차별화된 경험일 필요는 없지만, 나를 확장시키고 다채로운 감정을 느낄 수 있게 해주는 경험을 많이 쌓았다면 좋았을 것 같다.

자신을 알고, 돌보는 데서 시작하기 _____

졸업 후에는 학교를 다니는 동안 깨졌던 생활 패턴들을 바로잡고, 건강한 음식과 충분한 수면시간을 통해 몸의 피로를 줄였다. 기본적인 생활이 건강해지니 예민했던 마음도 긍정적으로 바뀌었고 스트레스도 줄었다.

작업을 하면서, 혹은 입시를 준비하면서 욕심이 생기다 보면 시간이 아깝다는 생각 때문에 자꾸 잠을 줄이고 식사를 대충 때우는 일이 많아진다. 하지만 바쁠수록 본인만의 생활 습관을 정해두고 지키는 연습을 하는 것이 필요하다. 건강한 생활 습관은 일을 오래 지속할 수 있는 원동력이 된다.

또 자주 내면을 들여다보기를 바란다. 사실 한예종에 입학하면 '나'에 대해 생각하는 경험이 많아진다. 하지만 이는 대학 입시를 준비하는 과정에서도 꼭 필요하다. 면접을 볼 때도 '나'에 대해 알지 못하고 만들어진 답변을 하는 것은 결코 진실되게 보일 수 없다. 또 예술은 '나'로부터 출발하는 것이므로 스스로를 들여다보는 연습과 더불어 다양한 경험을 했으면 좋겠다.

04

즐기며
지속하는
예술

interview

백하빈
연극원 연기과 18학번, 배우
 @habeen_baek

새로운 세상이 열리다

    2022년 초에 졸업을 하고 현재까지 공연, 방송 등 다양한 작품의 오디션을 봤다. 졸업 직후 현실이 내 마음 같지 않아 많은 고민을 하던 중, 뮤지컬 스타 대회 DIMF✚ 공고를 보았다. 혼란스럽던 시기에 전환점이 되어줄 만한 경연이라고 생각해 출전했다. 비교적 짧은 시간에 많은 곡을 해내야 했고 방송화 되는 과정에서 힘든 점도 많았지만, 결과적으로 5위에 올랐다. 참 많은 사랑을 받았던 기억으로 남아 있다. 용기 내길 잘했다며 스스로 칭찬하는 일 중 하나다.

    DIMF 파이널 무대 바로 다음 날 아침에는 뮤지컬 〈베르나르다 알바〉 오디션이 있었다. 대구에서 DIMF 경연을 마치고 새벽에 서울로 돌아와 1~2시간 눈을 부친 후 오디션을 보러 갔다. 당시에는 둘 다 책임감 있게 해내고 싶은 마음에 힘들다고 느끼지 못했는데, 지금 생각하면 어떻게 그렇게까지 했는지 아찔하다. 소중한 기회를 놓치고 싶지 않은 마음이 나를 움직이게 한 것 같다. 〈베르나르다 알바〉로 30회 공연을 했는데, 같은 극을 30번 반복했지만 할 때마다 새롭고 벅찼다. 오래오래 관객을 실망시키지 않는 건강한 배우가 되고 싶다.

✚DAEGU INTERNATIONAL MUSICAL FESTIVAL: 대구국제뮤지컬페스티벌

더 나은 내가 되기 위한
모든 과정을 기쁜 마음으로
받아들이자.

〈베르나르다 알바〉 무대 모습

요즘에는 오디션을 통해 방송 드라마 조·단역 배우로도 활동하고 있다. 매체 작업은 작은 프레임 안에서 연기를 보여주는데 오히려 자유로움을 느낀다는 게 신기하다. 대사나 몸짓, 작은 눈빛이나 손발 디테일도 인물에 따라 수없이 다른 방식으로 만들어질 수 있다는 것이 무한한 선택지를 얻는 것 같아 참 재미있다.

현장에서 만나게 되는 사람들

한예종에 다니면서 실력이 좋은 학생들이 많다고 생각했다. 하지만 밖에 나와 보니, 더 잘하는 사람이 많아 놀랐다. 사회에 나와 배우로서 자리매김하기 위해서는 한예종에 합격하기 위해 했던 것 이상의 노력을 해야 한다는 사실을 깨달았다.

학교와 외부 현장이 다르다고 느낀 부분 중 하나는 '사람'이었다. 한예종에서 연기를 배우고 공연과 촬영에 참여할 때는 보통 또래들과 작업을 하게 되는 경우가 많았다. 예술사의 경우 대학생 집단이기 때문에 스태프를 포함해 함께 연기하는 배우들까지 나이의 폭이 엄청 넓지는 않다. 하지만 외부에서 활동을 하다 보면 대선배님들과도 마주하게 되고, 나이 차이가 많이 나는 분들과도 함께 작업을 해야 하기 때문에 초반에 활동을 시작했을 때는 새로운 작업 환경에 적응하는 데 시간이 걸렸다.

또 학교에서는 실력만으로도 인정받을 수 있지만 외부에서는 그렇지
만은 않다. 실력뿐만 아니라 소속된 곳이 어디인지, 이미지가 잘 어울리는
지 등 부수적인 요소들이 함께 적용된다. 심지어 운과 타이밍도 중요하다.
그렇다 보니 아무리 잘하고 열심히 하더라도 그들이 추구하는 방향과 내가
맞지 않으면 순조롭게 나아갈 수 없다.

　　또 사회에 나오면 대중도 신경 써야 한다. 굳이 입 밖으로 뱉지 않아
도 되는 말을 뱉는 사람들도 여럿 있다. 이런 말들을 버텨야 하는 것도 배우
의 몫이다. 물론 상처 주는 사람이 있는 만큼 응원과 사랑을 주는 선한 대
중도 존재한다. 모두를 만족시킬 순 없다는 세상의 이치를 잊지 않아야 굳
건히 버틸 수 있는 것 같다. 사실 이러한 부분은 학교에서는 한 번도 느껴보
지 못했기 때문에 적응하는 데 시간이 걸렸다. 학교라는 한정된 곳에서 나
와 보니 세상은 너무도 넓게 느껴졌고, 그에 따라 새롭게 생각해야 하는 것
들도 많이 생겼다.

　　좋은 사람들과 서로를 응원해 주는 분위기 속에서 '연기'에만 집중하
며 지내는 것도 좋지만, 실제로 졸업 후 사회에 나왔을 때 어떤 부분을 신경
써야 하는지, 어떤 마인드를 지니고 있으면 좋은지 등 실질적인 이야기들도
나누면서 학교생활을 하면 도움이 될 것이다.

졸업을 하고 나면 어딘가에 소속되지 않아서 혹은 새로운 도전이 두려워 불안함이 생기기도 한다. 그럴 때 남들이 잘하는 부분과 내 모습을 비교하면 그 불안은 해소되지 않을 것이다. 그들이 잘하는 것을 인정하면서 동시에 내가 잘하는 것은 무엇인지 생각해 봐야 한다. 정말 사소한 것일지라도, 나의 강점이 무엇인지 알고 스스로 인정해 주는 것만으로도 큰 우울에 빠지지 않을 수 있다.

나는 부정적인 감정에 빠지면 잘 헤어 나오지 못하는 성격이다. 그래서 스스로를 인정하고 다독이는 연습을 열심히 하고 있다. 자신을 다독이는 3가지 방법을 소개하면 다음과 같다. 첫째, 마음먹은 대로 일이 풀리지 않을 때 막연히 자책하지 않고, 해결 방법과 내가 잘 해낸 부분 파악하기다. 둘째, 마음이 편안해지는 곳을 찾아 쉬는 것이다. 나무와 풀이 있고 새소리가 들리는 조용한 절 같은 곳에서 명상하고 기도하며 더 나은 내일을 상상하고 감사하는 시간을 갖는다. 셋째, 드라마나 영화를 보며 좋은 대사나 연기가 나오는 장면에서 잠시 멈추고, 여러 방법으로 연기해 보는 것이다. 그 과정에서 새로운 발상을 하게 되기도 하고, 감정이 요동치는 것을 경험하면 연기 자체에 대한 행복감이 느껴진다. 그리고 어떤 기회가 주어졌을 때 '나는 그 기회를 잡고 증명할 수 있는 배우'라는 자신감도 생긴다.

이렇게 감정을 다스린 다음에는 나의 부족한 부분을 '어떻게' 채울 것인지 고민하고 실행한다. 부정적인 마음을 떨치고, 즐거운 마음으로 배우고 공부하고 탐구해야 건강하게 이 일을 지속할 수 있다. 더 나은 내가 되기 위한 모든 과정을 기쁜 마음으로 받아들이자.

학교에서 배웠던 것들이 미친 영향

'전공'을 했기 때문에 배울 수 있었던 기초적인 지식들은 언제나 큰 발판이 되어준다. 특히 작업 중에 용어를 사용하며 소통하는 데 불편함이 없다. 예를 들어 무대에서 객석을 바라보았을 때의 왼쪽 방향을 뜻하는 '상수', 오른쪽 방향을 뜻하는 '하수', 무대 안쪽을 뜻하는 '업 스테이지', 객석과 가까운 쪽을 뜻하는 '다운 스테이지' 등 다양한 무대 용어들. 이런 용어는 학교생활을 하며 자연스럽게 접하게 되는데, 실제로 외부에서 공연을 만들 때도 쓰이기 때문에 원활한 소통이 가능하다. 학교에서는 내가 모르는 부분을 선생님들께서 가르쳐 주시지만, 사회에 나가면 내가 모르는 부분들을 하나하나 알려주는 사람은 없다. 미리 익히지 않으면 그냥 모르는 사람이 된다. 그런 면에서 학교생활 중에 공연, 영화 등 다양한 매체를 경험하며 습득했던 기초적인 지식들이 큰 도움이 되었다고 생각한다.

또한 나는 좋지 않은 평을 듣는 것을 두려워하는 사람이었다. 하지만 수업 때마다 선생님들께서 "망해도 괜찮다, 막 해봐라, 도전해 봐라!" 하며 용기를 주셨던 것이 나에겐 큰 힘이 되었다. 평가를 두려워하지 않고 다양한 것들을 시도할 수 있게 되었고, 내가 못하는 것에도 도전할 수 있게 되었다. 틀에서 벗어나는 수업 과정을 통해 나 자신의 새로운 모습들을 발견할 수 있었다. 이러한 학교에서의 경험은 내가 누군가에게 연기를 가르쳐 줄 때도 큰 도움을 주었다. 시도해 본 것들이 워낙 다양하다 보니, 나 또한 여러 가지 방법으로 누군가를 가르칠 수 있게 되었다.

더불어 '연기'를 미친 듯이 사랑하는 사람들이 모여 있다 보니, 저절로 서로를 의지하고 응원하게 되는 것 같다. 졸업을 했음에도 그때의 기억이 힘이 된다. 자주 만나진 못하더라도 서로를 묵묵하게 응원하고 있다는 자체가 좋은 기운을 준다.

예술 지속하기

인간이라면 누구나 예술성을 가지고 있다고 생각한다. 어떻게 보면 인간이 지니고 있는 원초적인 감정을 건드리는 것이 예술이 아닌가. 그래서인지 예술은 인간만이 할 수 있는 영역이란 생각이 든다. 굉장히 아름답고 감사하고 건강한 능력이라 생각한다.

사실 예술 분야에서 오래 살아남는 사람들은, 결과가 좋든 좋지 않든 즐겁게 예술을 지속하는 것이 특징이다. 예술은 공부처럼 책상 앞에 앉아 문제를 풀고 암기한다고 해서 해낼 수 있는 일도 아니고, 누군가가 시켜서 해낼 수 있는 일도 아니다. 그렇기 때문에 마음속에 늘 '즐거움'이 있어야만 이 일을 지속할 수 있다고 생각한다. 입학했을 때만 해도 나는 배우가 되면 행복할 것이라 생각했다. 하지만 다시 생각해 보니, 나는 연기하는 것이 행복해서 배우가 되길 원한 거였다. 성공한 인생을 위해서가 아닌, 내가 행복하기 위해서 이 일을 지속하다 보니 졸업 후에도 전공을 유지할 수 있는 것 같다.

반대로 내가 전공으로 삼고 있는 것을 내 인생 자체의 목표로 생각하면 힘들어진다. '내가 행복하게 살기 위해' 이 일을 해야 오래갈 수 있다. 어떤 분야의 예술이든 불확실성을 지니고 있기 때문에 내가 언제 어떻게 성공할지 모르고, 어쩌면 성공하지 못할 수도 있다. 인생 전부를 걸고 어떻게든 성공하려고 기를 쓰며 나아가기에는 너무나 힘든 길이다. 그러니 내가 진정으로 이 일을 좋아하고, 이 일을 하는 것이 즐거워서 지속하는 것이었으면 좋겠다. 그래야 조금 더 건강하게 삶을 영위할 수 있을 것이다.

한예종 입학을 꿈꾸는 학생들에게

즐겁게 지속해야 한다고 앞서 했었던 말들도 다 진심이지만, 입시에 뛰어들었다면 정말 미친 듯이 노력해 보았으면 좋겠다. '이렇게 열심히 할 수가 있나' 싶을 정도로 달려들어 봤으면 좋겠다. 엄청난 노력을 기울여 원하던 목표를 달성한 경험은 삶을 살아가는 데 있어 큰 원동력이 되어준다. 그리고 그 경험은 무엇으로도 바꿀 수 없는 큰 자산이 된다. 그러니 '입시'를 통해 인생에서 정해진 시간 동안 모든 걸 쏟아붓는 경험을 꼭 해보길 바란다.

또 자존감을 꼭 지키길 바란다. 자존감이 낮은 사람과 높은 사람은 풍기는 분위기부터 차이가 날 수밖에 없는 것 같다. 높은 자존감과 자신감은 '많은 연습'에서 비롯된다. 그렇게 높아진 자존감과 자신감은 다시 열정적으로 연습을 할 수 있는 동력이 된다. 이 선순환을 꼭 경험하길 바란다. 스스로를 믿으면서 최선을 다해 입시를 준비해 꼭 성공하기를 바란다.

05

극작의
반전 매력,
소통

조승혜

연극원 극작과 19학번

 @stellajo_mio

1학년 2학기 개강 주에 있었던 일이다. 당시 나와 동기들은 극작과 1학년이라면 필수로 수강해야 하는 전공 수업 '글쓰기 2'를 듣고 있었다.

"여러분은 예술이 무엇이라고 생각하나요? 예술가가 되기로 마음먹은 이유는 무엇인가요?"

갑자기 교수님께서 이런 질문을 던졌다. 원론적인 질문에 모두가 잠시 생각에 잠겼다. 고민 끝에 내가 한 답은 다소 단순했다.

"저는 아주 어릴 때부터 이야기책을 좋아했어요. 영화도 좋아했고, 뮤지컬과 연극을 좋아해서 대학로에서 거의 살다시피 하고요. 꾸준히 좋아하는 가수도 있고, 여행 가면 꼭 미술관에 갔어요. 예술이 뭔지 아직 잘 모르겠지만, 제가 좋아하던 모든 것들이 예술이라고 불리더라고요. 그래서 예술가가 되고 싶어졌어요."

졸업 예정자가 된 지금도 좋아하기 때문에 예술을 한다는 생각은 바뀌지 않았다. 다만 이제는 아무리 좋아하는 것이라고 해도 모든 순간을 즐길 수만은 없다는 걸 알고 있다. 그렇지만 나는 여전히 나의 전공을 사랑하고, 이제는 내 글을 연극으로 올리고 싶을 때 어떻게 해야 하는지 고민하느라 헤매지 않는다.

고등학교 시절, 마땅한 지도 선생님도 없는 인문계 고등학교의 연극부원이었던 나는 연극을 무대 위에 올리는 방법을 몰라 허둥댔다. 그때의 결핍을 해소하겠다는 마음으로 한예종 연극원에 입학했고, 4년 내내 끊임없이 공연하며 그 한풀이를 했다.

한예종 극작과는 연극원에 속한 다른 전공과는 달리 졸업 직전까지 연극원 공연에 참여하지 않고도 졸업이 가능하다. 이제는 졸업 예정자들이 '극작과 신작희곡페스티벌'에 필수 참여하여 독회✚를 올리는 것으로 졸업 요건이 바뀌었지만, 그전까지는 공연에 단 한 번도 참여하지 않고 글만 쓰다가 졸업하는 것이 가능했다. 하지만 열망이 있다면 공연을 올릴 길은 얼마든지 있기에, 나는 그 길을 알아서 찾아갔다.

연극원에 속한 연출과의 경우, 졸업 전까지 2번의 스튜디오 공연을 필수적으로 해야 한다. 스튜디오 공연은 잘 알려진 고전이나 기성 희곡을 무대화하는 경우가 많지만, 극작과 재학생의 작품으로 공연하는 경우도 있다. 다른 과 학생들과의 네트워크를 잘 구축해 둔다면 기회가 닿을 확률이 높아진다. 나 역시 환경 오염에 대해 문제의식을 가진 연출과 동료를 만나 〈플라스틱 별〉이라는 희곡을 연출과 스튜디오 공연으로 올렸다.

또한 한예종 연극원은 매년 5월 '청춘나눔창작연극제 청소년극 희곡

✚ 온전한 무대를 갖추지 않고, 배우들이 의자에 앉아 대본을 읽는 형태의 공연. 주로 희곡을 개발하는 단계에서 이루어진다.

공모전'을 주최한다. 청소년의 삶을 담은 10분짜리 단편 희곡을 모집하는 해당 공모전에 당선되면, 연극원의 청소년극 페스티벌 '청소년, 봄을 짓다'(이하 봄짓)에 참여할 수 있게 된다. 나는 2022년 여름, 〈터치 아웃〉이라는 단편 희곡이 당선되면서 제 10회 봄짓에 함께 할 수 있었다. 참고로 봄짓은 한예종 연극원 재학생은 물론이고 외부 작가도 참여할 수 있는 공모전이다. 입학 전 한예종 연극원에서 공연을 올려 볼 수 있는 좋은 기회이니 극작과 지망생이라면 도전해 보길 추천한다.

여러 번 공연을 했지만, 단 한 번도 쉬운 적이 없었고 매번 각기 다른 이유로 힘들었다. 그럼에도 계속 공연을 했던 건, 과거의 내가 그토록 바라던 것이었기 때문이다.

졸업까지 한 학기만을 앞둔 현재, 나는 또 공연을 앞두고 있다. '신작 희곡 페스티벌'을 준비 중인데, 이것은 내가 한예종 재학생 신분으로 올리는 마지막 공연이 될 것이다. 이 시간을 끝까지 소중히 여기며 준비해 보려고 한다.

학교를 벗어나 현장으로 가자

연극원 연기과 재학생들은 특정 수업을 수료하기 전까지 외부 활동이 금지되어 있지만, 연기과를 제외한 학과의 경우 따로 제약이 없다. 그럼에도 공통 필수 수업이 많은 1, 2학년에는 외부 작업에 눈을 돌리기가 쉽지 않다. 3학년쯤 되면 마음이 맞는 동료 작업자들도 생기고 막막하기만 하던 학교생활에도 어느 정도 적응이 된다. 자연스럽게 학교의 울타리를 벗어나 외부에서 작업하고 싶다는 생각이 든다.

이때부터 다양한 지원 사업에 대해 알아봐야 한다. 지원 사업은 보통 국가에서 운영하는데, 예술 지원 사업의 경우 예술가가 계획한 예술 활동을 할 수 있도록 국가가 보조금을 지원하는 식으로 운영된다. 이러한 외부 사업은 물론이고, 한예종이 재학생을 위해 운영하는 다양한 교내 지원 사업도 활용하면 좋다. 물론 지원서를 작성하고 면접을 보는 노력이 필요하다.

2022년 여름, 〈죽은 자를 위한 식탁〉이라는 연극을 학교 밖에서 올렸다. 한예종 공연전시센터에서 지원하는 'K-Arts ON-Road 사업'에 선정된 작품이다. 지원서를 작성하고 떨어지는 경험을 하기 전까지는 완성도 있는 희곡만 있으면 지원 사업에 선정되는 줄 알았다. 하지만 현재의 한국 예술계는 과포화 상태이며, 특히 연극은 지원 사업 의존도가 높기 때문에 희곡만으로 승부를 봤다간 떨어지기 쉽다. 〈죽은 자를 위한 식탁〉 역시 영상물과 희곡 두 장르의 융합을 내세운 차별화 전략 덕에 선정될 수 있었다.

교내 공연이 동료 예술가들과 협업하는 방법을 터득하게 해주었다면, 지원 사업을 통한 외부 공연은 지속적인 예술을 하기 위해 필요한 덕목을 생각해 보게 만들었다. 뛰어난 작품을 만드는 것도 중요하지만, 작품의 가치를 타인에게 전달하는 PR 능력이 없다면 그 작품은 돈을 벌어올 수 없다. 예술은 돈이 안 된다는 푸념에 빠지기보다는 다양한 기회를 놓치지 않고 찾아내는 태도가 필요하다. 입학 전에 걱정했던 것이 무색하게 내 주변의 한예종 졸업생들은 취직도 잘하고 다양한 분야에서 작업도 활발하게 한다. 그러니 지레 겁먹을 필요 없다.

그리고 외부로 나가는 순간, 마음에 맞는 동료를 찾는 건 정말 어려운 일이라는 걸 체감하게 될 것이다. 주변 사람을 잘 챙기면서 나 또한 좋은 동료가 되려고 노력하자. 또한 다른 분야의 작업에 대한 이해와 존중은 기본이다. 이건 하루아침에 되는 게 아니니 지속적으로 여러 분야에 관심을 가지면서 소양을 기르기 바란다.

작가에게도 동료가 필요해

극작과는 희곡 쓰는 법을 배우는 학과다. 연극의 기반이 되는 희곡을 쓰는 만큼 다른 서사 장르에 비해 대사를 잘 쓰는 것이 중요하고 공간에 대한 상상력도 요구된다. 한예종에 와서 극작을 전공하기 전까지는 소설을 쓰는 것과 희곡을 쓰는 것의 차이를 잘 몰랐다. 이제는 그 차이가 얼마나 큰지 실감한다. 소설은 그 자체로 완성형이다. 그리고 완벽히 작가의 예술이

〈죽은 자를 위한 식탁〉 공연

마음에 맞는
동료를 찾는 건
정말 어려운 일이다.
주변 사람을
잘 챙기면서 나 또한
좋은 동료가 되려고
노력하자.

다. 희곡은 그렇지 않다. 희곡은 무대화되는 순간에야 연극으로 완성이 된다. 그렇기에 연극은 작가만의 예술도, 연출만의 예술도, 배우만의 예술도 아니다. 연극은 개인적인 욕심을 부릴 수 없는 예술이라는 것을 한예종에서 배웠다.

그렇지만 작가는 희곡을 쓸 때만큼은 고립되기 쉽다. 골방에 틀어박혀 있어도 노트북 하나만 있으면 아무도 만나지 않고 글을 쓸 수 있다. 그렇지만 결코 건강한 방식이 아니다. 개인적으로는 그런 환경에서 좋은 글이 써질 리 없다고 생각한다. 나의 경우에는 다양한 사람들과 원만하게 어울려 지낼 때 글도 잘 써지곤 했다. 연극 작업이 나와 잘 맞는다고 느낀 것 역시 다양한 사람들과 내 글에 대해 이야기할 수 있다는 점에서였다. 동료들과의 소통은 나에게 활력을 주었다. 경험을 통해 나는 작가에게도 동료가 필요하다는 걸 뼈저리게 느꼈다.

한예종 극작과의 전공 수업은 극작가들이 함께 모여 서로의 작품 세계를 탐구하고 존중하는 방법을 배워가는 식으로 이루어진다. 첫 합평을 했을 때, 같은 소재를 두고 쓴 동기들의 글이 제각기 다르고 전부 개성이 뚜렷하다는 것에 놀랐다. 어느 정도였냐면, 모두 이름을 지우고 글을 제출해도 단번에 누구의 작품인지 맞힐 수 있을 정도였다.

시간이 흐르고 그중 2명의 동기는 나와 함께 '팀 티티새'라는 작가 팀을 만들어 서로의 집필을 독려하는 사이가 되었다. 두 권의 소설집을 함께

사람의 목숨이 하찮게 여겨지는 전쟁터에서도
예술은 사랑과 인간다움을 이야기할 수 있다.
전쟁을 멈춰야 한다고 외칠 수 있고,
평화의 소중함을 노래할 수 있다.

작가팀 '팀 티티새'의 소설집과 굿즈

출간했고, 1학년 때까지만 해도 전혀 이해할 수 없었던 서로의 작품 세계를 다른 사람들에게 대신 설명해 줄 수 있을 정도로 이해하게 되었다. 이 팀의 존재가 앞으로 어떤 작업을 해도 외롭지 않을 거라는 위안을 준다. 한예종에서 배운 협력의 중요성은 아무리 강조해도 지나치지 않다.

예술, 너무 특별하게 생각할 필요 없어

현대 사회를 살아가는 우리는 모두 누군가의 노동이 이뤄낸 결과물로 살아가고 있다. 누군가 수확한 곡물로 지은 밥을 먹고, 누군가 만든 옷을 입으며, 누군가 만든 스마트폰을 사용하고, 누군가 운전하는 지하철을 타고 이동한다. 이런 일상 속에서 예술은 얼핏 삶과 동떨어져 보인다. 그래서 누군가는 먹고 살기도 힘든데 예술이라는 사치를 부려야 하냐고 말하기도 한다. 만약 전쟁이라도 나게 된다면, 예술가는 누구보다 먼저 갈 곳을 잃을 것이다. 사람은 음악을 마실 수 없고 이야기를 먹을 수 없기 때문이다.

그러나 그럴수록 예술은 필요한 게 아닐까. 사람의 목숨이 하찮게 여겨지는 전쟁터에서도 예술은 사랑과 인간다움을 이야기할 수 있다. 전쟁을 멈춰야 한다고 외칠 수 있고, 평화의 소중함을 노래할 수 있다. 인간은 생존만을 위해 살아가지 않는다. 더 나은 삶을 추구하고, 누군가와 더불어 살아가길 원한다. 예술은 인간이 그저 생존하지 않고 그 이상의 것을 추구하며 살 것을 독려하기 위해 존재한다. 그렇기에 예술가의 작업 역시 이 사회를 이루는 노동이다.

나는 연극을 통해 세상을 바꿀 수 있다는 생각은 하지 않는다. 단지 몇 명의 관객이라도 나의 작업을 통해 그들이 가본 적 없는 새로운 세계로 초대받는다면 그것만으로 큰 기적일 것이다. 그 외에는 누군가의 여가 시간을 즐거움으로 채우고, 극장에 대한 좋은 경험을 남길 수 있는 것으로 충분하다. 예술이 사람들을 행복하게 해 줄 수 있기를, 그래서 사람들의 마음에 여유가 생겨 평화로운 사회가 만들어지기를 바란다.

'나'는 누구인가, 깊이 들여다보기

냉정하게 들릴 수도 있지만, 한예종은 어떤 전공이든 그 분야를 진심으로 하고 싶은 게 아니라면 이름값만 보고 선택하기에는 위험 부담이 큰 학교다. 예를 들면, 한예종 극작과는 희곡을 쓰는 학과다. 연극에 전혀 관심이 없는데 단지 글을 쓰고 싶다는 이유만으로 선택하면 합격 통지를 받은 그 잠깐의 순간을 제외하고 4년 내내 괴로울 수 있다. 같은 문예 창작 분야라고 해도 영화 시나리오를 쓰고 싶다면 영화과, 드라마 각본을 쓰고 싶다면 방송영상학과, 소설이나 시를 쓰고 싶다면 서사창작과를 가는 편이 낫다. (참고로 한예종은 전과가 어렵다.)

그러니 한예종에 오고 싶다면 '나'를 잘 아는 것이 중요하다. 단지 글을 잘 쓴다고 지원할 것이 아니라 희곡, 소설, 시나리오 등 다양한 서사 장르에 대해 이해하고, 나에게 맞는 장르를 찾아야 한다. 실제로 나는 한예종 면접에서 취향에 대한 질문을 많이 받았다. 어떤 희곡 작가를 좋아하는지, 어떤 소설가를 좋아하는지, 해외 작가 중에서는 누구를 좋아하는지, 그 작가들의 어떤 작품을 좋아하는지, 좋아하는 이유는 무엇인지 등 평소에 생각해 두지 않으면 쉽게 답하기 어려운 질문에 줄줄이 대답해야 했다.

사실 그런 물음과 답은 입시를 위해서만 준비해야 하는 것이 아니다. 한예종을 다니는 4년 내내 분명 스스로에 대한 질문을 멈출 수 없을 것이다. 내가 정말 재능이 있는지, 전공이 정말 내 적성에 맞는지 같은 근본적인 것에서부터 의문이 생길 것이다. 이 과정은 아무리 날고 기는 천재처럼 보이는 친구들도 다 겪는다. 그러니 절대 조급해하지 말았으면 좋겠다. 입시를 준비하면서 불안한 순간이 있겠지만, 그래도 틈을 내어 나를 마주하고 알아가는 시간을 가져보자. 입시는 물론이고 그 너머로 펼쳐진 학교생활까지도 수월하게 풀릴 것이다.

예술이 사람들을 행복하게
해줄 수 있기를,
그래서 사람들의 마음에
여유가 생겨 평화로운 사회가
만들어지기를 바란다.

06

안정적인
삶을 위해

interview

류체른

연극원 연기과 16학번,
요가 강사

@ @ryucern

"대학교 졸업하면 경제적으로 독립할게요." 대학교 1학년 때 내가 부모님과 했던 약속이다. 그때는 졸업이 멀게만 느껴졌다. 하지만 막상 졸업 학기가 시작되자 그동안의 시간들이 너무 빠르게 흘러가 버린 것만 같았다. 이때부터 여러 가지 걱정과 회의감이 조금씩 들기 시작했다. '졸업 후 어떻게 스스로 삶을 지탱하지?', '어떤 수단으로 돈을 벌어야 하지?', '수업을 열심히 들어봤자 남는 게 뭐지?' 하는 생각까지 들었다. 생계를 유지하는 방법을 찾는 데 몰두한 나머지 내가 그동안 좋아했던 예술의 가치마저 낮춰보게 되었다. 그리고 '학교는 왜 연기만 가르쳐 주었을까?', '연기 외에는 아무것도 알려주지 않았구나.' 하는 생각도 했다.

물론 스스로 공부하고 알아볼 수도 있었을 것이다. 핑계처럼 들릴 수도 있으나 주어진 과제와 발표를 해내기 위해 다른 쪽으로 눈을 돌릴 틈이 없었다. 그렇게 시간이 하염없이 흘러 대학교 4학년이 된 것이다. 사회에 나갔을 때 어떻게 살아야 하고, 연기를 전공한 사람들이 어떻게 돈을 버는지 등 하나도 모른 채 졸업을 앞두니 막막했다. 내가 너무 학교에 많은 의지를 하고 있었다는 생각도 든다. 학교는 가르침을 주는 곳이지 내가 사회에 나가 돈을 벌 수 있도록 도와주는 곳이 아니니 말이다. 그걸 조금 더 빨리 깨달았으면 좋았을 것 같다. 그렇게 나는 앞으로의 남은 인생을 어떻게 살면 좋을지 졸업 학기가 되어서야 진지하게 고민하기 시작했다.

먼저 졸업한 사람들과 만나 어떻게 지내고 있는지 이야기를 나눴다. 거의 대부분의 친구들이 아르바이트를 하며 틈틈이 오디션을 보러 다닌다고 말했다. 안정적인 삶을 꿈꿨던 나는 이런 현실이 무서웠다. 아르바이트를 하다가 촬영이 잡히면 하고 있던 아르바이트를 그만두고, 다시 또 촬영이 끝나면 새로운 아르바이트를 찾는 삶이 너무 불안정해 보였다. 그런 삶은 '몇 % 안 되는 확률에 인생을 걸고 하는 도박'처럼 느껴졌다. 그래서 나는 단순한 알바가 아닌 안정적인 직업을 가져야겠다고 결심했다.

그 당시 나는 요가를 즐겨 하고 있었다. 요가를 시작한 계기는 스트레스 해소 때문이었다. 보디 프로필을 찍은 이후 몸에 근육이 많아져서인지 숨 쉬는 것이 자유롭지 못하다는 느낌이 들었고, 이러한 답답함을 자주 느낄수록 스트레스는 깊어져 갔다. 요가는 이러한 스트레스를 잠재우고, 호흡과 이완을 통해 몸과 대화할 수 있게 해주어 매력적이었다. 요가를 한 이후 나는 감각에 집중할 수 있게 되었고, 스스로 스트레스를 다스리고, 내 몸을 리프레시 시킬 수 있게 되었다. 복잡했던 마음도 고요해지고 맑아지는 느낌이 들었다.

사실 요가는 연기와도 연결되는 부분이 많다. 이완과 호흡, 자극에 집중하고 사유하는 행위는 연기에 있어서도 정말 중요한 부분이다. 나는 연기를 지속적으로 하기 위해서라도 요가를 하는 것이 좋겠다고 생각했다. 그래서 졸업 후 요가 자격증을 취득하였고, 지금은 현재 요가 강사로서 수업을 진행하고 있다.

이완과 호흡, 자극에 집중하고 사유하는 행위는 연기에 있어서도 정말 중요한 부분이다.

스트레스 해소를 위해 시작한 요가가 업이 되었다.

본인에 대한 믿음과 확고한 신념이 있는 사람들은 차선책 없이도 나아갈 수 있을 것이다. 하지만 조금이라도 불안함을 느낀다면 자신이 이 일을 하지 않았다면 어떤 삶을 살고 있을지 생각해 보면 좋을 것 같다. 충분히 저울질해 보았음에도 이 일을 해야 한다는 결론이 나왔다면 의식적으로 불안을 덜어내고 앞으로 나아가는 데 집중하자. 그러면 한걸음 성장한 자신을 발견할 수 있을 것이다.

졸업 후 홀로서기

학교를 졸업하고 가장 크게 변한 것은 전공생들과 교류할 수 있는 시간이 없어졌다는 점이다. 이제부터는 혼자 연습하고, 혼자 피드백하는 것에 익숙해져야 한다. 물론 친구들과 함께 할 수 있겠지만, 사회에 나와 보니 서로 스케줄을 맞추는 것이 쉽지 않다. 또 소속감이 없다는 것도 졸업 후 변한 지점인 것 같다. 내가 소속된 공동체가 없다는 것이 외롭고 심심하게 느껴질 때가 있다.

물론 긍정적인 내적 변화도 있다. 바로 연기에 대한 소중함을 되찾았다는 것이다. 졸업 후 요가 자격증을 취득하기 전까지 생계를 유지하기 위해 아르바이트를 하기 바빴다. 학교에 다닐 때는 매일 당연히 하던 것이 연기였는데, 사회에 나와 경제적인 활동을 하다 보니 연기를 할 일이 자연스럽게 줄어들었다. 학교에서 365일 하루도 빠짐없이 연기를 할 때는 연기에 대한 소중함, 절실함 같은 것이 없었는데, 막상 다른 일을 하면서 지내니 점점 연기에 대한 갈증이 생겼다. 이런 갈증을 느껴본 것도 좋은 경험이었다.

연기 수업이 가져다준 태도

연기 자체도 상대방과 커뮤니케이션을 하는 것이다. 연기라는 것이 당장 밖에 나가 그걸 써먹기만 하면 돈을 벌 수 있는 기술은 아니지만, 상황 판단력, 사람에 대한 통찰력, 커뮤니케이션 능력 등을 향상시키는 데 도움을 준다. 또한 나 자신에 대한 깊이 있는 고민을 하게 하여 살아가는 데 필요한 내면의 힘을 길러주기도 한다.

특히 한예종의 연기 수업은 교수님께서 정해진 정답을 가지고 학생들에게 무언가를 주입시키는 형태가 아닌, 올바른 생각과 방향을 스스로 찾아낼 수 있도록 이끌어주는 수업 방식이 대부분이다. 그렇기에 무언가 생각할 거리가 던져졌을 때, 고민할 수 있는 시간이 많았고, 그런 시간들 덕분에 가치 있는 것들을 많이 발견할 수 있었고, 삶을 사유하고 관찰하는 습관도 기를 수 있었다. 그저 수업이 연기 실력을 키워주는 데 그치는 것이 아닌 한 인간으로서의 성장을 도와주었다는 생각이 든다. 한예종에서 연기를 배우며 모든 사물을, 타인을 더 입체적으로 바라보고 이해할 수 있는 힘을 얻었다.

우리는 살면서 많은 조언들을 듣지만, 결국 본인이 선택한 삶을 살아가고 그 선택에 대한 책임 또한 본인이 져야 한다. 나 또한 학교를 다니며 졸업한 선배들이 해주는 이야기를 많이 들었다. 하지만 그게 나의 미래일 것이라고 생각하지는 못했다. 누구나 본인의 일이 되어서야 깊게 고민하고 생각해 보기 시작한다. 직접 경험하고 느끼지 않으면 모른다. 그렇기에 누군가가 말해주는 루트를 따라가려 하거나, 다른 사람의 말에 휘둘리면서 고민하기보다는 '나'와 끊임없이 소통하면서 입시 준비와 학교생활을 해나갔으면 좋겠다.

한예종에서 연기를 배우며
모든 사물을, 타인을
더 입체적으로 바라보고
이해할 수 있는 힘을 얻었다.

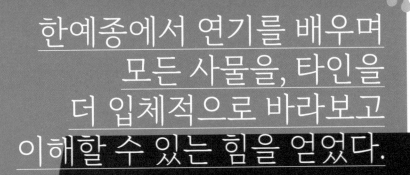

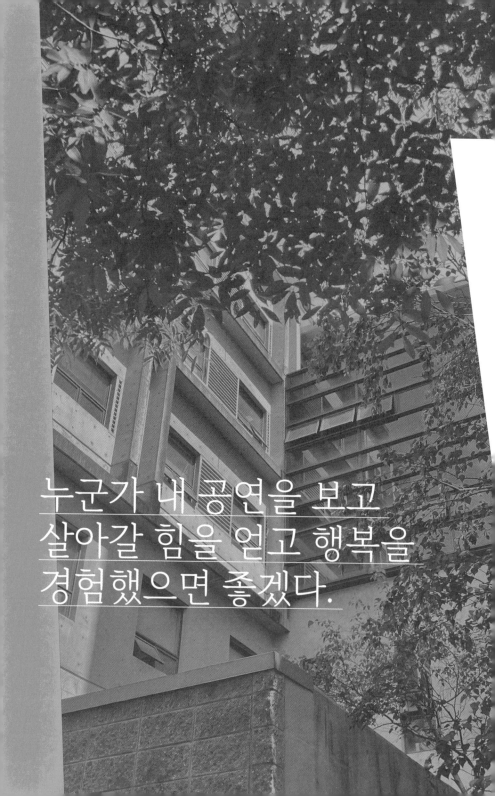

누군가 내 공연을 보고
살아갈 힘을 얻고 행복을
경험했으면 좋겠다.

Q. 복수 전공, 부전공에 대해 알려주세요.

우선 한예종에는 복수 전공 제도가 없고 부전공 제도만 있습니다. 그래서 2가지 전공을 공부하고 싶을 경우, 다른 한 전공의 학위는 받을 수 없고 단지 수료 증명서만 나올 뿐이라는 사실을 숙지하고 있어야 합니다. 부전공은 6학기가 되기 전까지 신청할 수 있고, 학과가 요구하는 과제를 수행한 후 합격 또는 불합격 통지를 받게 됩니다. 저는 방송영상과 부전공을 하기 위해서 수학 계획서와 학점 증명서를 제출했으며, 연기과와 같이 실기를 주로 하는 학과의 경우에는 면접이나 시험을 보기도 합니다.

학교의 특성상 끊임없이 예술적 결과물들을 요하기 때문에 2가지 전공을 듣게 될 경우 훨씬 더 많은 과제의 벽에 부딪히게 됩니다. 주전공과 부전공의 강의 시간이 맞물려 제때 졸업을 하지 못하고 추가 학기를 신청하는 경우도 왕왕 보았습니다. 하지만 타 전공 사람들과 연을 맺으며 작품의 범위를 늘릴 수도 있고, 새로운 시선으로 나의 관심 분야를 조명할 수 있다는 것은 분명 큰 이점입니다. 반드시 수료에 성공하지 않더라도 부전공을 통해 예술적 세계를 넓히기를 추천합니다.

≫ 연극원 연출과 21학번 박지원

SCENE
05

은 예종의
다른 원이
궁금해

01

머릿속에 있던
음악을
구현하다

interview

조혜령

음악원 작곡과 19학번

@ @ryung_e28

　　어린 시절 많은 아이들이 그렇듯, 나 또한 6살 때 피아노 학원에 다니기 시작하면서 '음악'을 접하게 되었다. 이후 초등학교에 들어가서도 피아노를 열심히 배웠다. 초등학교 고학년 때 예술중학교인 '예원학교'에 대해 알게 되었고, 생애 처음으로 입시를 준비하게 되었다. 여태까지 해왔던 것도 있어서 '피아노'로 시험을 보려고 했지만, 나를 지도해 주시던 선생님의 권유로 '작곡'으로 방향을 틀었다. 처음에는 선생님의 권유로 시작했지만 공부하다 보니 나와 잘 맞는 것 같았다. 그리고 초등학교 6학년 때 부모님과 함께 정동길을 드라이브하다 잠깐 멈춰 예원학교를 둘러보게 되었다. 토요일임에도 학교 복도에는 피아노 소리, 무용하는 사람들의 발소리, 물감 냄새가 가득했다. 그 느낌이 참 좋아서 예원 학교에 입학하고 싶다는 생각을 했다. 생각해 보면 그때 감각했던 모든 것이 나를 음악의 길로 이끈 것 같다.

　　예원학교에서 중학교 생활을 마치고 음악 중점 고등학교에 입학했다. 예술고등학교는 아니었지만 음악 중점 학교다 보니 실기 수업과 공부를 병행할 수 있었다. 학교 실기 수업과 더불어 개인 레슨도 꾸준히 받았다. 작곡, 청음, 피아노 이렇게 세 분야는 중학교 때부터 쭉 받아왔던 레슨이다. 사실 대학교 입시를 준비할 때는 이미 음악 전공을 10년 넘게 한 상태였기 때문에 입시를 위해 무언가를 새롭게 시작한 것은 없다. 그동안 해왔던 것들을 꾸준히 이어가며 점점 더 실력을 올리는 것에만 집중했다.

대학교를 가야겠다고 생각했을 때 내가 목표하는 대학교는 딱 두 학교뿐이었다. 서울대학교와 한국예술종합학교. 나는 목표하는 학교에 가기 위해 실기에 조금 더 비중을 두고 준비를 했다.

학교마다 다른 음악 스타일

사실 내가 음악 중점 고등학교에 가게 된 이유는 예술고등학교 입시에서 떨어졌기 때문이다. 그래서일까? 아무리 고등학교 입시라지만 시험에서 떨어졌던 경험이 있어서인지 대학 입시를 준비할 때 마인드셋을 하는 것이 굉장히 힘들었다. 물론 예고 입시와 대학 입시가 다르다는 건 알지만, 입시 실패의 경험은 대입 실패에 대한 불안감을 높였다. 또 목표하는 대학이 두 군데밖에 없었기 때문에, 떨어지면 재수를 해야 한다는 것도 심리적으로 굉장히 부담스러웠다.

한예종에서는 다른 학교와 공통으로 보는 피아노, 청음, 화성학, 작곡 시험에 더해 면접을 본다. 면접 때는 입시에서 풀었던 화성학과 작곡 그리고 사전에 제출한 포트폴리오를 바탕으로 질의응답 시간을 가진다. 이때 전반적인 음악 이론 지식에 대한 질문도 하기 때문에 그저 곡만 써서는 안 된다. 음악사의 흐름과 다양한 작곡 기법들을 알고 있어야 한다.

또한 한예종 작곡과는 화성 진행, 선율의 진행 모두 후기 낭만 시대의 작곡 어법을 사용해 곡을 써야 한다. 다른 학교처럼 2부, 3부 등 형식이 정해져 있지 않고 자유롭게 쓸 수 있기 때문에 자신이 쓸 형식에 대한 이해가 깊어야 하며 음악을 이끌어가는 요소들을 잘 생각해야 한다.

입시를 준비하면서 나는 내가 만든 곡이 한예종이 추구하는 스타일이 아니라는 것을 알게 되었다. 하지만 스타일을 바꾸더라도 합격하고 싶었다. 그래서 평소 내가 쓰지 않는 음악 어법을 사용한 작곡가의 곡을 많이 찾아봤다. 나는 평소 고전 시대 스타일로 곡을 썼기 때문에, 후기 낭만 시대 작곡가들의 곡을 분석하고 피아노로 쳐보면서 연습곡을 많이 썼다. 화음의 종류, 선율의 진행, 음역대 등 양식의 차이가 커서 스타일을 바꾸느라 몇 달간 마음고생을 했다. 거기다 변화가 하루 이틀 만에 이루어지는 것이 아닌 데다, 당시 시험까지 4개월 정도 남은 시점이었기에 심적으로도 불안했던 기억이 난다.

한예종 입학시험

한예종 작곡과는 한 학번당 8명이 정원이기 때문에 1차에서는 3배수인 24명을 뽑는 것이 일반적이다. 내가 입시를 준비하던 해 한예종 작곡과에서는 1차에서 청음과 낭만 화성, 피아노를 보고, 2차에선 음악 분석과 작곡, 면접을 봤다.

청음은 단성, 2성, 4성 문제를 푸는 문제, 화성은 4성부(소프라노, 알토, 테너, 베이스) 형태로 화성 진행을 만들어내는 문제이며, 주어진 한 성부의 음에 나머지 3성부를 채워 완성해야 한다. 후기 낭만 시대에 사용된 화성을 사용해 음악을 전개시켜야 한다.

2차의 작곡 시험은 6시간 동안 주어진 모티브를 발전시켜 곡을 완성하는 시험이다. 음악 분석은 시험에서 주어지는 악보를 보고 그 악보 속에서 찾을 수 있는 화성, 형식, 셈여림, 작곡가의 의도 등을 분석하는 시험이다.

면접에서는 포트폴리오로 제출한 곡들과 시험 과목에 관련한 질문들을 받았다. 이외에도 좋아하는 작곡가나 스타일 등 다른 음악적인 질문들도 받기 때문에 평소 내가 좋아하는 음악은 어떤 음악인지, 나는 어떤 스타일을 좋아하는지 등 스스로에 대해 알고 있는 것이 좋다.

입시에 있어 중요한 것

음악은 그냥 쓸 수 있는 것이 아니다. 인풋이 있어야 아웃풋도 가능하다. 작곡과의 세부 과목 중에는 시창, 청음 같은 음감을 요구하는 과목들이 많다. 때문에 음악을 많이 듣고 세밀하게 분석하는 작업을 자주 할수록 음악적 아이디어가 생기고 표현도 확장된다. 또 단순히 음악을 듣는 것에서 그치는 것이 아닌, 음악적 흐름을 생각하면서 작곡가의 입장으로 듣는 것이 중요하다. 더불어 내가 좋아하는 음악만 들으려고 하기보다는 다양한 음악을 듣는 것이 더 도움이 된다. 작곡가가 되고자 한다면 음악 편식을 하지 않는 것이 좋다.

대학에 가기 위해서만 공부를 한다고 생각하지 않았으면 좋겠다. 본인이 앞으로 음악을 더 깊이 배우기 위해 기초를 다진다는 생각으로 입시에 임했으면 좋겠다.

더불어 곡을 잘 쓰는 사람은 본인이 쓰고자 하는 악기를 잘 파악하고 있는 사람이다. 악기를 잘 파악하려면 여러 가지 공부를 해야 하지만, 가장 좋은 방법은 직접 연주를 하는 것이다. 입시에서는 대부분 피아노곡을 쓰게 된다. 피아노곡을 잘 쓰려면 당연하게도 피아노와 친해야 한다. 곡을 쓰는 것에만 집중하느라 손이 굳지 않도록 늘 악기를 가까이해야 한다. 악기를 연습할 때는 시험을 위한 입시곡보다는 연주하고 싶은 곡을 찾아서 즐겁게 연주하자. 그러다 보면 자연스럽게 실력도 키울 수 있을 것이다.

한예종에 들어와 보니

한예종은 전공 수업이 굉장히 많은 학교다. 그렇기에 내가 선택한 전공을 집중해서 공부할 수 있다는 것이 큰 장점이다. 또 작곡과는 한 학번 당

총 8명으로 구성된 소수과이기 때문에 말 그대로 똘똘 뭉칠 수 있다. 같은 전공자들끼리 모여 있으면 엄청난 시너지가 나오는 것 같다.

사실 처음에는 내가 생각했던 대학 캠퍼스 라이프와는 거리가 멀어 당황스럽기도 했다. 1학년 때부터 전공 수업이 휘몰아치기 때문에 말로만 들었던 풋풋한 새내기 라이프는 맛보지 못했다. 하지만 입학하자마자 전공에 대해 더 심도 있게 공부할 수 있는 환경이 조성되어 있는 점은 정말 좋았다.

음악원은 서초 캠퍼스에 위치해 있는데, 등교할 때 늘 예술의전당을 거치게 된다. 시간이 잘 맞으면 음악 분수도 감상할 수 있고, 공연을 즐길 수도 있다. 마치 내가 작은 예술 마을에 들어와 있는 듯해 등하굣길이 나름 특별하게 느껴진다. 서초 캠퍼스가 가진 좋은 점들도 많지만, 불편한 점들도 존재한다. 서초 캠퍼스는 석관 캠퍼스와는 다르게 23시가 되면 문이 닫히고 출입이 통제된다. 해야 할 일이 많을 때는 학교가 문을 닫아서 아쉬웠던 적이 많다. 또 다양한 교양 과목들은 석관 캠퍼스에서 수업이 진행되기 때문에 서초에서 전공 수업을 받는 나로서는 포기해야 하는 수업이 많아 아쉬웠다.

1학년 때 듣는 수업 중에 '대위'라는 수업이 있다. 대위는 16세기 대위와 18세기 대위로 나뉘는데 그 시대에 썼던 음악 양식들을 가지고 공부하는 수업이다.

16세기, 18세기 음악들은 법칙이 굉장히 중요하다. 음악을 전개해 나갈 때 어떤 식으로 진행하면 안 되는지, 어떤 식으로 도약하면 안 되는지 규칙들이 정말 세세하게 정해져 있다. 그런 규칙들을 다 지키면서 음악적으로 좋은 선율을 만들어내는 것이 대위의 핵심 포인트다. 대위 수업을 쭉 듣고 난 이후 기말고사를 보는데, 무려 12시간 동안 치른다. 정말 하루 종일 곡을 써야 한다. 물론 중간에 밥도 먹고, 화장실도 갈 수 있다. 12시간 내에 곡을 완성하기만 하면 된다. 1학년 새내기에게는 힘든 과정이었으나 힘든 만큼 얻은 것이 많은 수업이었다.

또 '고급 화성'이라는 수업이 있다. '고급 화성'은 시대 양상에 따라 달라지는 작곡가 스타일을 분석하고 그 스타일대로 곡을 쓰는 실습수업이다. 바흐 시대부터 현대 전까지 다양한 작곡가들의 스타일 기법을 모방해 나의 곡에 적용시켜야 한다. 시대적 양상에 따라 어떤 식으로 곡을 쓸지 생각하면서 수업에 임하면 얻어 갈 수 있는 것들이 많은 수업이다.

'분석' 수업은 말 그대로 악보를 분석하는 수업이다. 수업에서는 작곡가가 어떤 식으로 곡을 구성했고, 어떤 의도를 가지고 곡을 썼는지 세밀하게 분석한다. 한두 마디를 한 시간 동안 공부했던 적도 있다. 이 외에도 합창, 미디 등 다양한 전공 수업이 준비되어 있다. 다만 클래식이 아닌 다른 분야의 음악들은 학교 수업을 통해 접하기가 조금 힘든 것이 사실이다. 본인이 관심이 있다면 알아서 공부를 해야 한다.

가슴 뛰고 짜릿한 경험

지금은 내 전공에 만족하지만, 내가 음악을 좋아하는 이유를 찾는 데는 오랜 시간이 걸렸고 힘들었다. 어렸을 때부터 음악을 쭉 해오면서 나에게 음악은 당연한 것이 되어버렸고, 왜 음악을 하려고 하는지 생각할 겨를 없이 당연하게 입시를 보고, 전공을 삼았던 게 이유인 듯하다. 그래서인지 대학교에 들어오고 나서야 내가 왜 음악을 하려고 했었는지 진지하게 고민하기 시작했다. 그리고 나는 악보를 그리는 음악을 굉장히 좋아한다는 결론을 내릴 수 있었다.

곡을 쓰면서 내가 그린 악보의 소리를 상상하고, 어떻게 연주될지 기대하는 것. 단순히 음악을 쓰는 것에서 그치는 것이 아니라 연주까지 이어졌을 때 느껴지는 희열은 아직까지도 가슴 뛰고 짜릿하다. 이런 경험을 통해 나는 내 머릿속에 있던 음악을 구현하는 것을 좋아하는 사람이라는 걸 알게 되었다. 전공을 깊이 공부하면서 나 자신에 대해 새로운 발견을 하는 것은 말로 표현하기 어려운 희열을 선사한다.

대학, 새로운 나를 발견하는 곳

대학 시절은 나에 대해, 내 인생에 대해 스스로 질문을 던지고 공부해 나갈 수 있는 시기라고 생각한다. 이 시기에 학교에서 배우고 경험한 것은 모두 나에게 큰 도움이 된 것 같다.

또 입시를 위해 달렸던 중고등학교 시절에는 학교에 들어가기 위한 곡을 썼다면, 대학교에 들어와서는 내가 예술가로서 어떻게 곡을 써야 하는지, 그리고 내가 생각하고 있는 것들을 어떻게 표현해야 효과적으로 소리가 나올 수 있는지를 주로 고민하고 공부하게 된다. 그러다 보니 내가 생각해 보지 못한 부분들에 대해 새롭게 발견할 수 있는 부분들이 굉장히 많았다.

지금 생각해 보면 웃기지만, 고등학생 때까지만 해도 나는 현대 음악을 굉장히 싫어했다. 현대 음악을 좋아하는 사람들을 이해하지 못했다. 하지만 대학교에 들어온 후에는 현대 음악을 좋아하는 사람들의 마음이 이해되기 시작했다. 절대로 내가 쓰지 않을 것 같던 곡 스타일에 흥미를 가지게 되었다는 것이 스스로도 놀라웠다.

이처럼 대학교라는 공간을 통해 나는 굉장히 많이 변했다. 한곳만 보며 달려왔던 입시생 시절과는 달리 다양한 것들을 수용할 수 있게 되었고,

스스로도 음악을 대하는 태도가 많이 달라졌음을 느낀다.

현재 나는 입시 강사로 활동하고 있는데, 졸업 후에도 당분간 계속할 생각이다. 그리고 동시에 유학 준비를 하려고 한다. 나는 좋아하는 곡의 스타일이 굉장히 분명하고 확고하다. 북유럽 작곡가들의 곡을 굉장히 좋아하기 때문에 그쪽으로 유학을 가려고 한다. 물론 당장은 언어를 포함해 유학 준비가 되어 있지 않기 때문에 입시 강사 일과 유학 준비를 병행할 계획이다.

미래의 후배들에게

같은 길을 희망하는 후배들에게는 열심히 실패해 보라는 말을 하고 싶다. 학교에 들어오든 들어오지 못하든 입시를 준비하는 동안에 열심히 실패해 보길 바란다. 실패하면서 배우는 것만큼 값진 경험은 없다고 생각한다. 최선을 다하되 실패를 두려워하지는 말자!

또한 정말 음악을 쭉 하고 싶다면, 예술가로서 어떻게 살아갈 것인지, 어떤 음악을 할 것인지 본인만의 목표를 미리 생각해 두어야 한다. 대학교에 들어온다고 해서 모든 것이 해결되지 않는다. 내가 공부한 것들을 어떻게 녹여낼 것인지, 어떤 작업을 하고 싶은지 등을 미리 생각하고 들어온다면 학교에서 더 많은 것을 얻어 갈 수 있을 것이라 생각한다.

좋아하는 작곡가나 스타일 등
다른 음악적인 질문들도 받기 때문에
평소 내가 좋아하는 음악은
어떤 음악인지, 나는 어떤 스타일을
좋아하는지 등 스스로에 대해
알고 있는 것이 좋다.

02

창의적인
아이디어로
완성시키는 디자인

interview

김정인

미술원 디자인과 20학번

@j0_0nin

디자인과 입시를 시작하다

고등학교에 입학하면서 나중에 내가 어떤 일을 하며 살 수 있을지 고민하기 시작했다. 어릴 때부터 '옷'에 관심이 많아 부모님께서도 패션디자인 학과를 가는 것이 어떻겠냐고 제안해 주셨다. 좋아하는 일로 대학에 가고 싶었던 나는 17살 여름부터 패션디자인 학과에 관심을 갖기 시작했다. 사실 고등학생이 되어서도 이과였기 때문에 내가 예체능을 하게 될 것이라 전혀 예상하지 못했다.

입시를 본격적으로 준비하면서 알게 된 사실은 디자인을 전공하는 대다수의 과는 비슷한 시험을 본다는 점이다. 순수 미술과는 당연히 차이가 있겠지만, 그림을 그려 시험을 봐야 한다는 점은 동일하다. 그래서 나도 미술 학원에서 그림을 배우기 시작했다.

디자인과 입시는 대부분 3가지 종류로 나뉜다. 통상적으로 많은 대학교에서 시험으로 내놓는 '기초 디자인 시험'과 학교마다 다른 '자체 시험' 그리고 '발상과 표현'이 존재한다. 자체 시험의 경우, 중상위권 학교까지는 시험 느낌이 비슷하지만 서울대학교, 한국예술종합학교, 국민대학교는 각자 특징이 있다. 그래서 세 학교 입시를 동시에 준비하는 것은 어렵기 때문에 정말 가고 싶은 대학교 한 곳을 정해 집중적으로 공략하는 경우가 대부분이다. 물론 지원 학교를 결정하는 것에 있어 떼 놓을 수 없는 부분은 성적이다. 성적에 따라 내가 갈 수 있는 학교와 학과도 나뉜다.

한예종과 서울대학교는 패션디자인과가 따로 개설되어 있지 않다. 하지만 학교 자체가 워낙 커트라인이 높다 보니, 학교 내에 존재하는 디자인과 중에서 내가 준비한 것들을 잘 녹여낼 수 있는 학과에 지원하기로 했다. 그렇게 선택한 것이 서울대 디자인과와 한예종 제품디자인학과였다.

지금은 폐지되었지만, 내가 한예종 시험을 봤을 때는 국어와 영어 시험이 있었다. 생각보다 시험이 어렵게 출제되어서 필기시험만 따로 과외를 하거나 기출문제를 뽑아서 풀어보는 학생들이 많았다. 1차 필기시험에서는 한 고등학교를 통으로 빌려서 마치 수능처럼 시험을 치렀다. 오전에 필기시험을 보고 점심을 먹은 후, 오후에는 4시간 동안 당일에 주어지는 주제에 맞춰 그림을 그려야 했다.

2차 시험은 하루에 8시간씩 총 3일 동안 진행됐다. 3일 동안 총 3가지의 테마를 그려내는 시험이다. 집이 멀다면 3일 동안 편하게 시험을 볼 수 있게 주변에 숙소를 구하는 것이 좋다. 내가 시험을 봤을 당시, 주어진 재료는 '프러스펜'이었다. 프러스펜 하나와 연습용 종이 5장, 그리고 제출용 종이 3장이 수험생에게 주어진 전부였다. 스케치부터 명암까지 모든 것을 프러스펜 하나로 만들어내야 했다.

기본적으로 입시 미술을 시작하면, 고등학생의 경우 학교를 마친 후 4시간 정도 그림을 그린다. 대학교 입시 시험이 평균적으로 4~5시간이기 때문에 그 시간에 맞춰 연습을 하는 것이 일반적이다. 4시간 내에 스케치에서 채색까지 모든 것을 마무리하는 연습을 한다. 이렇게 하면 하루에 1개씩 작품을 만들어낼 수 있다. 이런 루틴으로 평일에는 4시간, 주말에는 12시간을 미술 학원에서 보냈다. 수능이 끝난 이후부터는 학교 선생님의 허락하에 학교를 조퇴하고 하루 종일 그림을 그렸다. 방학 때는 평일에도 12시간씩 그림을 그리는 것이 고정된 루틴이었다.

사실 나는 디자인과를 준비한 것치고 그림에 많은 시간을 투자한 편은 아니다. 오히려 나는 그림을 덜 그린 편이다. 미술 하는 친구들이 꼭 알아야 하는 사실은 디자인은 그림을 잘 그리는 것만으로 들어갈 수 있는 과가 아니라는 점이다. 전국 1위를 하는 정도의 대회 수상 경력을 가지고 있지 않은 이상, 공부와 그림 모두 신경을 써야 한다.

하지만 입시를 준비하다 보면 주변에 나보다 그림을 잘 그리는 친구들이 보이기 때문에 그림 연습을 더 해야겠다는 생각이 든다. 그런 생각 때문에 공부를 놓쳐 재수하는 경우를 허다하게 보았다. 실제로 나보다 그림을 훨씬 잘 그리는 친구들이 성적 때문에 재수하는 경우도 보았다. 그래서 나는 오히려 미술 학원에 있는 시간을 조금 줄이고, 독서실에 있는 시간을 늘

리려고 노력했다. 디자인과도 성적이 받쳐주어야 1차 커트라인을 넘길 수 있기 때문에 성적을 꼭 챙겨두어야 한다. 심지어 1차에 그림은 보지 않고 오로지 성적으로만 합격을 결정하는 학교도 있다. 그러니 평소에 성적 관리에 힘쓰도록 하자.

그리고 성적만큼이나 중요한 것이 체력 관리다. 거의 하루 종일 앉아서 그림을 그리다 보니 허리와 엉덩이에 엄청난 무리가 온다. 고등학생 때 엄청 유연했던 내가 대학 입시 이후 굉장히 뻣뻣한 상태가 되었다. 대학에 들어온다고 해도 크게 변하는 것은 없다. 내 앞에 있는 것이 종이가 아니라 컴퓨터가 되었을 뿐, 오랜 시간 앉아서 작업해야 하는 것은 변함없는 사실이다. 어떤 일이든 그렇겠지만, 미술을 하려고 한다면 꼭 체력을 기르라고 말하고 싶다.

한예종 디자인과에 오려면

내가 생각하기에 한예종은 참신하고 새로운 아이디어를 낼 수 있는 학생을 좋아하는 것 같다. 물론 내 아이디어를 잘 전달할 수 있을 정도로 그림을 그릴 줄 아는 것은 기본이다.

대학교는 완성된 사람을 뽑는 곳이 아니라 들어와서 공부하고 성장할 학생들을 뽑는 곳이기 때문에, 그림 실력에만 몰두해 창의력을 잃지 않았으면 좋겠다. 입시 미술을 하면서 그림 그리는 방법을 공식처럼 배우기 때문에, 어떤 문제가 주어지든 나만의 방식으로 생각하는 훈련을 스스로 해야 한다. 특히 제품 디자인 분야에서는 이 물건을 어떨 때 사용하고, 누가 사용하는지 등 기본적인 부분부터 고려해서 쓰임에 맞게 디자인해야 한다. 여기다 창의력을 더해 보이는 부분까지 신경 쓴다면 좋을 것이다.

2020학년도 이후 세부 전공 시험이 통합으로 바뀌었지만, 통합이 되어도 창의적인 문제가 나오는 것은 변함이 없다. 그렇기에 디자인과를 희망한다면 평소에 최신 트렌드를 책과 자료 등을 통해 많이 접하길 바란다. 더불어 최신 기술에 관련된 지문이 나오는 경우도 있으니 꼭 미술에 관련된 지식이 아니더라도 인사이트를 넓혀놓으면 입시뿐만 아니라 앞으로 디자인 작업을 하는 데에 도움이 될 것이다.

디자인과 커리큘럼

앞서 말했듯 디자인과의 입시는 손으로 종이에 그림을 그리는 고전적인 방식을 택하고 있다. 하지만 대학교에 들어오고 난 이후에는 대학 입시에서 보여줬던 스타일을 지우기 위해 노력하게 된다. 모순적이게도 전공을 위해 필요한 그림과 입시를 위해 필요한 그림이 너무나 다르다.

한예종 디자인과는 제품 디자인, 인터렉션 디자인, 그래픽 디자인, 운송 디자인 이렇게 4개 세부 전공으로 나뉜다.

내가 입시를 치른 2020년에는 세부 전공별로 입시를 치렀기 때문에, 1학년 때부터 전공을 파고드는 형식의 커리큘럼으로 수업이 진행되었다. 소프트웨어 3D 툴을 배워서 1학년 때부터 손으로 직접 제품을 만들어보기 시작했다.

현재는 디자인과가 통합되어 이전에 비해 유연하게 사고할 수 있는 커리큘럼으로 바뀌었다. 1, 2학년 때는 4가지의 모든 세부 전공 수업을 다 경험할 수 있고, 그것을 바탕으로 3학년 때 세부 전공을 선택할 수 있도록 바뀌었다. 다양한 것들을 경험한 후에 확신을 가지고 전공을 선택할 수 있다는 장점이 있지만, 1학년 때부터 1가지 전공을 파고들지 않기 때문에 그만큼 전문적인 기술을 쌓을 시간은 부족할 수 있다. 1학년 때부터 내가 하고 싶은 전공이 명확하다면 이 부분은 아쉬울 수도 있을 것이다.

대학교는 완성된 사람을 뽑는 곳이 아니라
들어와서 공부하고 성장할 학생들을
뽑는 곳이기 때문에, 그림 실력에만 몰두해
창의력을 잃지 않았으면 좋겠다.

작업 중 아이디어 단계에서
썸네일 스케치, 제품 스케치 과정을 도출한다.

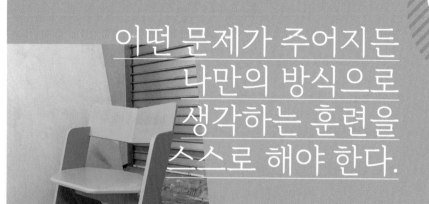

어떤 문제가 주어지든
나만의 방식으로
생각하는 훈련을
스스로 해야 한다.

제품 디자인의 매력

　　제품 디자인의 장점은 내가 디자인한 것이 컴퓨터 속에만 있는 것이 아니라, 실제 제품이 되어 눈으로 볼 수 있다는 점이다. 과정은 힘들지만 완성시켰을 때의 만족감이 정말 크다. 가만히 앉아서 머리를 쥐어짜내며 디자인하는 것이 아니라 이곳저곳 다니며 직접 제품을 보고 만지며, 거기서 얻은 인사이트를 작업에 더하는 과정 또한 즐겁다.

　　주변의 모든 사물이 내 전공과 관련 있다는 사실도 꽤나 매력적이다. 핸드폰, 숟가락, 의자, 조명 등 일상생활 속에서 사용하는 사물을 더 집중해서 관찰하고 생각하게 된다. 일종의 직업병이라고 할 수 있겠다.

디자인 회사는 대부분 크게 소속 디자이너를 고용하는 '인 하우스'와 인 하우스에 비해 조금 더 창의적인 디자인을 할 수 있는 '스튜디오' 형태 2가지로 나뉜다. 하지만 현재 한국의 취업 시장을 보면 산업 디자이너를 채용하는 곳은 얼마 없다. 디지털 분야의 삼성전자, LG, 가구 분야의 한샘, 일룸 등 하이엔드 브랜드로 가지 않는 이상은 취업하기가 어렵다.

또 디자인을 공부하면서 레퍼런스를 찾다 보면, 한국 제품 디자인이 많이 없어서 외국 이미지들을 보고 공부하게 된다. 물론 학교에서는 외국 레퍼런스를 통해 얻은 아이디어로 독창적인 작업을 할 수 있다. 그러나 사회에 나가게 되면 여러 가지 이유로 한국에서 '잘 팔릴 수 있는', 어쩌면 뻔하다고 느껴지는 디자인을 해야 하므로 괴리감이 생길 수 있다.

이러한 이유로 나는 제품과 공간을 모두 디자인할 수 있는 해외 회사에 취업하는 것을 목표로 삼고 있다.

디자인에 관심이 있다고 해서 학교에 목숨을 걸 필요는 없다. 디자인은 좋은 대학에 가야만 성공할 수 있는 분야가 절대 아니다. 취업을 하려고 해도 학력보다는 본인이 했던 '작업물'을 본다. 그러니 입시에서 실패하더라도 스스로를 실패자로 낙인찍고 좋아하는 일을 포기하지 않았으면 좋겠다. 또 대부분의 학생이 그림이 좋아서 미술 학원을 다니다가 대학교를 갈 시기가 되어 디자인과를 선택하는 경우가 많은데, 입시를 시작하기 전에 내가 디자인을 좋아하는 것인지 그림 그리는 것을 좋아하는 것인지 다시 한번 생각해 보았으면 좋겠다.

03

꾸준히
도전하는
자세

Interview

김태경

전통예술원 음악과
대금전공 20학번

 @flower_way_1206

중학교 때 처음 대금을 만났다. 학교 내 동아리 활동으로 대금을 시작했지만, 전공으로 삼겠다는 생각은 없었다. 기존에 유도를 하고 있었기 때문에 선수 생활을 하려고 했다. 하지만 운동을 하던 도중 큰 부상을 입게 되었고, 절망감에 휩싸였다. 계속 움직이고 활동하던 내가 아무것도 하지 못하게 되니 굉장히 무기력했다. 그 무기력은 나를 부정적으로 만들었다. 나는 어서 빨리 우울감에서 뛰쳐나오고 싶었다. 당시 유도를 제외하고 내가 유일하게 하고 있던 활동은 '대금 동아리' 활동이었다. 신기하게도 오히려 악기에 집중하는 시간을 가지다 보니, 부정적인 생각이 사라져 머리가 맑아지는 느낌이 들었다. 이후 대금을 조금 더 배워보고 싶다는 마음에 국악예술고등학교에 진학하기로 마음먹었다.

예고에 진학한 이후 본격적으로 '입시'를 준비하기 시작한 것은 고등학교 2학년 말부터였다. 대학교에 가겠다는 일념으로 새벽 4시 50분부터 밤 12시까지 계획을 세우고 연습에 매진했다. 하루도 빠짐없이 연습을 해나가는 과정이 힘들게 느껴지는 순간도 많았지만, 대금으로 진학할 수 있는 기회마저 흘려보내고 싶지 않았다. 나는 예고 정규 수업을 포함해 하교 후에도, 방학 때도 꾸준히 레슨을 받으며 실력을 키우기 위해 노력했다.

다시 돌아간다면 새벽부터 밤까지 몸을 혹사시키는 방법을 쓰지는 않을 것이다. 이 글을 읽는 입시생들은 꼭 적절한 휴식과 건강을 챙기길 바란다. 당시에는 나도 지금 하고 있는 전공으로 결과를 내고 싶다는 목표가 있어서 버텼지만, 한 달에 한 번이라도 리프레시를 하면서 몸을 챙겼다면 더 좋았을 것 같다.

가장 필요한 마음가짐

보통 국악을 전공하는 친구들은 어렸을 때부터 시작하는 경우가 많기 때문에, 그런 친구들에 비하면 스타트가 늦은 편이었다. 내가 운동에 집중했던 시간만큼 다른 친구들은 국악에 시간을 투자했을 것이라는 생각에 힘들기도 했다. 선생님들의 쓴소리와 친구들과의 경쟁 속에서 한없이 나 자신이 작아지는 느낌이 들어 괴로웠지만, 그럴수록 남들과 비교하지 않으려 애썼다. 자책하는 습관이 생기면 스스로를 인정하고 존중할 수 없게 되는 것 같다.

그리고 목표를 향한 끈기와 열정, 나 자신을 믿는 믿음이 있어야 하며 힘들 땐 기댈 줄도 알아야 한다. 혼자 끙끙 앓아봤자 해결되는 건 없다. 입시의 기본은 마인드 컨트롤이다. 주위에서 무슨 소리를 하든 목표만 보고 나아가되, 도움이 되는 말은 귀담아듣고, 마음을 힘들게 하는 것은 흘려보내면 좋겠다.

처음 입시 시험을 보러 한예종에 왔을 때 굉장히 당황스러웠던 기억이 난다. 전통예술원의 경우 석관 캠퍼스 내에 있긴 하지만, 연극원과 영상원이 있는 본관 건물이 아닌 별관 건물에 있어서 생각했던 한예종의 이미지와는 굉장히 달랐다. 하얀색 건물로 이루어져 있는데, 마치 옛날 저층 아파트 내지는 교도소 같다는 생각이 들었다. 하지만 교육의 질은 외관에 비례하지 않는다.

양질의 전공 수업과 더불어 색다른 강의들을 많이 접해볼 수 있다는 것이 한예종의 장점이다. 또 같은 전공을 하는 사람들이 모여 있음에도 불구하고 분위기가 굉장히 좋다. 서로를 경쟁자라고 생각하기보다는 함께 예술을 하는 동료라고 생각하는 분위기였다. 이러한 환경 덕분에 서로를 통해서도 배움을 얻을 수 있었던 것 같다.

더불어 내 전공이 아니더라도, 전문 장비가 갖추어진 환경에서 전문가 교수님의 지도를 받아 색다른 전공을 경험해 볼 수 있다는 점도 한예종의 장점 중 하나다. 내가 들었던 수업 중 가장 재미있었던 수업은 계절 학기 때 수강한 '목공 수업'과 유리 '블로잉 수업'이다. 둘 다 미술원 수업이지만, 모든 과가 들을 수 있도록 개방되어 있어서 미술을 전공하지 않는 학생들도 조형 예술을 경험해 볼 수 있다. 보통 계절 학기 공방 수업은 하루에 8시간씩 진행되다 보니 계절 학기가 끝나고 나면 서로 굉장히 돈독해진다. 학기 중에는 들어야 하는 전공이 많아 다른 학과의 친구들과 교류할 시간이 많지 않은데, 계절 학기를 통해 다양한 예술 분야에 전문성을 지니고 있는 친구들을 만날 수 있어서 좋았다.

전통예술원의 수업

전공 수업 중에 가장 기억에 남는 수업은 '민속악✚ 합주'다. 수업 중 시나위✚✚를 맞춰보는 것이 가장 인상 깊었는데, 본래 시나위 특성상 사전에 맞추기보다는 즉흥적인 게 대부분이라는 점이 어려웠다.

합주뿐만 아니라 중간중간 독주도 진행해야 하는데, 독주는 타이밍이 정해져 있지 않으므로 서로의 호흡을 듣고 타이밍을 맞춰 연주해야 해서 굉장히 어려웠다. 처음에는 조심스러워서 서로 눈치 싸움을 많이 했지만, 시간이 지남에 따라 점점 호흡이 맞춰져 즐길 수 있게 되었다. 합주 수업을 통해 생소한 일에 지레 겁먹고 포기하기보다는 그 안에서 어려움을 헤쳐 나가고 다른 구성원들과 호흡을 맞추는 법을 배울 수 있어서 뜻깊었다.

가장 힘들었던 수업 과목은 '청음'이었다. 청음은 들려주는 음을 바로

✚ 궁중에서 하는 음악인 '정악'과는 다르게 서민들 사이에서 연주되던 음악.
✚✚ 특정 음계만을 가지고 즉흥으로 연주하는 음악.

악보에 그려내는 수업인데, 사실 웬만큼 귀가 발달되지 않으면 힘들다. 한 음만 들려주는 것이 아니라, 화음으로 여러 가지 음을 연주하듯 들려주기 때문에 굉장히 힘들었던 기억이 난다. 수업 시간마다 음을 들려주고 악보를 그려서 제출하는 활동을 했는데, 포기하고 싶은 순간도 많았다. 다행히 이 강의는 레벨 테스트 후 A, B, C반으로 나뉘어 진행되어서 자신의 레벨에 맞는 수업을 들을 수 있다. A, B반은 어느 정도 실력이 갖춰진 그룹으로, C반의 2배 정도 되는 인원이 강의를 들었다. 나는 기초 그룹인 C반에 배정되어 소수 인원과 함께 세세한 강의를 들을 수 있었다. 거기다 교수님께서는 다른 반에 뒤처지지 않도록 똑같이 진도를 나가주셨고, 개인 레슨처럼 봐주셔서 포기하지 않을 수 있었다. 수업 분위기가 좋아서 모르는 부분이 있으면 친구들이나 교수님께 편하게 질문할 수 있었다. 그러다 보니 점점 귀가 열렸고 마지막까지 수업도 포기하지 않고 들을 수 있었다.

　혹시 나처럼 늦게 음악을 시작한 학생이 있다면, 미리미리 시창청음을 배워두길 바란다. 그럼 학교에 들어와서도 청음 시간이 두렵지 않을 것이다.

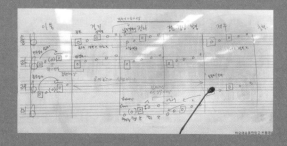

'전통'이라는 분야는 관심을 가지고
들여다보지 않으면 접할 기회가 많지 않다.
그래서인지 우리나라의 고유한 문화 예술을
깊게 공부하고 배웠다는 것만으로도
큰 자부심을 느낀다.

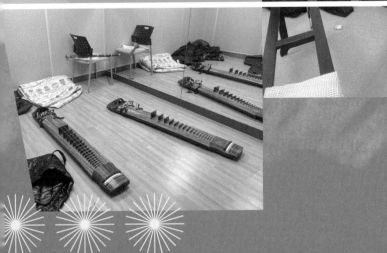

새로운 길을 가야겠다고 다짐하다

'전통'이라는 분야는 관심을 가지고 들여다보지 않으면 접할 기회가 많지 않다. 그래서인지 우리나라의 고유한 문화 예술을 깊게 공부하고 배웠다는 것만으로도 큰 자부심을 느낀다. 어디 가서 한국인이라고 말할 때도 더 당당한 느낌이 든다. 실제로도 우리 문화를 사랑하고, 보존하는 일에 더 관심을 가지게 되었다.

우리나라에는 어릴 때부터 재능을 가지고 국악계로 뛰어든 국악 신동들이 참 많다. 내가 대통령상까지 받을 정도로 출중한 실력을 가지고 있는 친구들을 이기기는 힘들다고 생각했다. 그래서 조금은 새로운 길을 가기로 결심했다.

나는 국악과 현대 음악을 섞어 더 많은 사람들이 국악을 쉽게 받아들일 수 있도록 만들고 싶다. 사실 국악을 전공하는 사람들은 다른 음악을 하거나 다른 길을 가는 것을 반가워하지 않는다. 대중적이고 퓨전적인 것들을 밀어내기도 한다. 개인적으로 이 부분은 한 전공에 오래 머물다 보면 생기는 자존심이라고 생각한다.

하지만 나는 운동을 하다가 국악으로 전공을 바꾼 경험이 있어서인지 조금 유연한 편인 것 같다. 물론 처음 운동을 그만두었을 때는 꾸준히 해오던 것이 사라져 절망스럽기도 했지만, 새로운 도전을 시작하면서는 설렘도 많이 느꼈다. 그 경험 덕분에 한예종 전통예술원을 졸업한 국악 전공자임에도 새로운 일을 할 수 있는 용기를 얻을 수 있었다. 이 책을 읽는 독자들 또한 하나의 길에 갇히지 말고 조금 더 열린 마음을 갖고 예술을 접했으면 좋겠다.

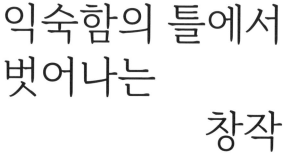

04

익숙함의 틀에서
벗어나는
창작

Interview

김고은

무용원 창작과 18학번

@ @_moddi.go_

무용을 시작한 계기

나는 어린아이였을 때부터 움직이는 걸 워낙 좋아했고 활동적이었다. 홈쇼핑 채널에서 흘러나오는 노래에도 춤을 출 정도로 '흥 부자'였다.

처음으로 춤을 배우기 시작한 것은 초등학교 1학년 때였다. 방과 후 활동으로 방송 댄스를 배우기 시작했다. 워낙 노래에 맞춰 몸을 움직이는 것을 좋아했던 터라 방송 댄스에 큰 흥미를 느꼈다.

이후 중학생이 되어서는 댄스팀을 꾸려 춤을 추기 시작했다. 학교 행사에 참여도 하고 대회도 나가며 취미로서 춤을 즐겨왔다. 그러던 중 예고에 다니는 지인의 제안으로 예고 입시를 보게 되었고, 합격을 하면서 본격적으로 춤을 시작했다.

입시 준비

예고에 다니며 다양한 콩쿠르에 나갔다. 여러 대회를 나갔지만 입상을 한 기록은 많지 않다. 대학 진학을 고민해야 되는 시점이 되자 지금까지 배웠던 것들을 바탕으로 어떤 전공을 선택해야 할지 고민이 되었다. 그러던 중 한예종 무용원에 '창작과'가 있다는 것을 알게 되었다. 창작과는 실기과처럼 춤을 추지만, '창작'하는 것을 더 중점적으로 배운다는 점이 매력적으로 느껴져 한예종 입시를 준비하게 되었다.

무용과 입시생이라면 누구나 공감하겠지만, 스트레칭이 가장 힘들었다. 스트레칭 범위를 늘리는 데에는 반드시 신체적인 고통이 따라오기 때문이다. 또 입시생 시절 잠도 자지 않고 연습에 몰두한 적이 많았는데, 이러한 날이 지속되다 보니 체력이 가장 좋아야 하는 청소년기였음에도 불구하고 몸이 한계에 부딪히는 것을 자주 느꼈다. 체력에 대한 부담감과 지속적으로 무용을 할 수 있을지에 대한 걱정이 나를 힘들게 만들었다.

나는 동작의 정확도를 올리는 데 굉장히 민감한 사람이라서 한 동작을 완벽하게 끝내야 그다음 동작으로 넘어가는 강박이 있었다. 컨디션이 좋지 않아 원하는 만큼의 퀄리티가 나오지 않을 때에도 마음에 들지 않는 동작이 생기는 것이 스트레스였다.

사실 '무용'은 몸을 사용하는 장르이기 때문에 매일매일 좋은 컨디션으로 춤을 추는 것은 사실상 불가하다. 컨디션이 저조한 날에는 신체적 능력이 저하되기 때문에 평소에 잘 되던 동작도 막히는 경우가 발생한다. 그럼에도 매일매일 완벽한 동작을 해내야 직성이 풀리는 성격이 나를 힘들게 만들었다. 어제보다 나은 내가 되겠다는 생각은 열정에 불을 지펴주는 동시에 몸을 혹사시키게 만들었다. 사실 지금 와서 생각해 보면 어느 정도의 실력에 도달하면 매일 눈에 보일 정도의 발전을 하는 것은 어려운 일인데, 나는 매일 성장하는 나를 확인하고 싶었던 것 같다.

여러 힘든 순간들 속에서도 창작과 시험 과목 중 오브제를 활용해 움직임을 표현하는 과목을 준비하던 일은 꽤 즐거운 기억으로 남아있다. 어떤 주제가 나올지 모르기 때문에 연습실에 있는 의자부터 가방 속에 있는 물병, 고무줄까지 다양한 오브제를 활용해 연습했었던 것이 기억에 남는다.

중요한 건 꺾이지 않는 마음

'꺾이지 않는 마음'은 입시생들에게 정말 필요한 마음이라고 생각한다. 내가 하고 있는 일에 대해 '이렇게 하는 것이 맞나?' 하는 의심이 들더라도 그냥 하는 것, 나아가고 있는 나 자신을 믿고 열심히 하는 것이 입시생들에게 가장 필요한 태도인 것 같다.

나는 이러한 태도는 습관에서 나온다고 생각해서 입시생 시절 무슨일이 있든 웃고 다녔다. 겉으로 분출되는 긍정적인 기운이 결국 나에게 좋은 기운을 불어넣어 줄 것이라 믿었다. 그리고 무슨 일이 있어도 긍정적으로 생각하고 웃어넘기면, 그 기운이 나를 더 행복하게 만들어주는 것을 실제로도 느낀다.

처음 학교에 입학했을 때 시간표를 보고 놀랐다. 1교시 발레, 뒤이어 한국 무용, 30분 동안의 점심시간이 끝나면 다시 창작 수업 5시간을 듣는 시간표였기 때문이다. 아무리 한예종이 실기 중점 학교라지만, 내가 정말 이 수업들을 따라갈 수 있을지 걱정이 되기도 했다. 실제로 학교생활을 해 보니 고등학생 때보다 체력적인 소모가 컸다.

기본적으로 창작을 하기 위해서는 다양한 춤의 장르를 이해하고 출 수 있어야 한다. 그 때문에 시간표도 여러 춤의 기초를 다지는 방향으로 구성되어 있다. 한국 무용, 발레, 현대 무용 등 다양한 무용 장르를 각각 2시간씩 일주일에 2번 들어야 했다. 무용수로서 다양한 전공을 배우는 것은 춤의 흐름을 이해하고 디테일한 안무를 창작하는 것에 큰 도움이 되는 과정이지만, 체력적으로는 굉장히 힘들었다.

창작 수업 중 기억에 남는 것은 책을 활용한 수업이었다. 학생들이 책을 한 권씩 가지고 오면, 표지만 보고 어떤 내용일지 유추하는 시간을 갖는다. 이후 가장 재미있을 것 같은 한 권의 책을 선정하고, A와 B팀으로 책의 파트를 나눠 갖는다. 예를 들어 500페이지의 책을 골랐다면 A팀이 1페이지부터 250페이지까지, B팀이 251페이지부터 500페이지까지를 담당하는 방식이다. 이렇게 파트까지 나누고 나면 그 안에 쓰여 있는 모든 말들을 움직임으로 표현해야 한다. 여기서 핵심은 '모든 말'이다. 예를 들어 "곰 세 마리가 한 집에 있어."라는 문장이 있을 경우 곰, 세 마리, 한 집 등 문장 속에 사용된 단어들을 놓치지 않고 다 표현하는 것이다. 팀원들과 함께 몸을 움직이며 다양한 방식의 표현을 연구하고 시도해 볼 수 있었던 수업이라 기억에 남는다.

또 움직임에 대해 리서치를 해보는 창작 수업도 있다. 이 수업에서는 오늘의 기분을 몸으로 표현해 보고, 동물의 움직임을 모방하기도 한다. 이처럼 창작과라고 해서 정말 노래에 맞춰 춤을 만드는 수업만 있는 것이 아니다.

창작과의 수업은 노래에 맞춰 안무를 짜내는 것보다 행동하고 몸을 움직이는 것 자체에 포커스가 맞춰져 있다. 근육이 어떻게 쓰이는지, 관절의 움직임을 어디까지 쓸 수 있는지 등 몸의 사용에 대해 공부하는 시간들이 많다.

또 '무용원'이라고 해서 무용만 창작하는 것은 아니다. 교수님께서는 창작을 하는 과에 왔으니 다양한 창작을 경험해 보고 경계를 없앴으면 좋겠다고 하셨다. 글을 쓰든 발가락 하나만을 움직이든 포스터를 만들든 다양한 도전을 해보길 권하셨다. 한번은 공연을 공연장에서 해야 한다는 편견을 깨라는 교수님의 말씀에 따라, 계단에서 공연을 진행하기도 했었다. 한예종은 정형화된 움직임과 생각에서 벗어나 색다른 시도들을 하는 센세이셔널한 창작자를 양성하는 것을 목표로 하는 것 같다.

개인적으로 가장 좋았던 수업은 '움직임 연구'라는 수업이었다. 이 수업은 나의 움직임을 분석하는 수업이다. 분석은 정말 세세하게 진행된다. 왼손에서부터 내 움직임이 시작되었다면 내가 왜 왼손을 먼저 사용하는지에 대해 분석해야 한다. '왼손잡이여서 왼손이 먼저 나갔을까?, 왼쪽 팔 근육이 더 발달되어서 왼손이 먼저 나갔을까?' 하는 식이다. 또 내가 팔로 원을 그리는 동작을 자주 사용한다면 '도형 중에 내가 원을 가장 좋아하나? 각지지 않고 연결되는 라인이 예뻐서 이 동작을 좋아하나?' 등 움직임에 대한 이유를 분석해 본다. 창작과에서만 경험해 볼 수 있는 가치 있는 시간이었다.

한예종 생활

한예종에는 예술을 하는 사람들이 모여 있기 때문에 다양한 예술 분야의 사람들을 만날 수 있고, 그들과 소통할 수 있다는 점이 가장 큰 장점이다. 한편 무용원의 경우 석관동이 아닌 서초동에 위치해 있기 때문에 음악원을 제외한 다른 4개 원의 사람들을 만날 기회가 흔치 않은 것은 아쉬운 점이다. 석관 캠퍼스에서 진행되는 교양 수업에 참여하지 않는 이상, 연결 지점이 생기지 않아 참여할 수 있는 프로젝트에도 함께하기가 어렵기 때문이다.

공연을 공연장에서 해야 한다는
편견을 깨라는 교수님의 말씀에 따라
계단에서 공연을 진행하기도 했었다.

앞서 말했듯이 창작과는 무용원에 속해있만 수업이 무용에만 포커싱 되어 있지 않기 때문에 학교생활을 하면서 더욱 폭넓은 생각을 할 수 있다. 꼭 춤을 추는 것이 아니더라도 다양한 장르를 경험하며 창작에 대한 재미를 얻을 수 있다는 점이 가장 만족스러웠다. 또한 움직임에 대한 시각도 굉장히 다각화되었고, 나 자신에 대해서도 공부할 수 있었다.

다시 입시생으로 돌아간다면

입시를 준비하던 시절로 돌아간다면 우선 건강을 챙기고 싶다. 나는 예고에 들어가서야 전문적으로 춤을 배운 케이스다 보니, 어렸을 때부터 무용을 전공한 친구들에게 지지 않기 위해서 더 많은 노력을 해야 했다. 그 때문에 마음이 급해져 건강과 부상에 대한 생각 없이 몸을 내던졌다. 무릎이 돌아가고 관절이 꺾여도 해내야 된다는 생각으로 버텼다. 내가 늦게 시작한 거니까 감내하자는 마음으로 참았던 것 같다. 그러면서 자연스럽게 연골도 많이 안 좋아졌고 허리 디스크도 얻게 되었다. 그래서 입시생으로 돌아간다면 좋아하는 무용을 오래 하기 위해서라도 꼭 건강을 우선시하고 싶다.

두 번째로는 기록을 많이 하고 싶다. 사실 영상으로 자신의 움직임을 찍어보면 정말 서툴러 보인다. 입시생 때는 그런 내 모습을 마주하는 것이 두려웠던 것 같다. 영상을 찍어도 마음에 들지 않아 화가 나서 지웠다. 하지만 그런 모든 움직임들이 내 재산이라고 생각하니 기록을 해두지 않은 것이 너무 아쉽게 느껴진다. 또 일기도 열심히 썼는데 내 감정을 마주하는 것이 힘들어서 중간에 쓰는 것을 포기했다. 시간이 지나고 보니 그때의 치열함을 기록해두었다면 힘들 때마다 큰 위로와 힘이 되었을 것 같다. 그래서 입시생으로 돌아간다면 영상 기록도 많이 하고 일기도 꼬박꼬박 쓰면서 되돌아오지 않는 시간들을 조금 더 남겨두고 싶다.

05

입시,
도착지가 아닌
과정

김민정

영상원 영화과 21학번

@min_loda

어린 시절부터 나는 사람을 대하거나, 앞에 나서는 것이 너무 두려웠다. 중학생 때 나는 이러한 단점을 극복하고 싶어졌다. 그러다 문득 현재의 환경을 변화시켜보면 어떨까라는 생각이 들었고, 일반 고등학교가 아닌 특성화 고등학교로의 진학을 결심했다. 사람들을 많이 만날 수 있고 소통할 수 있는 과를 탐색하던 와중에 '방송영상과'가 눈에 들어왔다. 함께 영화나 영상을 만들고 여러 가지 글도 써볼 수 있다는 점이 책 읽기와 글쓰기를 좋아하던 나에게 꽤나 매력적으로 다가왔다.

처음부터 영화를 하고 싶다는 생각으로 입학한 것은 아니었지만, 학교생활을 하면서 영화에 대한 흥미가 커졌다. 평소에도 소설 읽는 것을 좋아했던 나는, 이야기를 만들고 그것을 영상 매체에 담아 표현한다는 것이 흥미로웠다. 더불어 다른 친구들과 협업하는 과정을 통해 스스로 단점이라고 생각했던 '사람을 대하는 자세'가 굉장히 많이 바뀌었음을 느꼈다. 사람들 앞에 나서는 걸 두려워했던 내가 전교회장을 하게 될 정도로 성장하면서 영화를 더 좋아하게 된 것 같다.

입학시험은 대체로 연출적인 부분이 베이스가 된 글쓰기 시험을 본다. 사실 영화를 만드는 데 있어 촬영이든 편집이든 음향이든, 연출이 의도하는 바를 캐치하고 그 의도를 정확하게 표현해 주는 것이 중요하다. 때문에 연출에 대해 이해하고 공부하는 것은 영화과에서 필수적인 요소라고 볼 수 있다.

한예종 시험을 준비하면서 기출문제들을 많이 풀어보았다. 하지만 성공적으로 풀어냈다는 기분이 든 적은 별로 없었다. 본인의 경험을 가지고 와서 풀어야 하는 주제들이 많다 보니 당시 고등학교 3학년이었던 내가 쓸 수 있는 글에는 한계가 있었다. 그래서인지 나에게는 기출문제보다도 평소에 지속한 글쓰기와 독서가 오히려 더 도움이 된 것 같다.

내가 풀었던 기출문제 중 성형외과 광고 사진 같은 이미지와 함께 "주어진 사진을 보고 아름다움에 대한 본인의 생각을 논술하시오." 라는 문제가 있었다. 이러한 문제들에 대비하기 위해서라도 다양한 독서와 글쓰기를 통해 자신의 의견을 정리해 보는 훈련이 필요하다.

영화과의 경우 졸업 영화에 어떤 포지션으로 참가했느냐에 따라 졸업장에 표시되는 전공명이 정해진다. 포지션에는 연출, 촬영, 음향, 편집, 시나리오 등이 있고, 재학 중에 수강한 과목들과 본인의 관심사 등이 반영되어 전공이 결정된다. 입시 때부터 걱정할 필요는 없지만, 원하는 진로가 있다면 미리 살펴두어도 좋겠다.

영화과 입시는 심리 싸움

입시를 준비하면서 가장 어렵고 힘들었던 부분은 '불분명함'이었다. 높은 경쟁률을 뚫고 합격하기 위해 준비하고 있지만, 일반 중고등학교 시험이나 수능 시험처럼 명확한 점수로 나의 실력을 확인할 수 없다는 것이 불안했다. 모든 예술이 그러하듯 영화 또한 정해진 정답이 없는 분야이기 때문에 시험에 합격하기 위한 명확한 기준점이 없다. 스스로 만족한다고 해서 붙을 수 있는 것도, 주변 사람들의 칭찬을 많이 받는다고 해서 붙을 수 있는 것도 아니다. 이러한 불확실함 속에서 스스로를 믿고 나아가는 힘이 무엇보다 중요했다.

입시를 준비할 때 '입시 생각을 하지 않는 것'이 큰 도움이 된다. 학교에 입학하기 위해서 공부한다는 생각보다 내가 정말 하고 싶은 일을 배워나가는 과정이라고 생각해야 지치지 않을 수 있다. 합격하지 못하더라도 영화를 하겠다는, 내가 가야 할 길을 묵묵히 가겠다는 마음을 가져야 한다. 또한 삶 전체를 놓고 멀리 보자. 시험을 준비하는 이 과정이 스스로에게 어떠한 도움이 될지 생각하면 학교에 들어와서 배우는 것이 더 많아질 것이다.

내가 가야 할 길을
묵묵히 가겠다는 마음을
가져야 한다.

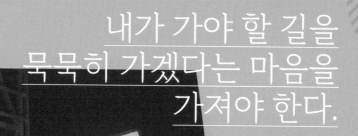

　　스마트폰이 발달하면서 우리는 책과 멀어졌고, 짧은 영상 콘텐츠들에 길들여졌다. 이러한 요인으로 요즘 세대가 문해력이 낮아진 것 같다. 스스로도 이러한 문제점을 느끼고 있다.

　　입시를 위해서만이 아니라 영화계에서 일하기 위해서는 적합한 어휘 선택을 할 수 있도록 노력해야 한다. 거기다 창의성까지 갖추고 있다면 좋은 작품을 만들어낼 수 있을 것이다.

　　영화는 혼자서 할 수 없는 예술이다. 결국 사람들과 협업해야 하기 때문에 의견을 조율하고 부딪치는 과정을 여러 번 겪을 수밖에 없다. 영화과에 오기를 희망한다면, 혹은 영화계에서 일하고 싶은 마음이 있다면 스스로 사람들과 협업할 수 있는 준비가 되어 있는지 점검해 보면 좋을 것 같다. 다른 사람들의 의견을 경청하고 수용하는 태도, 분주한 현장에서 서로 도와주는 자세는 꼭 필요하다.

　　입학하기 전에는 한예종 영화과에 다니는 학생들은 모두 필드에서 당장 활동해도 될 정도로 준비가 되어있을 것이라 생각했고, 평범한 고등학생이었던 내가 살아남을 수 있을지 두려워했다. 실제로 학교에 들어와 생활해 보니 나보다 전문적인 지식이 많고 좋은 아이디어를 가지고 있는 사람들과 협업하는 과정을 통해 많은 것을 배울 수 있다는 사실을 깨달았다. 물론 함께 공부하고 있는 사람들이 경쟁자라는 생각이 들 수도 있다. 하지만 그렇게만 생각하면 학교생활은 괴로워질 수밖에 없다. 어쨌든 영화는 함께 만들어나가는 것이니, 협업을 통해 많은 것들을 배우고 얻어간다는 생각으로 임하면 작업이 한층 즐겁게 느껴질 것이다.

한예종 영화과 수업

　　대부분의 영화과 수업은 다른 과와 마찬가지로 실기 수업으로 이루어진다. 이론 수업도 물론 존재하지만, 전공 수업의 경우 실기의 비중이 큰 편이다. 편집이나 음향 수업도 실제로 장비를 다뤄보며 배운다. 학생들은 1학년 때 경험하는 '영상과 음향'을 시작으로, '촬영 실습', '내러티브 워크숍', '졸업 영화' 등 다양하고 체계적인 실기 수업을 거치며 실제 현장에 나가 활동할 수 있는 영화 창작자가 된다.

　　개인적으로는 영화과의 트레이드마크 수업이라고 할 수 있는 '영상과 음향'이라는 수업이 가장 기억에 남는다. 실제로 짧은 시나리오를 만들어 영화를 찍어보는 수업인데, 일주일에 하나씩 영상을 찍어내야 해서 체력적으로도 많이 힘들었던 기억이 난다. 오리엔테이션 시간에 교수님께서 소림사에서 뜨거운 모래에 손을 집어넣고 있는 성룡 영상을 보여주시며 "너네가 지금 하는 게 이런 작업이다. 뭘 만들려고 하지 마. 그냥 해."라고 말씀해 주셨던 것이 아직도 생생하다. 한 학기 동안 스스로를 심리적으로

영화는 혼자서 할 수 없는 예술이다.
결국 사람들과 협업해야 하기 때문에
의견을 조율하고 부딪치는 과정을
여러 번 겪을 수밖에 없다.

육체적으로 단련한 시간이었다. 힘든 부분도 있었지만 짧게나마 영화와 여러 장르를 경험해 본 것만으로도 큰 도움이 되었다. 또한 함께 수업을 듣는 학우들, 교수님들과 결과물을 함께 관람하고 피드백을 나누는 과정도 좋은 경험이었다.

좋아하는 공부를 한다는 것

나는 '입시를 준비하면서 뭘 더 했어야 했는데…' 하는 후회를 해 본 적이 없다. 다만 내가 어떤 영화를 만들고 싶고, 어떤 이야기를 좋아하는지 등 취향에 대한 구체적인 생각을 많이 해봤다면 좋았을 것 같다. 물론 이 부분은 대학교에 입학한 이후에 해도 늦지는 않다. 하지만 실제로 한예종 생활을 해보니 바쁘게 하루하루가 흘러가서 생각보다 정신이 없다. 입학 전에 나의 생각들을 꺼내놓고 정리하는 과정을 거친다면, 입학 후 훨씬 다양한 경험과 좋은 기회를 만날 수 있을 것이다.

영화과는 다양한 분야로 뻗어나갈 수 있는 메리트가 있는 과다. 나는 영화가 모든 영상 창작물을 크게 아우르고 있는 분야라고 생각한다. 영화과를 나와서 드라마, 광고, 소설 등 다양한 분야로 진출할 수 있다.

결국 영화를 포함한 예술 분야들은 내가 어떤 방향성을 가지느냐가 중요한데, 학교에서 수업을 듣고 과제를 수행하는 등 여러 과정을 통해 내가 추구하는 예술의 방향성에 대해 고민해 볼 수 있었다. 그리고 내가 정말 영화를 좋아하는지, 적성에 잘 맞는 일인지, 꾸준히 지속할 수 있는지 등도 수업을 통해 테스트해 볼 수 있었다.

현장과 큰 차이가 없는 시스템을 경험할 수 있다는 것도 졸업 후 진로를 정하는 데 도움이 된다. 전문성의 차이나 규모의 차이는 생길 수 있지만, 실제 현장에서 필요한 능력을 학교에서 많이 연습해 볼 수 있기 때문에 영화에 대해 더 자세하게 공부하고 경험할 수 있었다.

나는 요즘 작가, 평론가 등 글을 쓰는 직업을 가지고 싶다는 생각을 한다. 영화는 결국 이야기를 꺼내놓는 방식 중 하나이므로 다른 방식의 스토리텔링도 접해보고 싶다. 이를 위해 시야를 넓히려고 노력하고 있다.

정말 사랑하던 영화를 입시 준비를 하면서 미워하게 되는 경우를 많이 봤다. 어쩌면 내가 평생 사랑할 수도 있는 분야를 고작 시험 때문에 미워하게 되는 게 안타깝다. 이 글을 읽는 미래의 후배들이 입시를 준비하는 이 시간에 부담감을 가지기보다는 좋아하는 일을 미리 공부하는 시간이라고 생각하면 좋겠다.

불확실함 속에서
스스로를 믿고
나아가는 힘이 무엇보다
중요했다.

한예종인에게 물었다!

Q. 대학원 진학은 어떤 경우 고려하면 좋을까요?

보통 전공 분야를 더 깊게 연구하기 위해 대학원에 진학하는 경우가 많지만, 저 같은 경우에는 새로운 분야를 공부하고 경험해 보기 위해 선택했습니다. 이 역시 좋은 이유라고 생각합니다. 저는 타 전공으로 학부를 졸업했고, 연기나 공연 관련 경력도 전무했습니다. 무대미술을 하고 싶다는 마음만으로는 막막했는데, 대학원에 가면 도움이 될 것이라는 조언을 들었습니다. 특히 한예종에서는 저처럼 공연이나 연극과에 관한 기본 지식이 없더라도 원한다면 얼마든지 학교에서 다른 구성원들과 함께 공연을 해볼 수 있는데 그 점이 가장 큰 장점이라고 생각합니다.

≫ 무대미술과 전문사 21학번 박나경

먼저 자신에게 명확한 동기와 목표가 있는지 질문해 봐야 합니다. 일반적으로 연극영화과 졸업생들은 학부 과정의 배움을 토대로 현장에서 활발히 활동하고 싶어 합니다. 하지만 활동의 기회를 획득하는 것은 보통 쉬운 일이 아니지요. 혹시 본인의 대학원 진학 동기가 현실적인 어려움으로 생긴 불안감 때문은 아닌지 잘 생각해 보세요. 그리고 이 부분은 면접에서도 질문을 받을 수 있습니다.

학부 과정에서는 현장에서 적용될 수 있는 실제적인 연기술을 경험하고 훈련한다면, 대학원 과정에서는 연기학에 대한 전반적인 탐구와 고유한 연구 주제를 찾아가게 됩니다. 자신만의 연구 주제를 발견하여 심도 있게 탐구해나갈 필요성을 인식했다면, 대학원 과정은 연기 예술가로서 한 단계 도약할 수 있는 기회가 될 것입니다. 아울러 교육자, 창작자, 액팅 코치 등 정체성의 경계를 확장하고자 할 때에도 대학원 과정은 유의미한 도움을 줄 것입니다.

≫ 연기과 전문사 21학번 김두진

이 책에 참여한 사람들

SCENE 01

김솔 연극원 연극학과 예술경영전공 19학번
박주희 연극원 연기과 23학번
이상엽 연극원 연기과 21학번
김수진 연극원 연극학과 예술경영전공 21학번
이진 연극원 극작과 21학번
이서영 연극원 연출과 22학번
김채리 연극원 무대미술과 23학번
우다현 연극원 연기과 20학번
민하늘 연극원 연기과 20학번

SCENE 02

우다현 연극원 연기과 20학번
이승기 연극원 연기과 20학번
이현정 연극원 무대미술과 21학번
김성윤 연극원 연출과 22학번
강정인 연극원 극작과 21학번
이준원 연극원 연기과 20학번
송서영 연극원 연극학과 예술경영전공 21학번
정민철 연극원 연극학과 예술경영전공 23학번
박준희 연극원 연출과 20학번

SCENE 03

김솔 연극원 연극학과 예술경영전공 19학번
이여원 연극원 연극학과 연극학전공 20학번
　　　　(연출과 부전공)
육현주 연극원 연기과 19학번(극작과 부전공)
장지영 연극원 극작과 19학번
조은들 연극원 무대미술과 19학번
박지원 연극원 연출과 21학번
박차리 연극원 연극학과 예술경영전공 21학번
김가림 연극원 연기과 20학번
김성윤 연극원 연출과 22학번
강채희 연극원 연극학과 예술경영전공 22학번
민하늘 연극원 연기과 20학번

SCENE 04

홍경민 연극원 연출과 18학번
장현 연극원 연기과 20학번
남영주 연극원 무대미술과 19학번
백하빈 연극원 연기과 18학번
조승혜 연극원 극작과 19학번
류체른 연극원 연기과 16학번
박지원 연극원 연츨과 21학번

SCENE 05

조혜령 음악원 작곡과 19학번
김정인 미술원 디자인과 20학번
김태경 전통예술원 음악과 대금전공 20학번
김고은 무용원 창작과 18학번
김민정 영상원 영화과 21학번
박나경 무대미술과 전문사 21학번
김두진 연기과 전문사 21학번

사진 제공

한국예술종합학교 공연전시센터
〈죽은 자를 위한 식탁〉
이희경 〈부목한전: 다시, 봄〉

강정인
김고은
김민정
김정인
김태경
김솔
남영주
류체른
문채영
백하빈
육현주
이희경
이준혁
이진
이현정
장지영
홍경민
황주희

구분	입시	모집학과		일정	
				원서접수	시험
일반전형	고등학교 졸업(예정) 이상 또는 이에 준하는 학력이 인정되는 자는 누구나 지원 가능	8월 입시	연극원 연기과	6월	〈1차〉8월 〈2차〉9~10월
			무용원 전 학과	6월	8월
		10월 입시	음악원 연기과 연극원 무대미술과 전통예술원 전 학과	8월	9~10월
		11월 입시	연극원 연출과, 극작과, 연극학과 영상원 전 학과 미술원 전 학과	10월	11~12월
특별전형	각 학과별 소정의 특별한 지원 자격 구비 시 지원 가능	8월 입시	음악원 성악과, 기악과 영상원 영화과, 애니메이션과 무용원 실기과(발레)	6월	8월

한예종 연극원 전공별 시험 내용

과(전공)	구분	시험 내용
연기과	1차	• 연기자의 연기 능력 평가 - 수험생이 자유롭게 준비한 1개의 독백 연기(1~2분 이내) - 노래 또는 움직임 (1분 이내) • 시험에 관한 전반적 질의 · 응답 • 고교 내신성적
연기과	2차	• 제시된 독백 연기 • 즉흥 표현 • 준비한 독백 연기 • 노래 또는 움직임 • 구술 시험
무대미술과	1차	• 실기 시험 • 고교 내신성적
무대미술과	2차	• 심층 평가 시험 - 심층 실기 - 구술
연출과	1차	• 언어 능력 평가 〈논술형 글쓰기〉 • 고교 내신성적
연출과	2차	• 스토리 구성 능력과 창의력 평가 • 구술 시험
극작과 (극작)	1차	• 언어 능력 평가 〈논술형 글쓰기〉 • 고교 내신성적
극작과 (극작)	2차	• 스토리 구성 능력과 창의력 평가 • 자유 글쓰기 • 구술 시험
극작과 (서사창작)	1차	• 언어 능력 평가 〈논술형 글쓰기〉 • 고교 내신성적
극작과 (서사창작)	2차	• 자유 글쓰기 • 지정 글쓰기 • 구술 시험
연극학과 (연극학)	1차	• 언어 능력 평가 〈논술형 글쓰기〉 • 고교 내신성적
연극학과 (연극학)	2차	• 글쓰기 • 구술 시험
연극학과 (예술경영)	1차	• 언어 능력 평가 〈논술형 글쓰기〉 • 고교 내신성적
연극학과 (예술경영)	2차	• 글쓰기 • 구술 시험

* 출처: 한예종 홈페이지

한예종에
가고 싶어졌습니다

초판 1쇄 인쇄 2023년 12월 21일
초판 1쇄 발행 2024년 1월 2일

지은이 김솔 외 한국예술종합학교 재학·졸업생 10인
발행인 손은진
개발책임 김문주
개발 김민정 정은경
제작 이성재 장병미
마케팅 엄재욱 조경은
디자인 이아진

발행처 메가스터디(주)
출판등록 제2015-000159호
주소 서울시 서초구 효령로 304 국제전자센터 24층
전화 1661-5431 팩스 02-6984-6999
홈페이지 http://www.megastudybooks.com
출간제안/원고투고 writer@megastudy.net

ISBN 979-11-297-1146-5 13370

메가스터디BOOKS

'메가스터디북스'는 메가스터디㈜의 출판 전문 브랜드입니다.
유아/초등 학습서, 중고등 수능/내신 참고서는 물론, 지식, 교양, 인문 분야에서 다양한 도서를 출간하고 있습니다.